MELV... BURGESS

Une idée fixe

**Traduit de l'anglais par
Laetitia Devaux**

Gallimard

Titre original : *Doing it*
Édition originale publiée par
Andersen Press Limited, Londres, 2003
© Melvin Burgess, 2003
© Éditions Gallimard Jeunesse, 2004,
pour la traduction française

Avec mes remerciements à Mr Zob Zobut

1

Un choix « dragonien »

– Alors voilà, lança Jonathon. Soit tu baises Jenny Gibson, soit tu baises la mendiante qui fait la manche devant la boulangerie.

Dino et Ben prirent un air dégoûté. Jenny était de loin la fille la plus moche du lycée, mais la mendiante puait. Et puis ses dents...

– T'es vraiment dégueulasse ! fit Ben d'un ton horrifié.

Jonathon reçut ce compliment avec un air suffisant. Il était le roi de ce genre de questions.

– Au moins, dans les deux cas, ce sont des filles, fit remarquer Dino.

– Je choisis la mendiante, répondit Ben après un instant de réflexion. Une fois lavée, elle devrait être potable.

Jonathon fit signe que non :

– Tu dois la prendre comme elle est.

– Beurk ! T'es le seul que ça amuse, des trucs pareils ! protesta Dino.

Mais c'était justement ça qui était drôle. Il fallait répondre à ce choix « dragonien ». Il fallait imaginer la scène.

Ben se tortillait sur place. Ce n'était même plus une histoire de goût, mais de maladie.

– Je peux la prendre par-derrière ?

– Non, par-devant. Avec la lumière. Et tu dois lui rouler une pelle. La lécher, aussi.

– Jonathon! s'écria Dino.

– Tu n'avais pas parlé de la lécher, se défendit Ben.

– La lécher jusqu'à ce qu'elle jouisse.

Ben grimaça à cette idée pendant que son cerveau se ratatinait de terreur.

– T'es vraiment atroce. Lavée, j'aurais pris la clocharde, sauf que si elle pue, je préfère Jenny. Mais si tu laisses Jenny dans la rue quelques mois et qu'elle devient aussi sale que la clocharde, je préfère la clocharde. Et toi?

– Jenny, répondit aussitôt Jonathon.

– Il faut dire que pour toi, c'est le seul espoir de tirer ton coup!

– Elle est laide, mais elle n'est pas trop mal foutue, se justifia Jonathon. Une fois dans le coup, ça doit aller. Alors que la clocharde aura des dents pourries, une haleine atroce, des débris de kebab partout dans la bouche... Des boutons de fièvre... Des plaies, plein de trucs comme ça.

– Beurk!

– À moi, lança Dino à Ben. Qu'est-ce que tu dirais de baiser Jenny ou... Mrs Woods?

Tous trois hurlèrent de rire. Bien vu. Mrs Woods avait plus de soixante balais, elle détestait tout ce qui était en dessous de vingt ans, et elle avait une haleine de chou en boîte. Mais dans un passé très lointain, il se pouvait qu'elle n'ait pas été trop laide.

– Propres toutes les deux? demanda Ben.

– À peu près.

– Mrs Woods, lança Ben par provocation.

– Mrs Woods ? s'exclama Dino en mimant la surprise. Quand même ! Jenny est moche, mais Mrs Woods, elle est vieille !

– Vieux, ça vaut mieux que moche, rétorqua Ben.

Ses copains le regardèrent d'un air curieux. C'était tout Ben, ça, avec ses avis tranchés.

– T'es vraiment bizarre, toi, fit Jonathon. Il n'y a rien de pire qu'être vieux ! Et la personnalité, tu ne prends pas ça en compte ? Jenny est quelqu'un de bien, alors que Mrs Woods, c'est un dragon !

– Ouais, mais ce ne serait plus un dragon si je la baisais, non ? Ça la rendrait...

– Gentille ? suggéra Jon.

– Peut-être.

– Alors pour toi, il vaut mieux être vieux que moche, et la personnalité ne compte pas ? résuma Jonathon.

– On parle de baise, pas de mariage ! Personne n'a dit qu'on devait leur parler, souligna Ben.

Ils éclatèrent de rire à nouveau.

– Moi, je prendrais Jenny, annonça Dino.

– Moi aussi, fit Jon.

Ben haussa les épaules et déclara d'un ton ironique :

– Comme ça au moins, j'aurais baisé une prof. Et puis, elle doit avoir de l'expérience.

– Une femme aussi abominable accepterait sans doute n'importe quoi, reconnut Jonathon.

– Épargne-nous les détails, l'interrompit Ben. À moi. Mrs Woods ou... Mrs Thatcher ?

Dino poussa un soupir. Il détestait ce jeu. C'était l'une des rares choses où il se trouvait mauvais.

– Mrs Thatcher, répondit-il. Elle est encore plus moche et plus vieille...

– Elle a eu une petite attaque, en plus, fit remarquer Jon.

– … mais Mrs Woods, on la croise tous les jours au lycée, alors que Thatcher, ensuite, tu ne la reverras jamais. Thatcher, sans regret.

– Nécrophile! lança Ben.

Dino sourit d'un air penaud.

– Moi, je choisirais Mrs Woods, déclara Jon. Thatcher est presque une morte vivante!

– J'en ai une bonne, lança Dino d'un air joyeux. La reine ou… Deborah Sanderson?

– Pas encore Deborah! protesta Jonathon.

La reine, c'était atroce, aucun être humain ne coucherait avec elle, même à quatre-vingts ans et même en s'appelant le duc d'Édimbourg, alors que le seul crime de Deborah, c'était d'être un peu ronde. Jon avait un faible pour elle. Ses copains s'en doutaient, mais il avait trop honte pour l'avouer.

– Tu es obligé de répondre, insista Ben.

– Dans ce cas, Deborah.

– Ah!

– Mais seulement parce que tout vaut mieux que la reine.

– Menteur, fit Ben, c'est parce que tu l'aimes bien. La reine est plus attirante. Moi, je préférerais coucher avec la reine. Et toi, Dino?

– La reine, c'est sûr.

– Enfoirés de menteurs! Vous dites ça uniquement pour m'emmerder!

– Pas du tout. Parce que quand même, Deborah, elle est grosse!

– Ronde! corrigea Jonathon.

– Tu connais le dicton. Les grosses, elles aiment ça, fit Ben.

– Et c'est sans doute la seule femme sur terre prête à tomber à ton niveau. De toute façon, je savais qu'elle te plaisait, lâcha Dino.

– Bon, à moi, le coupa Jonathon en désignant Dino.

Il en avait gardé une pour la fin, pour leur clouer définitivement le bec.

– Tu peux te taper toutes les femmes que tu veux. Toutes celles que tu veux, quand tu veux. Elles ne peuvent pas refuser. Même les plus canons. Tu n'as qu'à demander. Et elles font tout ce que tu veux. Tout. Mais en échange, tu te fais enculer une fois par an pendant vingt minutes à la radio.

– À la radio? Pourquoi pas à la télé? s'étonna Ben.

– Parce qu'à la radio, tu essayeras de ne pas faire de bruit pour que personne ne sache que c'est toi, mais tu n'y arriveras pas. Tu lâcheras des petits couinements. Du genre: «Han, han, han». Sinon, tu n'as pas le droit de baiser. Pas une seule fille de toute ta vie.

Dino essaya d'y réfléchir. Ne pas baiser? Impossible. Mais se faire enculer, impossible aussi.

– Je refuse de répondre.

– T'as pas le choix.

– Si. Je ne joue plus. Mais comme c'est toi qui as posé la question, tu dois répondre.

– Facile. Je choisis toutes les femmes et l'enculade. Ça vaut le coup!

– Moi aussi, fit Ben. Imagine la récompense! Britney Spears, Kylie Minogue, Jackie Atkins! Toutes celles que tu veux!

– Espèce de pédés! protesta faiblement Dino, mais il avait perdu.

– D'accord. À toi, dit Jonathon en pointant le doigt sur Ben.

– Non, c'est bon, tu as encore gagné.

– Tu ne vas pas t'en sortir comme ça !

– Si. Parce que je sais ce que tu vas me proposer. Comme la dernière fois. Mon père ou ma mère. Je refuse.

– Non, c'est pas réglo. Pas la famille ! protesta Dino.

– On a le droit de choisir n'importe qui, c'est le jeu, rétorqua Jon. Donc j'ai encore gagné, espèce de mauviettes !

– Non, c'est moi qui ai gagné, fit Dino. Parce que tous les deux, vous l'avez dans le cul !

– Peut-être que ça te plairait, en fait, fit Ben. Tant que tu n'as pas essayé, tu ne peux pas savoir.

– Attends un peu : le samedi soir, t'as deux fois plus de chances de tirer ton coup, lui rappela Jon.

– Je préfère pas.

– Alors ça signifie que tu es un homosexuel refoulé. C'est eux les plus réticents.

Dino fit une grimace en lâchant :

– Peut-être...

– Toujours pas de foufoune en vue ? lança Ben d'un air compatissant.

– Il faut que tu te trouves une meuf, lui assena Jonathon. Les foufounes, c'est en général dans les mêmes parages. À moins que tu t'en dégotes une en latex...

– Arrête, fit Dino.

Jon se tut.

– Laisse tomber, Dino, lui conseilla Ben. Elle s'en fout de toi, cette fille.

– Je ne pensais pas à elle, se défendit Dino. C'est juste que je ne m'intéresse à personne d'autre pour l'instant.

– Quel gâchis, râla Jonathon. La moitié des filles du lycée mouillent pour lui, et Dino, c'est mission impossible ou rien : Jackie Atkins. Il lui faut la plus belle, à notre James Dean.

Dino gigota et sourit en lançant :

– Tu y arriveras sans doute avant moi.

Puis il laissa un Jonathon souriant aux anges à cette idée et rentra chez lui.

Après avoir posé son manteau, Dino s'arrêta devant la glace. Et fut satisfait de ce qu'il y vit. Jackie était la plus belle créature du lycée, à une exception près : lui. Dino était canonissime. Il avait les cheveux bruns avec quelques mèches blondes, les traits réguliers avec juste ce qu'il fallait de rudesse, une grande bouche, des lèvres charnues et un regard doré. Toutes les filles y plongeaient, et toutes s'y noyaient.

Mais Jackie n'était pas seulement belle. Elle était intelligente, aussi. Elle sortait avec un type plus âgé, et pour elle, Dino n'était qu'un petit con. Mais Dino, lui, savait. Les deux créatures les plus belles du lycée se devaient l'une à l'autre. Dino la méritait. Ça faisait tellement longtemps qu'il la voulait qu'il n'en parlait même plus, mais il y croyait. Ce n'était qu'une affaire de temps.

2

L'inconcevable voyage

Trois jours plus tard, Dino traversait nonchalamment la Maison des Jeunes en jetant un discret coup d'œil par-dessus son épaule pour vérifier que Jon et Ben le suivaient. Il s'adossa au mur près du distributeur de boissons et entama la conversation avec deux filles qui, comme par hasard, venaient se servir. L'une d'elles lui offrit un Coca. Dino se mit à sourire comme une lampe qui s'éclaire peu à peu, alors que la fille rayonnait déjà.

Jon souffla à Ben :

– Frottement de mamelons contre bonnets en coton Wonderbra. Doux sifflement d'une culotte mouillée entre les cuisses.

– Ta gueule, fit Ben.

– Désolé.

D'habitude, les garçons ne traînaient pas à la Maison des Jeunes, mais Dino avait convaincu ses potes d'y aller parce que Jackie la fréquentait. Elle y faisait de l'escrime. Elle apparut en tenue à l'autre bout de la salle. Dino l'identifia tout de suite, même avec son plastron et son masque. Elle fit quelques passes, une main derrière la tête. Il rêvait de l'embrasser, mais inutile de rêver. Car Jackie ne se trompait pas : Dino était un petit con. À un tel point qu'il ne voyait même pas qu'il n'avait aucune chance avec elle, malgré d'innombrables messages très clairs.

Quant à lui, Dino était serein. Car il y avait visiblement quelque chose que Jackie ne comprenait pas. Il avait tout pour lui : l'allure, un sourire à faire tomber la culotte d'un top-modèle, et une franchise désarmante qui ne lassait de vous surprendre. Et sa voix... Dino avait la voix d'un ours faussement en peluche. Une voix magique.

Sans oublier le plus important. Il était canonissime.

– Ce soir, c'est le bon, se promit-il.

– Aucune chance, lui lança Ben. Je te l'ai déjà dit, pour elle, tu es un petit con.

– Ce qui est vrai, d'ailleurs, railla Jon.

Dino éclata de rire puis soupira en terminant son Coca :

– J'ai la trouille.

La fille qui lui avait offert la canette et qui attendait à ses côtés, mal à l'aise, inexistante à ses yeux depuis cinq minutes, s'en alla en râlant. Dino la regarda s'éloigner, mais il pensait déjà à autre chose.

– Peut-être que tu devrais laisser tomber, suggéra Jonathon.

Dino grogna :

– Merci les mecs ! Vous êtes censés m'encourager, pas m'enfoncer !

Mortifié, Jonathon voulut s'excuser :

– Ce n'est pas ce que je voulais dire…

Dino lui décocha un regard méprisant, mais sans insister. Jon et Ben échangèrent un coup d'œil. Dino traversait la vie comme un aveugle au bord d'une falaise : des anges devaient guider ses pas, car il ne tombait jamais ni ne trébuchait. Pour lui, tout était une question de temps. Et le moment était venu de passer à l'action.

Si Jackie méprisait tant Dino, c'est parce qu'elle aussi, elle était canonissime. Depuis l'enfance, exactement comme Dino. Cependant, à l'inverse de lui, elle avait renoncé aux gamineries. Elle se savait prétentieuse, ça lui déplaisait, mais elle ne pouvait que constater sa grande maturité par rapport aux autres — surtout les garçons, qui n'étaient que des gosses. Ce qui ne les empêchait d'ailleurs pas de la désirer. Ils savaient qu'elle avait déjà couché et qu'elle coucherait encore, mais pas avec des types comme eux. Pour avoir une chance avec Jackie, il fallait être mature version adulte. Simon, son copain, avait huit ans de plus qu'elle. Il venait parfois la chercher en voiture au lycée. Il avait son appartement, elle y dormait souvent avec l'assentiment de ses parents. Qui lui faisaient confiance. À côté de lui, Dino n'était qu'un bébé. Pour quelle raison aurait-elle échangé?

Ce soir-là, c'est donc par pure curiosité qu'elle lui roula une pelle. La Maison donnait sa soirée du mois. Tout le monde était excité, tout le monde dansait des slows langoureux et se tripotait. Cela faisait deux ans que Jackie sortait avec Simon, elle lui avait toujours été fidèle, mais ce genre d'excitation commençait à lui manquer. Alors quand Dino l'invita à danser, au lieu de lever les yeux au ciel en disant NON une fois de plus, elle haussa les épaules et lui permit de l'enlacer pour tourbillonner dans la salle. Elle l'autorisa à glisser sa cuisse entre les siennes, le sentit durcir contre son pubis et ressentit... un chatouillis dans le bas-ventre. Assez intense pour qu'elle le laisse l'embrasser à la fin du morceau. Par pure curiosité.

Le baiser dura plus longtemps que prévu. Elle se blottit contre lui et sentit ses jambes céder sous elle. Quand il recula, elle s'accrochait encore à son cou, les yeux mi-clos, sous le charme. Elle eut l'impression d'être une sangsue qu'on arrachait à sa proie. Dino la regarda dans les yeux et s'exclama avec passion: «Ça alors!» avant de la plaquer à nouveau contre lui et de lui murmurer dans les cheveux: «Je suis si heureux!»

Jackie se dit qu'il était vraiment débile. Pourtant, elle savait que ce n'était pas une parole en l'air. Qu'il pensait vraiment ce qu'il disait. Jackie avait rendu Dino heureux. Elle essaya de se rétablir, mais elle avait les jambes flageolantes. Elle prit trois grandes bouffées d'air. Dino était comme une sucette qu'elle avait envie de lécher entièrement. Il s'écarta pour la contempler, comme s'il n'en croyait pas ses yeux. Il était aux anges. Elle venait de lui donner la clé du bonheur. Allait-elle la lui reprendre ?

Il lui posa une main sur la joue, et elle se sentit à sa merci.

– On se retrouve demain après-midi ? On va se promener, ou quelque chose comme ça ? Je t'en prie, supplia-t-il.

– Bon, d'accord.

– Merci.

Dino la serra à nouveau très fort et sentit son cœur battre la chamade. Il ne s'attarda pas. Son instinct le sommait de rentrer chez lui avant que Jackie change d'avis. Une fois seule, elle tituba jusqu'à ses amies.

– C'était bien ? lui demanda l'une d'elles.

– Je n'ai rien compris, répliqua-t-elle.

Pourtant, son cœur avait déjà entamé le voyage inconcevable vers vous savez où. Et une fois que son cœur eut atteint vous savez quoi, Jackie était condamnée. Il n'y a rien de plus humiliant que de tomber amoureux d'un individu aussi arrogant et bourré de charme que 007.

– Vous avez vu ça ? lança Dino alors qu'il rentrait à pied avec ses potes.

– Mais comment t'as fait ? l'interrogea Jonathon.

Il n'en revenait pas. À juste titre, il avait eu peur pour l'encombrant mais fragile ego de Dino quand, une fois de plus, il se ferait éconduire par Jackie. Mais voilà que Dino rayonnait comme un lampadaire en léchant sur ses lèvres le parfum de Jackie.

– Et elle m'a laissé lui toucher les seins, précisa-t-il.

– Ah ouais ? Et ils sont comment ? s'enquit Jonathon.

– Bien ronds.

– Mais comment il fait ? questionna Jonathon. Tu crois qu'elle a oublié qui il était ? Qu'elle a eu une hallucination et qu'elle l'a pris pour Brad Pitt ?

– Moi, je pense qu'elle en veut à son corps, déclara Ben.

Jonathon se demandait quel effet ça faisait qu'une fille en veuille à son corps, sans même parler d'une fille comme Jackie.

– Parce que côté personnalité, c'est un crétin, alors qu'est-ce qui a bien pu la décider ? insista Ben.

– Arrête tes conneries, lança Dino.

Il se sentait une force de lion. S'il avait été seul, il aurait rugi.

Quand elle rentra chez elle, Jackie n'avait toujours pas compris ce qui lui arrivait, mais tout ça la préoccupait tellement qu'elle appela Sue, sa meilleure amie.

– Tu as embrassé Dino ? lança Sue, incrédule. Tu as *rendez-vous* avec Dino ?

– Je ne sors pas avec lui, c'est juste comme ça.

– Tu embrasses un garçon, tu le retrouves le lendemain et tu ne sors pas avec lui ?

– Ne fais pas ta bécasse, il ne va rien se passer.

– Alors pourquoi tu y vas ?

– Pourquoi pas ?

– Tu ne le supportes pas, tu te souviens ? Quel intérêt d'aller retrouver un garçon que tu ne supportes pas ?

– Comme ça. Pourquoi pas ?

– Arrête de dire pourquoi pas ! Pourquoi ?

– Mais qu'est-ce que t'as ? demanda Jackie.

– Je... vois... les... ennuis... pointer... leur... nez...

Jackie éclata de rire. Elle se sentait un peu grisée. Voilà Sue qui jouait à la maman parce que pour une fois elle s'était autorisé un truc un peu dingue ! Sue

18

qui lui donnait des conseils! D'habitude, c'était le contraire. Sue avait un goût atroce en matière de mecs, c'était désespérant, mais elle n'y pouvait rien.

– C'est juste par curiosité, se justifia Jackie.

Sue rétorqua:

– Écoute bien ça, ma chérie. Les types comme Dino, on en devient accro. Tu crois toujours que tu peux t'en sortir, que tu les essaies pour te faire une idée. Et puis tu te retrouves accro, et au final tu as l'air ridicule!

– C'est toi qui es ridicule! protesta Jackie.

Uniquement pour contrarier son amie, elle alla au rendez-vous avec Dino.

Ils partirent se promener. Il essaya de lui prendre la main et elle refusa, mais ça n'eut pas l'air de le gêner. Il souriait aux anges.

– Tu as l'air heureux, fit-elle remarquer.

Dino jeta un coup d'œil autour de lui, comme s'il craignait d'être surveillé, puis il lui murmura rapidement à l'oreille:

– Tu es belle, j'imagine qu'on te répète ça tout le temps. Tu as l'air d'une fille dans un magazine. Je... je... je ne sais pas quoi te dire! Tu me rends tellement heureux!

C'était à la fois ridicule — une fille dans un magazine! —, débile et pathétique. Il n'empêche, c'était aussi très agréable. Jackie ressentit un frisson dans le dos et le bas-ventre. Dino la vénérait. Il n'en revenait pas de sa chance. Mais où avait-il mis sa prudence? Il lui offrait son cœur sur un plateau alors qu'elle venait de passer dix ans à lui dire d'aller se faire foutre. Et il pensait chaque mot qu'il prononçait: on lisait à livre ouvert en lui.

Puis il l'attira derrière les buissons pour l'embrasser, et elle se laissa faire.

Plus tard, Jackie pensa : « Derrière les buissons ? »
Elle avait un petit ami qui possédait un appartement.
Alors pourquoi acceptait-elle d'aller dans les buissons ? Mais au cours de cette promenade, elle n'y avait pas pensé une seule fois. Et qu'elle le veuille ou non, tout à coup, elle se retrouva contre un arbre, la main de Dino dans sa culotte, comme si elle avait toujours attendu ça. Et elle n'avait jamais rien vécu de plus excitant ! Elle s'accrocha à son cou en gémissant d'une petite voix tout étonnée : « Dino... oh... oh... oh... Dino ! » Ce qui lui fit encore plus tourner la tête. Ça dura longtemps. Il finit par s'arrêter parce qu'il avait une crampe au poignet : elle portait un jean très serré. Ils regagnèrent l'allée en clignant des yeux, et elle était tellement ahurie et imbibée d'hormones qu'elle accepta un rendez-vous au cinéma dans la semaine.

Les jours suivants, Jackie n'aurait su dire si elle vivait un rêve ou un cauchemar. Dino était un petit con, mais elle s'en rendait compte maintenant, un délicieux petit con. Elle s'approchait du téléphone pour annuler le rendez-vous, se ravisait en se disant : « Je pourrais y aller une dernière fois », puis elle réfléchissait : « Mais pour quoi faire ? » Elle pensait tout le temps à lui. Exactement comme avait dit Sue...

– Beau, sexy et arrogant. Irrésistible, hein ?

– C'est affreux. Je suis amoureuse ?

– Mais non, tu as envie de lui, ma chérie, c'est tout. Amuse-toi bien !

– Mais on ne peut pas sortir avec un type qu'on ne supporte pas ! s'écria Jackie.

Sue haussa les épaules.

– En général, non, mais il y a peut-être des exceptions...

– Qu'est-ce que je vais faire ? supplia Jackie, tout à coup au bord des larmes.

– Et Simon ? C'est de lui que tu es censée être amoureuse !

– Mais je suis amoureuse de lui !

– Dans ce cas, oublie Dino.

– Je n'ai pas besoin de tes conseils !

– T'es vraiment accro, fit remarquer Sue.

– Non. Je vais aller au rendez-vous et lui dire que je ne veux plus le voir.

– Pourquoi ne pas le lui dire maintenant ? Pourquoi pas hier, avant qu'il soit trop tard ?

– Ce n'est pas encore trop tard.

– Tu penses à lui souvent ?

– Tout le temps, avoua Jackie. Je pense à ce qu'on a fait dans le parc. Quel branleur ! C'est insupportable !

Sue éclata de rire.

– Ce type est tout à fait mon genre. Voilà ce que je te propose : tu me le laisses. J'en ai déjà eu des tonnes comme lui. Il va me rendre malheureuse, mais avant ça, je vais bien m'éclater. Et quand tu verras ce qu'il en reste, tu n'en voudras plus !

C'était vrai, Sue dévorait les types comme Dino, mais au prix de sérieuses indigestions.

– T'as pas intérêt ! lâcha Jackie, et elles se mirent toutes deux à rire, même si ça n'avait rien de drôle.

Jackie alla donc au cinéma, et ce fut la plus merveilleuse expérience de sa vie. Ils ne virent pas une seconde du film. Quand elle se déshabilla ce soir-là, elle avait du pop-corn partout, qui s'était glissé dans ses moindres recoins pendant que Dino la caressait. Elle avait l'impression d'avoir été fouillée comme un tiroir. Il planait, il ne la lâchait pas. Quand il l'embrassait, elle sentait le cœur de Dino voltiger dans sa poitrine. Après le cinéma, ils marchèrent dans les rues et il parla. Il lui confia tous ses secrets, et c'était comme s'il la couvrait de bijoux. Elle avait l'impression d'être la seule personne importante pour lui, l'impression qu'il lui donnait tout. Il la fit marcher pendant des heures, il refusait que tout ça s'arrête car il craignait que le lendemain, la magie disparaisse. Elle revint chez elle à une heure et demie du matin pour se faire engueuler par son père qui lui reprocha de rentrer si tard sans prévenir. Alors qu'elle prenait une douche pour se débarrasser du pop-corn, elle se rendit compte qu'en cinq heures, elle avait à peine dit un mot, et que Dino ne lui avait pas posé la moindre question sur elle.

«Fait chier», se dit-elle, mais elle s'en foutait.

C'était trop tard. Son cœur avait entamé un inconcevable voyage, creusant une galerie jusqu'à son ventre, où il battait et ronronnait de bonheur. Il ne sortirait de là pour rien au monde. Elle devrait l'en arracher par petits bouts. Elle n'était pas amoureuse de Dino, mais elle avait terriblement envie de lui.

3

Liaison secrète

En prenant le bus après les cours ce mardi-là, Ben avait l'impression que sa poitrine était pleine de trésors. De bijoux chauds et moites. De doublons palpitants. Il avait l'impression d'avoir l'haleine dorée et des frissons argentés. Il se sentait riche au-delà de toute imagination.

Mais il était tout de même un peu inquiet alors que, depuis l'impériale du bus, il regardait défiler les maisons et les jardins. Un trésor, ça se perd ou ça se vole. Et si en plus, il ne vous appartient pas? Et s'il est tellement dangereux qu'il vaudrait mieux ne pas y toucher? Et s'il est maudit?

On n'est jamais content... Quand on n'a pas ce trésor, on le cherche, et quand on l'a, on a peur de le perdre. Et pourtant, si Ben était surpris avec la tête, la langue ou même un doigt dans ce coffre merveilleux, ce serait terrible. Il avait l'impression de faire de la magie noire mais craignait qu'un jour, tous les diables de l'enfer lui tombent dessus. Qu'adviendrait-il de son âme — et de ses études — après ça?

Pourtant, ça valait le coup. C'était une éducation en soi, et puis, la terminale, ça se redoublait, alors que ce genre d'opportunité ne se présentait pas chaque année.

Le bus traversa des champs bordés de hêtres. Ben descendit à l'arrêt suivant et partit le long de la route, puis fit demi-tour. Si une voiture passait, il accélérait le pas, comme s'il allait quelque part. C'était une journée humide d'avril. Les orties poussaient par touffes, il y avait des petites fleurs blanches dans les haies, les aubépines étaient pleines de bourgeons verts.

Au bout de dix minutes, une Renault jaune surgit de la ville et s'arrêta à sa hauteur.

– Salut!

La jeune femme au volant se pencha pour lui ouvrir la portière. Ben monta et ils démarrèrent.

Elle était d'humeur bavarde, ce jour-là. Elle l'interrogea sur sa journée au lycée, sur ce qu'il avait fait pendant le week-end. Ali était une pipelette. Elle lui raconta une histoire sur Mr Haide (prof de maths) dont l'épouse faisait une dépression nerveuse. La bonne femme se serait mise à tailler les troènes à deux heures du matin parce qu'elle craignait que le vent projette les branches contre les fenêtres. Ce genre d'histoire étonnait toujours Ben. Il n'arrivait même pas à concevoir que les profs puissent avoir une vie privée. Pour lui, tout ça relevait du documentaire animalier : ce qu'ils mangent, comment ils s'accouplent, quels sont leurs territoires. Pauvre Mr Haide ! Mais ce type n'était qu'un horrible marsupial, et Ben s'interdit de se lamenter sur son sort.

Quand ils arrivèrent chez elle, elle prépara du café, qu'ils burent en silence sur le canapé. Puis elle alla tirer les rideaux, lui demanda de se mettre debout au milieu de la pièce, et elle le déshabilla.

Elle faisait souvent ça. Il aurait bien aimé le lui faire, un jour. Elle le dévêtit complètement, comme si elle l'effeuillait, jusqu'à ce qu'il se retrouve à poil au milieu du salon avec une érection comme un pilier en béton. D'une certaine manière, c'était désagréable d'être debout comme ça avec votre prof qui vous tournait autour, mais la suite était tellement délicieuse qu'il aurait supporté n'importe quoi pour ça. Elle attrapa son sexe dans sa main chaude et l'embrassa longuement. Il lui remonta son chemisier et passa ses mains dans son dos pour défaire son soutien-gorge, puis elle s'accroupit et prit son sexe dans sa bouche.

Il avait vraiment de la chance.

*

La liaison entre Ben et Ali Young avait son origine trois ans plus tôt, quand il était en classe de quatrième et travaillait sur la pièce de fin d'année, *West Side Story*. Il aidait l'éclairagiste et l'ingénieur du son. Elle s'était toujours montrée assez familière avec lui, essayant de lui arracher des petites infos sur les élèves en échange de révélations sur les profs pendant qu'ils choisissaient les filtres et réglaient les lumières en coulisses. Ben était flatté, quoiqu'un peu mal à l'aise que sa prof lui raconte ce genre d'histoires.

Il apprit ainsi que le proviseur s'était fait opérer d'une hernie en mai dernier, et qu'il avait passé plusieurs semaines avec la moitié du système digestif dans le scrotum. Mr Collins (prof d'histoire) avait un chat qui chiait à l'intérieur de la maison. Il laissait les étrons plusieurs jours, le temps qu'ils sèchent, pour que ce soit plus facile à nettoyer. Sa femme était morte d'un cancer des intestins l'année précédente, y avait-il un rapport, selon lui ? Mr Wells, un autre prof d'histoire, avait une liaison avec Mrs Stanton, la prof de géo. Etc.

« Ça reste entre nous, Ben, d'accord ? »

Comment ne pas être d'accord ? Ce n'était pas souvent qu'on voyait ce qui se passait au lycée avec des yeux d'adulte, surtout ceux d'une séduisante et jolie jeune femme. Ben flashait depuis longtemps sur Miss Young. Comme tous les autres garçons. Elle sortait tout droit de la fac, c'était son premier poste, elle s'habillait comme les filles du lycée quand elles n'étaient pas en uniforme. Au fil des semaines, ils s'étaient liés d'amitié. Ils parlaient beaucoup. Ses copains le charriaient à ce sujet. Et Ben avait même quelques fantasmes où leurs plaisanteries n'étaient pas sans fondement.

Puis survint un incident qui changea tout. Miss Young était montée sur une chaise dans les coulisses pour régler un projecteur quand elle perdit l'équilibre et se retrouva par terre, les quatre fers en l'air. Ben vola à son secours, tout excité et tout gêné d'avoir vu sa culotte. Il fut encore plus gêné quand il voulut épousseter ses vêtements. Ça lui paraissait un bon prétexte. Il savait que c'était risqué, mais il avait trop envie de la toucher.

– Merci Ben, je peux m'en charger, dit-elle.

Il lui fit un sourire timide en rougissant, parce qu'il avait vraiment passé les bornes. Mais elle se contenta de lui sourire.

– Ça t'a plu ? demanda-t-elle.

– Je suis désolé, Miss. Oui, Miss.

– Dans ce cas, que dis-tu de ça ?

Elle effectua une petite danse en soulevant sa jupe et en agitant les fesses sous ses yeux. Ça ne dura qu'une seconde, mais Ben crut mourir. À l'époque, il n'était qu'un gamin. Et elle avait une toute petite culotte. Elle rougit à son tour en se rendant compte de ce qu'elle avait fait.

– Oh... je n'aurais pas dû. Disons que ce n'est jamais arrivé, dit-elle en se cachant le visage dans les mains comme si elle pouvait effacer ces dernières secondes.

– Je ne dirai rien, Miss.

Il avait tenu parole : il n'en avait jamais parlé à personne. Ni à Dino ni à Jonathon, à personne. Il avait décidé de ne pas la trahir. Mais l'incident mit un terme à leur relation. Les longues conversations à propos des lumières et du son, les ragots s'interrompirent. Ben comprenait. Elle était prof, et elle lui avait montré sa culotte. L'instant avait été magique, mais

26

c'était un geste vraiment stupide. Si elle avait fait ça avec Dino ou Jonathon, tout le lycée aurait été au courant en quelques heures. Elle aurait pu perdre son poste. Elle s'était offerte à lui, et leur relation en pâtit. Elle avait franchi la frontière, du coup elle avait mis de la distance entre eux.

Ben le regrettait, mais il admirait la spontanéité dont elle avait fait preuve. Elle n'était pas comme les autres profs. Elle considérait les élèves comme des personnes, pas comme des saucisses qu'il fallait fabriquer à la chaîne. Des années plus tard, le souvenir de son cul qui se tortillait dans sa petite culotte le rendait encore fou de désir. Cette scène alimenta ses fantasmes pendant longtemps.

Et Ben s'y connaissait en matière de fantasmes. Il en avait des stocks, avec tous un point commun. Qu'ils soient réalisables, du genre trébucher avec Miss Young dans un coffre à vêtements dont elle refermait le couvercle sur eux, la rejoindre dans un pub, boire quelques verres et hop... Qu'ils soient moyennement réalisables, comme imaginer Miss Young l'invitant à enlever sa culotte des fesses qu'elle lui tendait d'un air coquin... Qu'ils soient totalement improbables, comme devenir son maître chanteur, ou l'entendre annoncer qu'elle se faisait nonne, mais voulait s'offrir une orgie en sa compagnie avant de dire adieu aux plaisirs de la chair... Leur point commun, c'est qu'ils ne se réaliseraient jamais. Après tout, ce n'étaient que des fantasmes.

Peu à peu, ils se tarirent, et des nouveaux firent leur apparition. Ben ne voyait presque plus Miss Young. L'année suivante, il ne participa pas au spectacle du collège, et elle ne lui en demanda jamais la raison. Pourtant, Ben n'avait rien dit. Personne ne savait, et personne ne saurait. Combien de fois aurait-il pu raconter qu'elle avait soulevé sa jupe pour agiter son cul sous ses yeux... Il aurait aimé lui dire qu'il ne l'avait pas trahie, pour qu'elle sache qu'il était capable de tenir sa langue, aimé lui dire qu'il comprenait pourquoi elle avait pris ses distances. Il était sûr que ça l'inquiétait, il voyait bien ses coups d'œil furtifs. En tout cas, ces regards n'étaient pas destinés à évaluer ses progrès en théâtre! Ils étaient lourds, insistants. Ce qu'il ignorait, c'est que Miss Young n'était pas inquiète, mais pleine de désir. Car elle aussi avait des fantasmes.

Une année passa. Même les regards en coin cessèrent. Alors, au début de la nouvelle année scolaire, il lui proposa ses services pour le spectacle de Noël. L'histoire de la culotte remontait à trois ans plus tôt, autrement dit, l'enfance de Ben. Il participa aux premières répétitions dans les coulisses. Les regards lourds et insistants reprirent, et il la crut de nouveau inquiète.

Tout changea un après-midi où elle devait aller acheter des filtres. Ben l'accompagna en ville pour lui donner un coup de main.

Elle lui fit la conversation pendant les dix premières minutes, puis se tut. Ben prit son courage à deux mains.

– Je ne l'ai jamais dit à personne, vous savez, annonça-t-il.

Elle se tortilla sur son siège.

– Quoi? De quoi parles-tu?

– Je ne l'ai jamais dit à personne. À aucun de mes amis, à personne. Le jour où vous êtes tombée. Je ne l'ai dit à personne.

Elle roula un moment en silence. Ben insista:

– Je voulais vous le dire, parce que ça vous inquiète peut-être. Mais vous n'avez pas de soucis à vous faire, puisque je ne l'ai jamais dit à personne.

Ils roulèrent encore un moment en silence. Ben était embêté. Peut-être aurait-il mieux fait de se taire.

– Je te remercie, Ben. Je te remercie de me dire ça. Je pensais que tu aurais raconté cette histoire à quelques amis.

– Non, non.

– Absolument personne ?

– Personne.

– Je te crois. Tu sais pourquoi ?

– Non.

– Parce que c'est toi qui m'en as parlé. Sans que je te le demande. Si je t'avais posé la question, tu m'aurais évidemment répondu non. Bien obligé. Je sais donc que c'est vrai. Tu comprends ?

– Oui, oui, dit nerveusement Ben, même s'il n'en était pas très sûr.

– Tu avais peur que je m'inquiète.

– Aux regards que vous me lanciez, je voyais que vous étiez inquiète, c'est pour ça que je vous en ai parlé.

Elle éclata de rire sans qu'il sache pourquoi.

– Tu es un grand garçon, tu sais. Un garçon très mature.

– Merci.

Il le savait. Il était plus mûr que Dino ou Jonathon, qui n'étaient vraiment que des gosses. Mais c'était agréable de se l'entendre dire.

– D'une certaine manière, plus mature que moi, ajouta-t-elle.

– Ça, je n'en sais rien.

– Tu ne m'as jamais montré tes fesses, n'est-ce pas ? Ce qui est bien dommage pour moi !

29

Elle lui jeta un petit regard accompagné d'un sourire. Ben lui rendit son sourire, et son cœur se mit à battre très fort dans sa poitrine, comme si une alarme y retentissait.

Miss Young virevoltait dans le magasin d'articles de théâtre. Elle choisit à toute vitesse les filtres pour lesquels il y avait eu plus tôt tant de discussions et, sur le chemin du retour, suggéra de passer prendre un café chez elle, puisqu'ils étaient en avance.

Ben était assis sur son canapé, mal à l'aise, en train de boire le café qu'elle avait préparé à la hâte, tandis qu'elle continuait à louer sa fidélité.

– C'est une question de confiance, dit-elle. Or, tu as gardé notre secret.

Par la suite, Ben passa des heures à essayer de réunir tous les indices qui lui avaient échappé. Il en trouva au moins six cent cinquante mille, ce qui n'atténuait en rien sa surprise. Elle se mit à parler des garçons et des filles, puis de Ben et des filles. Ayant appris qu'il n'avait pas de petite amie, elle le questionna sur ses expériences sexuelles. Terrorisé, il répondit que c'était quelque chose de personnel, non ? Elle acquiesça. Puis se leva, défroissa sa petite jupe, et lui sourit.

– Désolée, mais cela fait trop longtemps que j'en ai envie. Depuis le jour où je t'ai montré ma culotte, déclara-t-elle.

Et elle se pencha pour lui rouler une pelle. Ben ne fit rien pour la repousser et elle lui sauta dessus, glissant ses mains partout sur son visage et sous son pull. Submergé par une brusque montée d'hormones, il la prit par les hanches et mit les mains sur son cul. Elle remonta son chemisier, et Ben lui attrapa un sein. Craignant défaillir, il se redressa.

Miss Young — «appelle-moi Miss» — le repoussa sur les coussins et l'embrassa encore plus goulûment, avec de petits gémissements qui venaient de très loin dans sa gorge, comme si elle dégustait un mets délicieux. Elle lui caressa les cuisses en effleurant la bosse dans son pantalon. Ben s'entendit dire par trois fois «Putain». Ils continuèrent à s'embrasser. Elle lui descendit sa braguette. Fou de désir mais terrifié, Ben n'osa plus bouger, ce qui ne découragea en rien Ali. Elle annonça :

– J'imagine que c'est à moi de faire le premier pas, non ?

Puis elle défit son soutien-gorge et remonta son pull de façon que seul son chemisier cache sa poitrine. Il apercevait ses mamelons foncés. Elle lui prit les mains et les posa sur ses seins.

– Comme ça, dit-elle.

Alors qu'il s'exécutait, Ben imagina ce que devait ressentir une jeune fille séduite par un homme plus âgé. Mais il était tellement surpris et excité qu'il avait du mal à réfléchir. En tout cas, on ne lui demandait pas son avis.

Quand elle lui retira son pantalon, il fut pris de panique.

«Je n'ai jamais fait ça, lui dit-il. Ce n'est sans doute pas une bonne idée. Vous êtes sûre ?» À moins qu'il n'ait dit : «Oh oui, Miss»? Il ne savait plus.

– Ben, dit-elle. Je suis ta prof. Fais ce que je te dis.

Et Ben obéit.

Une heure plus tard, il était de retour au lycée, en train de fixer les filtres sur les projecteurs pendant qu'Ali, redevenue Miss Young, tels Dr Jekyll et Mr Hide, apprenait à un groupe de sixièmes à marcher au pas.

Il pensait : «J'ai perdu mon pucelage pendant les heures de cours. Avec une prof.» Il se sentait fier et privilégié. «J'ai sucé les seins de Miss Young. Je connais la couleur de ses poils pubiens.» Il avait atrocement envie de s'en vanter, ce qui ne serait pas possible au cours des prochaines années, voire jamais. Après tout, quelle importance ? Il avait beau avoir joui trois fois dans l'heure précédente, il était plus excité que jamais. L'expérience avait été à la fois étrange et gênante, mais il venait de passer la demi-heure la plus agréable de sa vie, et de loin. Chair, sexe, vice. Tout y était.

«J'ai vraiment de la chance, se dit-il. Putain, j'ai vraiment, vraiment de la chance.»

4

Dino

Sortir avec Jackie est le meilleur truc qui me soit jamais arrivé. Vraiment. Mais je le savais. Ça devait arriver. Quand elle a dit oui, j'ai eu l'impression que j'attendais ça depuis toujours.

«Peut-être que ça te va, mais pas moi», elle m'a dit avant d'éclater de rire avec ses amies. Mais ça ne se passe pas comme ça, non ? Ça ne peut pas aller à l'un et pas à l'autre, hein ? Ça ne marcherait pas.

Le truc avec Jackie, c'est qu'elle est trop belle. Tout le monde la mate. Quand je marche avec elle à mon bras, j'ai l'impression qu'on déroule un tapis rouge sous mes pas. Dans mes premiers souvenirs, elle est là, à grandir plus vite que moi. Déjà en primaire, tout le monde craquait sur elle. Alors quand je regarde ses longs doigts défaire pour moi le premier bouton de son jean pendant que je lui caresse les seins dans les massifs de rhododendrons sur Crab Lane, je me sens tellement bien, putain !

– Pas ici, ne fais pas l'idiot, elle a protesté, alors qu'on soufflait déjà tous les deux comme des locomotives à vapeur.

Holà ! J'ai reculé pour la regarder remonter sa braguette et se reboutonner. J'avais l'impression que mon sang était de la soupe bouillante. Voilà l'effet qu'elle me fait.

– Tu devrais mettre une jupe, j'ai dit.

– Pour être plus accessible… elle a rétorqué.

Des fois, je suis un vrai connard, je le reconnais. Je suis mon pire ennemi. C'est sorti malgré moi. Je la regardais se rhabiller alors que je n'en pouvais plus de désir et je me suis rendu compte qu'elle ne mettait jamais de jupe ou de robe. Je me suis dit : « Et voilà comment ça va se passer. On va aller chez moi, je vais la déshabiller jusqu'à la taille, on va se toucher, passer une heure à se tortiller comme des vers de terre… et c'est tout. Ça n'ira pas plus loin. Son jean ne quittera pas ses hanches. »

Vous savez quoi ? Ça fait un mois maintenant, un mois tout entier, et je suis encore puceau. À croire que je m'étais réservé pour elle, parce que j'aurais pu avoir des tonnes d'autres filles. Si vous demandez, on vous dira que toutes les filles veulent sortir avec moi, qu'il me suffirait de leur demander. C'est vrai. Et elle, elle ne veut pas baiser. Mais où était le problème ?

Vous ne connaissez pas Jackie. Elle est têtue comme une mule. Elle m'a souri, elle est sortie du massif, et j'ai su que j'aurais mieux fait de me taire. J'avais parlé sans réfléchir.

– J'ai des contraceptifs, j'ai dit.

– Non, elle a lancé. Puis elle a ajouté tout bas : ça ne va pas recommencer.

– Mais puisque tu en as envie, pourquoi pas ? j'ai demandé en glissant la main pour lui caresser la raie des fesses.

– Arrête ! Pas ici ! Je ne suis pas une chienne !

– Mais pourquoi ? Il y a une minute, ça ne te dérangeait pas !

– C'était derrière les massifs.

– Si tu m'aimais, tu voudrais bien coucher avec moi.

– Dino, arrête !

– C'est vrai.

– Qu'est-ce que l'amour a à voir là-dedans ? Tu ne m'aimes pas.

– Si, je t'aime !

– Dino !

– Je t'aime !

– Tu ne sais même pas ce qu'est l'amour.

Voilà comment elle me traite. Comme un gosse. Comme si j'avais dix ans et elle vingt.

– Ça signifie que tu ne m'aimes pas, alors, j'ai dit.

Elle m'a dévisagé.

– Je t'aime beaucoup.

– C'est tout ? Que ça ?

– De toute façon, même si je t'aimais, je ne coucherais pas avec toi.

– Et pourquoi ?

– Je n'ai pas envie d'en parler.

– J'exige de savoir. Ça m'intéresse, j'ai couiné.

Je m'en voulais de couiner, mais je ne pouvais pas m'en empêcher. J'ai insisté :

– J'exige de savoir. C'est par rapport à moi ? Il y a quelque chose que tu n'aimes pas en moi ? Il y a un problème avec moi ?

– Ça ne me semble pas la chose à faire.

– Ça te semblait la chose à faire avec Simon.

– Arrête !

– Qu'est-ce qu'il avait de si génial, Simon ? Pourquoi tu ne sors plus avec lui, alors ? C'est quoi la différence entre lui et moi ?

– Pour commencer, il avait huit ans de plus que toi.

– Je suis trop jeune, c'est ça ? Pas assez mûr pour toi ?

J'étais vraiment furieux, pourtant je savais que je ne pouvais pas continuer comme ça, que je gâchais toutes mes chances. Des fois, c'est plus fort que moi.

– Suis-je bête... J'ai compris ! Je ne suis qu'un gamin. Tu es grande, et pas moi !

– Tu te comportes en gamin, m'a lancé froidement Jackie.

– Ce n'est pas moi qui me comporte en gamin, c'est toi ! j'ai hurlé.

Et voilà. Elle a remis son manteau et elle est partie dans la rue comme une furie. Je me suis dit : « Merde ! Pourquoi je fais des trucs comme ça ? » Ça ne me gêne pas qu'on s'engueule, ça ne me gêne pas de râler et de bouder. Quand même, c'était absurde qu'elle ne veuille pas coucher avec moi. Mais pourquoi je choisissais justement ce moment-là pour gueuler ?

Je lui ai couru après en criant : « Je suis désolé, je t'en prie, ne pars pas ! » mais c'était trop tard. Elle a agité le bras dans ma direction et elle m'a crié : « Va te faire foutre ! »

Je me suis figé sur place. J'étais furieux. Me hurler dessus comme ça en pleine rue ! Devant tout le monde ! Personne ne me dit d'aller me faire foutre.

« Toi aussi, va te faire foutre ! » j'ai beuglé.

Je l'ai regardée partir, furieux contre elle mais aussi contre moi, parce que d'accord, elle ne voulait pas baiser, mais elle acceptait presque tout le reste. Presque tout, c'est quand même pas mal et là, je n'avais plus rien. Je suis un vrai con ! C'est plus fort que moi. Elle me rend fou. J'ai envie de... vous savez. J'ai tellement envie de le faire avec elle.

* * *

En rentrant tristement chez lui, Dino imagina qu'un laser hyper puissant lui poussait de chaque côté de la tête et détruisait tout ce qu'il touchait. Il anéantissait tout sur son passage. Arbres, maisons, lampadaires, même les collines étaient réduites à néant ou fendues en deux par le rayon. En se hissant sur la pointe des pieds, Dino pouvait admirer le désastre. Le monde n'était que décombres et destruction.

Il faisait ça depuis qu'il avait six ans. C'était gamin, mais ça passait le temps et puisque personne ne le savait, quelle importance ?

Il décrivit mentalement un cercle autour des maisons alentour et jeta un coup d'œil par-dessus le mur couvert de lierre, par-dessus les choux et les haricots, la terre brune sous le ciel bleu jusqu'à l'endroit où se dressait sa maison, miraculeusement préservée du désastre.

Celle-ci tourna vers lui ses fenêtres du premier étage et lui lança : « Tu te trouves malin, franchement ? »

En approchant de chez lui, Dino ne remarqua pas la voiture inconnue, qui, par précaution, était garée au bout de la rue. Il se dirigea droit vers la porte, et au moment où il s'apprêtait à glisser la clé dans la serrure, jeta un coup d'œil par la fenêtre du salon, pour découvrir sa mère dans les bras d'un homme. Tous deux s'embrassaient passionnément. Sa mère avait le chemisier ouvert. Elle portait un soutien-gorge rouge. L'homme remontait lentement sa jupe par-derrière.

« Plus accessible », murmura Dino.

Sans bouger, il regarda la jupe remonter au-delà des fesses et l'homme s'attaquer au collant. Et avant qu'ils le voient, il tomba à genoux, se faisant mal sur le paillasson en plastique. Il étouffa un cri de douleur, puis s'assura qu'il n'y avait personne dans la rue. Comment osaient-ils ? Juste devant la fenêtre ! Et les voisins ? Mais en fait, ils étaient cachés par le mur, on ne pouvait les voir que depuis la porte d'entrée. Une fois accroupi, Dino se rendit compte qu'il n'avait même pas regardé le visage du type. Il n'avait remarqué que la bouche de sa mère qui se déplaçait avidement sur ces lèvres étrangères. Il croyait avoir aperçu une moustache. Bizarrement, que sa mère ait dans la bouche des poils de barbe aggravait encore la situation.

Dino se redressa et marcha avec audace vers la porte, cette fois en regardant droit devant lui et en agitant la clé dans la serrure. Il fit mine de ne pas entendre les pas précipités dans le salon et alla se servir à boire dans la cuisine, jetant bruyamment son sac par terre.

– Qui est là ? demanda depuis le salon sa mère d'une voix surprise.

– Maman ? répliqua Dino, lui aussi d'une voix étonnée. C'est moi.

– Qu'est-ce que tu fais à la maison ?

Elle avait l'air inquiet. Dino l'imagina en train de remettre son soutien-gorge.

– Le cours d'histoire a sauté. Et toi, qu'est-ce que tu fais à la maison ?

– Le cours d'anglais a sauté, expliqua sa mère en se mettant à rire.

Mais son rire ressemblait à de la porcelaine qui se brise. Dino alla ouvrir la porte du salon. Sa mère était près de la table, et à l'autre bout se tenait Dave Short, prof au même collège. Il lissait — ou bien essuyait — sa moustache. Dino se souvint que Dave était prof de technologie.

– Le cours de techno a sauté aussi ? lança-t-il.

À sa grande surprise, Dave Short rougit comme un petit garçon. Dino rougit à son tour.

Ce soir-là, Dino passa un long moment dans sa chambre à essayer de se concentrer sur des sujets agréables comme Jackie, le foot ou un bon film, mais il revenait sans cesse à sa mère qui suçait la moustache de Dave Short en un gros plan bien répugnant. L'image était effrayante. Qu'allait-il se passer ? Sa famille allait-elle voler en éclats ? Son petit frère Mat était-il au courant ? Et puis, sa mère était vieille, comment pouvait-on avoir envie de l'embrasser ? Devait-il le dire à son père ? Sa mère savait-elle qu'il savait, le soupçonnait-elle, ou avait-il réussi à les convaincre qu'il n'avait rien vu ?

Quant à Dave Short... Dino s'imagina faire chanter ce connard. C'était un homme dégarni avec une grosse moustache de blaireau, et du genre enrobé là

38

où il ne fallait pas. Affreux. Le dernier bonhomme dont on avait envie comme beau-père. Tellement affreux, en fait, que Dino n'arrivait pas à croire que sa mère puisse avoir envie de lui. Peut-être qu'il la faisait chanter. Voilà la réponse ! C'était du chantage ! Le salaud !

Sa mère avait besoin d'aide.

Puis il pensa à la façon dont elle l'embrassait. Peut-être qu'après tout, elle avait envie de coucher avec lui. Il pouvait donc les coincer tous les deux. Pourquoi pas ? Cette salope voulait détruire sa vie. Dire qu'elle était sa mère...

Mais d'abord, ce connard de Short. Dino s'assit à son bureau et entreprit de rédiger une lettre de chantage. Il fit plusieurs brouillons jusqu'à ce qu'on l'appelle pour dîner.

Les couteaux et les fourchettes cliquetaient dans les assiettes, mais Dino était à des kilomètres de là, il pensait à l'argent. Il serait bientôt riche. Il pourrait s'acheter une voiture. Peut-être sa vie allait-elle s'améliorer parce que sa mère avait une liaison, et non l'inverse.

Au moment où le mot liaison jaillit dans sa tête, il leva les yeux d'un air coupable. Mais personne n'avait l'air de voir qu'il pensait à l'impensable. Il se rendit alors compte que personne ne pouvait savoir ce qu'il pensait. Il se mit à imaginer des choses obscènes au sujet de Jackie — vraiment obscènes. C'était étrange de manger sa purée à côté de son frère en ayant la tête remplie des pensées masculines les plus dépravées. C'était troublant et drôle, mais bientôt son esprit se mit, presque contre sa volonté, à penser les mêmes obscénités au sujet de sa mère.

Atroce. Il se sentit envahi d'angoisse et de dégoût. À l'instant, Dave Short devait être en train de dîner avec sa famille et de penser exactement les mêmes choses, lui aussi à propos de sa mère. Mais lui, il y prenait plaisir ! Encore pire, peut-être que sa mère avait des pensées obscènes à propos de Dave Short. Tout seul au milieu de sa famille, Dino devint écarlate.

– Qu'est-ce qui se passe, tu as fait pipi dans ton pantalon ? lui lança Mat.

Mat n'avait que neuf ans. Dino lui décrocha un regard méprisant et tourna la tête. Il songeait à nouveau à l'argent qu'il allait gagner quand la voix de son père l'interrompit.

– ... partons ce week-end.

– Hein ?

– Ta mère et moi partons ce week-end.

– Où ça ?

– On ne sait pas encore.

– Pour quoi faire ? demanda Dino.

Son père éclata de rire.

– Qu'est-ce que ça veut dire, pour quoi faire ? Pour partir en week-end, voilà pourquoi.

– T'es vraiment crétin, lâcha Mat.

– Mat, dit doucement sa mère.

Elle fit un sourire amoureux à son mari. On aurait dit une femme qui n'avait rien à cacher.

– Mat ira chez grand-m...

– Oh non ! protesta Mat.

– Nous ne sommes pas partis ensemble depuis des siècles. Tu n'es pas allé depuis très longtemps chez ta grand-mère. Ça se passera bien, elle ira te chercher des vidéos.

– Je vais m'ennuyer !

– Par conséquent, tu seras seul, Dino. Tu crois que ça va aller ? Tu es assez grand pour être responsable, non ?

– Pas de problème, répondit Dino. Vous me prenez pour un bébé ou quoi ? Allez-y et surtout, prenez du bon temps.

Il n'avait pas réfléchi à ce qu'il disait, le sarcasme était sorti tout seul.

– Pourquoi dis-tu cela ? demanda son père.

– Pour rien. Pourquoi ?

Dino regarda sa mère sourire et — était-ce son imagination ? — éviter son regard. Puis, comme pour lui prouver qu'il avait tort, elle le regarda droit dans les yeux, et Dino faillit rougir. Mais il se contenta de sourire. Il se dit : « Moi aussi, je peux avoir l'air aussi innocent. » Mais la scène se prolongea, et tous deux détournèrent les yeux, confus.

« Je pourrais te faire chanter, espèce de salope », pensa-t-il.

Après le dîner, pendant qu'il essuyait les plats, Dino se surprit à observer sa mère qui rangeait les assiettes dans le lave-vaisselle. Il aperçut la bretelle de son soutien-gorge sous son chemisier. Ce n'était plus le rouge, c'était le beige qu'elle mettait tout le temps. Tellement confortable, disait-elle. Il faut dire qu'elle était plutôt bien nantie de ce côté-là.

Alors qu'il la regardait, Dino fut assailli par diverses pensées. Par exemple, une histoire qu'elle lui racontait souvent. Quand il était petit, cinq ou six ans, il lui avait demandé si elle avait encore du lait dans les seins.

– Non, plus maintenant, avait-elle répondu.

– Peut-être qu'on devrait quand même essayer, avait-il insisté.

41

Elle lui racontait maintenant cette histoire pour le faire rougir. Il pensa aussi que voir sa mère déshabillée, ce serait comme voir un être écorché vif, une carcasse. Il pensa qu'il aurait dû attendre à la fenêtre que Dave Short lui retire son soutien-gorge pour voir ses seins. Il pensa qu'il aurait bien aimé qu'elle lui parle de ce qui s'était passé cet après-midi-là. Il n'avait pas du tout envie de garder ce secret pour lui.

Sans réfléchir, il se pencha vers sa mère et fit claquer sa bretelle de soutien-gorge.

Elle se redressa, tout à coup furieuse.

– Comment oses-tu me faire ça? Comment oses-tu? s'écria-t-elle en chassant les cheveux de son visage.

– Désolé, murmura Dino.

Il était stupéfait. Il ne comprenait pas pourquoi elle faisait toute une histoire.

– Ne t'avise pas de recommencer! lui ordonna-t-elle.

Elle tourna les talons pour quitter la pièce, mais à la porte, elle le regarda d'un air curieux.

– Désolé, répéta Dino en haussant les épaules. C'était une blague.

Sa mère ne dit rien, mais elle l'observa longuement. Il savait à quoi elle pensait. Elle se demandait: «A-t-il vu quelque chose? Est-ce qu'il sait?»

– Quoi? lança-t-il. Quoi?

Et il fit une grimace, un petit sourire d'excuse. Sa mère s'en alla. Un peu plus tard, Dino monta dans sa chambre. Il s'attendait à ce qu'elle vienne lui parler, mais non.

– Yeah! Tu sais ce que ça signifie? demanda Ben.

– Une fête! lança Jonathon.

Dino devait faire une fête. Il avait obligé Jonathon à en organiser une quand ses parents étaient partis. Mais ça serait affreux. Ray et Alan Wicks finiraient par lancer des bouteilles dans la rue. La chaîne hi-fi ne résisterait pas à la soirée.

– Ce n'est pas si terrible, dit Jonathon. On t'aidera à nettoyer. Les filles sont géniales pour ça. Mes parents ne s'en sont jamais aperçus.

– Jusqu'à ce que ta mère veuille mettre ses chaussures et se rende compte qu'elles étaient pleines de vomi.

– J'ai dit que c'était moi.

– Et tu lui as dit que c'était toi qui avais pissé sur le canapé dans le jardin d'hiver, aussi ?

– J'ai dit que quelques amis étaient passés pendant le week-end. Bon, d'accord, je me suis fait choper, mais c'était une fête géniale. Ça valait vraiment le coup.

Et ça, c'était vrai.

– Mais il y a une autre possibilité, pointa Dino. Jackie.

– Je vois, fit Ben. Deux jours seuls à la maison, c'est bien mieux qu'une fête…

– Les parents dehors, et Dino au chaud vous voyez où.

– Sauf qu'elle ne veut pas, c'est ça ?

– La maison vide… réfléchit Dino.

– Ça changera quelque chose ? questionna Ben. Si elle ne veut pas, qu'est-ce qu'une maison vide va y changer ?

– Ça fait des semaines qu'elle me fait courir, ce n'est pas juste, protesta Dino. Je tiens ma chance. Vous voulez que je reste puceau à jamais ?

Il convainquit Jon et Ben, mais Jackie ne fut pas du tout du même avis. Quand elle entendit parler d'une maison vide, elle s'enthousiasma à l'idée d'une fête. Dino la regarda d'un air attristé.

– Qu'est-ce qu'il y a ? demanda-t-elle.

– C'est juste que... tu vois... Une maison vide. Toi et moi...

Jackie se mordilla les lèvres et l'observa.

– Tu as plus de chances de mettre une fille dans ton lit si elle a bu quelques verres d'abord, lui dit-elle avec un sourire.

– Va pour la fête, décréta Dino.

5

Pas la culotte

Dino se rendit compte qu'il avait beau partager la vie de ses parents depuis plus de seize ans, ils n'étaient pour lui que des étrangers. Que pensaient-ils, que ressentaient-ils ? Dans son enfance, ils lui lisaient des histoires, essuyaient ses larmes et il leur racontait ses secrets. Mais eux, quels étaient leurs secrets ? Ils auraient très bien pu être agents doubles ou membres de l'IRA, pour ce qu'il en savait. Il avait toujours cru que leurs seules émotions étaient liées à leurs enfants, mais ce coup d'œil par la fenêtre avait mis cette idée en pièces. Ils n'étaient pas seulement des parents. Ils étaient aussi des amis, des amants, des traîtres, des menteurs, des dragueurs. Il y avait plein de personnes en eux.

Avaient-ils encore des relations sexuelles ? Qu'est-ce qui les excitait ? Étaient-ils pervers ? Se

44

regardaient-ils faire dans la glace ? Se servaient-ils de leur bouche ? Bien sûr, il s'était déjà posé ce genre de questions pour se faire peur, ou pour s'amuser. Mais maintenant, à son grand dégoût, cette pensée l'excitait. Parce qu'il avait vu sa mère se faire peloter par un homme, elle était devenue pour lui un objet sexuel. C'était affreux, mais il ne pouvait s'empêcher d'y penser. Il avait l'impression d'être un monstre.

Jusqu'à présent, quand il associait ses parents au sexe, le terme qui lui venait à l'esprit, c'était « faire l'amour » : un truc plutôt tranquille et rassurant. Mais ça ne ressemblait pas du tout à ce que sa mère faisait avec Dave Short. Ce jour-là, elle avait plutôt l'air de vouloir baiser, oui !

Cette semaine-là, dans la journée, il alla inspecter leur chambre pour y trouver des preuves. Il ouvrit les tiroirs, regarda sous le lit à la recherche de bas ou de porte-jarretelles, de vibromasseurs, de revues porno, de pinces pour les seins, de soutiens-gorge sexy, d'huile de massage, ce genre de trucs. Il ne trouva rien, pas même un préservatif. Son moral chuta. Bientôt, ses parents allaient opter pour les lits jumeaux ! Il repartit avec l'impression d'être un salaud.

Après tout, quelle importance que sa mère ait une liaison ? C'est un grand classique. Lisez les journaux, regardez la télé. Les gens passent leur temps à tirer leur coup avec les autres, comme si ça faisait marcher le monde. Et qui ça dérange ? Et puis, comment pouvait-il être sûr qu'il ne s'était pas trompé ? Et si tout ça n'était qu'un quiproquo ? Peut-être qu'il avait mal vu, comme parfois dans les films. Sa mère avait pu être en train de faire une chose innocente avec Dave Short : lui montrer un bijou, regarder une coupure qu'il avait sur le nez, lui demander d'arranger son chemisier. Dino était tellement excité par Jackie qu'il avait rêvé ce baiser, ces seins, ces mains pressantes. Ça expliquait pourquoi sa mère n'était pas venue lui en parler.

Le problème, c'étaient les images qui défilaient dans sa tête. Il était victime de harcèlement sexuel par sa propre mère ! Il voulait lui parler, mais impossible. Peut-être qu'il pourrait en discuter avec Jackie, même s'il ne savait pas comment. Elle viendrait le vendredi soir préparer la fête après le départ de ses parents. Peut-être qu'il pourrait essayer à ce moment-là. Mettre la conversation sur le tapis. Elle saurait, elle. Il imagina ce qu'elle répondrait...

« Ils répétaient pour la pièce du collège/elle lui montrait sa broche/son chemisier/elle a perdu un bouton et il l'aidait à le remettre... Et toi, tu as cru qu'ils s'embrassaient ! Quel obsédé tu fais, Dino ! »

Un truc dans le genre.

Mais peut-être que non.

Ses parents partirent après l'heure de pointe du vendredi. Dino aida son père à porter les bagages jusqu'à la voiture.

– Alors comme ça je te file un coup de main pour que tu partes en week-end cochon, hein ? demanda Dino.

Son père fit comme si c'était une blague et éclata de rire.

– J'aimerais bien, répondit-il.

– Vous partez juste tous les deux, ou vous emmenez quelqu'un d'autre ? Tu sais ce qu'on dit, à deux c'est bien, mais à trois c'est mieux.

– J'aimerais bien, répéta son père.

Trop flemmard pour inventer une autre réponse. Il ouvrit le coffre de la voiture et y rangea les bagages.

– Ça serait peut-être une bonne idée, lança Dino. Ça donnerait du piquant à votre vie sexuelle. Ça fait si longtemps que vous êtes mariés. Peut-être que vous avez besoin de mettre un peu de peps dans tout ça.

Son père fit un petit sourire alors que sa mère arrivait en toute hâte, ses chaussures de marche à la main.

– Prêt ? demanda-t-elle.

– Tu as un amant ? lâcha Dino.

Il dit ça d'un ton si anodin... Mais dès que les mots franchirent ses lèvres, il faillit s'évanouir. Qu'est-ce qui avait pu le pousser à dire ça ? Il sourit, faillit rire, mais ça aurait été un rire de dément.

Ses parents le dévisagèrent. Son père avait l'air furieux. Sa mère était horrifiée.

– Je devrais vraiment... commença son père.

– Qu'est-ce que tu as ? lança-t-elle.

– Parce qu'on dirait que tous les deux, vous partez en week-end cochon. Ah ah !

Sa mère rit elle aussi, un peu trop fort, et lui caressa le menton.

– Si seulement tu savais, mon garçon, fit-elle.

Avec un rire anxieux, ils montèrent en voiture et démarrèrent. Alors que son père tournait le volant, Dino regarda sa mère le regarder avec une drôle d'expression sur le visage, comme si elle assistait à l'arrestation d'un homme qui a tué toute sa famille. Un regard incompréhensible. Dino agita la main jusqu'à ce qu'ils disparaissent au bout de la rue, puis alla téléphoner à Jackie.

*

Ce soir-là, Jackie avait prévu de rester en jean et en T-shirt, mais son idée évolua peu à peu. Elle commença à se brosser les cheveux : quand ils étaient lisses, ses longs cheveux avaient de magnifiques reflets cuivrés. Puis elle décida de se maquiller un peu. Ça lui allait bien, mais ça faisait trop apprêté pour sa tenue. Elle décida alors de se changer, et comme elle avait un peu de temps, elle essaya quelques robes et quelques jupes. En tournoyant devant le grand miroir, elle s'aperçut qu'elle était tout excitée. Dino adorait quand elle s'habillait. Il adorait voir la lycéenne devenir une femme avec rouge à lèvres, parfum, T-shirt moulant, ventre et jambes à l'air. Alors elle garda sa robe, pour s'amuser. Pourquoi se changer après avoir choisi sa tenue avec tant de soin, une tenue qui allait tellement plaire à Dino ?

Par précaution, elle enfila son manteau pour dire au revoir à ses parents, mais ils s'en aperçurent tout de suite.

– Ouah ! C'est la fête ! s'écria son père, mais sa mère s'étonna :

– Je croyais que tu allais juste chez Dino ce soir ?

– On a changé d'avis. Ça vous pose un problème ? demanda Jackie d'un ton agressif.

Et elle dut leur raconter qu'ils allaient dans un bar, puis claqua la porte, tout à coup de mauvaise humeur.

– Prends un taxi si tu rentres tard ! Et appelle-nous ! lui cria son père.

Alors qu'elle parcourait à pied le kilomètre qui la séparait de chez Dino, Jackie était furieuse, sans savoir pourquoi. Peut-être parce que sa mère avait vu clair en elle. Elle était bien trop habillée pour une soirée à la maison. Pourquoi avait-elle mis une robe ?

« Plus accessible », pensa-t-elle. Peut-être que ce soir-là, elle allait accomplir le rêve de Dino. Depuis un bon moment, elle testait avec succès l'effet grisant de s'arrêter juste avant de passer à l'acte mais ces derniers jours, elle devait bien le reconnaître, cette attitude lui donnait sérieusement la migraine.

Jackie ignorait pourquoi elle était si réticente à aller jusqu'au bout avec Dino. La raison officielle, c'est qu'elle n'était pas sûre de ses sentiments, qu'elle attendait que leur relation se consolide. Pourtant ses hormones étaient d'un tout autre avis. Elle n'avait rien dit à Dino mais, depuis plusieurs semaines, elle avait une boîte de préservatifs dans son sac, au cas où.

« Quel cauchemar », lança une petite voix bien connue à l'arrière de sa tête.

« Tais-toi », fit Jackie.

Elle accéléra le pas pour oublier cette voix intempestive, en vain. Elle scintillait comme un lingot d'or serti de diamants, et elle savait que Dino allait essayer de la baiser pour trois kopecks.

Quand il ouvrit la porte, Dino fut ébloui par sa beauté. Il la prit dans ses bras, l'embrassa et la souleva. Puis il la frotta contre son pelvis.

– Tu es si belle ! s'extasia-t-il.

Une vague de chaleur partit du ventre de Jackie et se propagea dans tout son corps. Le pauvre Dino était tellement gêné de son enthousiasme qu'il devint écarlate. Elle posa les mains sur ses larges épaules, regarda son visage souriant, et se sentit fondre.

Car Dino ignorait totalement ce qui la touchait. Il faisait partie de ces gens qui adorent leurs défauts et ont honte de leurs qualités. Il ne se rendait pas compte que sa simplicité et son désir de plaire étaient attirants, qu'ils faisaient craquer Jackie. Au contraire, il s'en voulait de sa gêne. Elle l'embrassa à pleine bouche depuis son perchoir, et il fondit à son tour.

Puis Jackie alla se servir une bière dans le frigo et commença à bavarder. Elle avait envie de lui arracher ses vêtements et de le chevaucher, mais elle se contenta d'aller mettre ses morceaux favoris sur le lecteur CD en racontant des banalités sur sa mère, pendant qu'il se demandait que faire de son sang bouillonnant. Dès qu'elle se tourna, il s'approcha et l'attrapa par-derrière. Il remonta sa robe, enfouissant le nez dans son cou et donnant des coups de rein.

– Tu es si belle. J'aimerais t'enlever ta culotte ce soir, chuchota-t-il.

Jackie pivota et attrapa ses mains au moment où il allait passer à l'action.

– Vilain, vilain, vilain garçon, cria-t-elle d'un ton aigu.

On aurait dit une vieille pimbêche, elle-même en aurait convenu.

Elle se pencha, approcha sa bouche de son oreille et souffla dedans. Pourquoi pas, après tout ? Pourquoi pas le laisser la déshabiller ? Pourquoi pas ce soir ?

Elle le repoussa.

– Allez, viens, on se prépare, euh, on prépare, corrigea-t-elle en désignant les assiettes de la mère de Dino accrochées aux murs.

Il fallait organiser la maison en prévision de la fête, ce qui était la raison officielle de la venue de Jackie. Elle posa sa bière. Dino l'attrapa à nouveau par derrière dès qu'elle tourna le dos et elle dut se dandiner jusqu'au mur avec lui. Elle entreprit de décrocher les assiettes. Dino ne savait pas quoi faire.

– On pourrait s'en occuper demain, gémit-il.

Mais Jackie se contenta de sourire par-dessus son épaule.

– Va chercher un journal, lui ordonna-t-elle.

Au bout d'un bref instant, Dino s'exécuta.

La mère de Dino était une collectionneuse. Elle commençait une collection, n'importe laquelle, la vendait une fois entière puis repartait de zéro. Un an plus tôt, elle s'était lancée dans les assiettes, une série de personnages de Dickens des années 1940. Avant, c'étaient les épingles à chapeau, et encore avant, les coquetiers. Il y en avait pour une belle somme d'argent. Dino n'avait jamais prêté attention à ces assiettes tant qu'elles étaient aux murs, mais maintenant qu'il les tenait dans ses mains, il se rendit compte de leur fragilité.

– Peut-être que ce n'est pas une bonne idée de faire une fête, dit-il avec anxiété, une fois qu'ils en eurent descendu et emballé quelques-unes.

– Ne t'inquiète pas. Je sais les envelopper.

Jackie était ravie. Et bientôt les vingt-cinq assiettes, certaines de taille normale, d'autres tellement grandes qu'on aurait pu servir un cygne dessus, étaient toutes à l'abri dans des cartons prêts à être stockés dans le cagibi de l'étage.

Puis ils poussèrent les meubles pour voir à quoi ressemblait le salon vide. La pièce était complètement transformée.

– Ouah ! Regarde toute cette place ! s'exclama Jackie.

Dino mit un CD, Jackie commença à s'agiter, et ils se trémoussèrent dans le salon. Dino ne savait pas vraiment danser, et il se sentit plus à l'aise quand vint un slow. Ils se blottirent l'un contre l'autre en s'embrassant, et une minute plus tard, ils étaient enlacés sur le canapé.

Elle l'embrassa alors qu'il déboutonnait sa robe et lui caressait les seins. Elle le voyait y jeter des coups d'œil en douce. Elle se tortilla alors qu'il remontait sa robe au-delà de son ventre et passait les mains sur sa culotte, une toute petite culotte qui couvrait à peine son pubis. Dino glissa les doigts sur le côté, puis commença à la baisser, d'abord d'un côté, puis de l'autre. Jackie poussa un soupir et souleva les fesses pour l'aider. Ça y était presque, il touchait au but, mais au moment où ils allaient franchir le point de non-retour, elle se redressa malgré elle, le doigt levé.

– Pas la culotte, dit-elle en se penchant pour attraper son verre.

– Pourquoi ? miaula-t-il.

Il ne comprenait plus rien. Ils étaient seuls, ils en avaient tous les deux envie. Il ignorait que Jackie n'y comprenait rien non plus.

– Je... ne me sens pas bien, balbutia-t-elle.

– Tu ne te sentiras jamais bien, lâcha Dino entre ses dents serrées.

– Mais si, protesta-t-elle.

Elle en aurait pleuré de frustration, parce qu'il avait raison. C'était ça, le plus humiliant. Qu'un crétin comme Dino, qui n'y connaissait rien, soit en position de lui expliquer, elle qui était beaucoup plus expérimentée, ce qui se passait. Elle l'aurait tué. Elle se leva et entreprit d'arranger sa robe.

– Demain, dit-elle. Après la fête.

– Pourquoi pas ce soir ?

– Je ne peux pas, mes parents m'attendent, mais demain ils croient que je dors chez Sue. On aura la nuit pour nous. Toute la nuit.

Jackie ignorait pourquoi elle faisait une promesse aussi inconsidérée. Peut-être en avait-elle assez d'être prise en défaut, peut-être qu'au fond d'elle-même, elle jugeait qu'elle avait attendu assez longtemps, qu'il fallait qu'elle se jette à l'eau.

– Toi et moi, rien que toi et moi, quand ils seront tous rentrés chez eux. D'accord?

Elle avait l'impression de promettre des bonbons à un enfant.

– Je n'aurais pas de mal à en trouver une qui veuille bien, tu sais. Tu n'es pas la seule poule du poulailler.

Dino regretta aussitôt ces paroles. Ces mots merveilleux et touchants qui lui échappaient parfois et plaisaient tant à Jackie avaient pour contrepartie d'étonnantes envolées. Lui-même ignorait d'où ça venait. Il lui jeta un coup d'œil. Elle le dévisagea avec un petit sourire.

– Demain est un autre jour, dit-elle.

– N'oublie pas ta promesse, fit Dino d'un air préoccupé.

Puis il retrouva le sourire. Il était à nouveau amoureux. Il était heureux. Il s'approcha pour la prendre dans ses bras et la serra fort contre lui.

– Tu n'imagines pas à quel point ça me rend heureux, chuchota-t-il d'une voix grave.

Jackie se sentit fondre comme du beurre. Le menton sur l'épaule de Dino, elle fit néanmoins une grimace pleine de ressentiment.

– Je sais, je sais Dino. Je le sais bien.

Elle le rendait heureux, et c'est pour ça qu'elle l'aimait. Mais juste un peu.

«Je vais morfler», pensa-t-elle. D'ailleurs, c'était déjà le cas.

6

Jackie

Non mais vous y croyez, vous ! « Tu n'es pas la seule poule du poulailler. » Mais pour qui il se prend ? Et moi qui le laisse dire ! S'il s'imagine que je vais coucher avec lui à sa fête débile, il rêve ! Le plus insupportable, ce n'est pas qu'il dise ça, mais la façon dont il me récupère après. Il me prend dans ses bras, il me fait un sourire et il croit que ça arrange tout. Et le pire, c'est que ça marche, en tout cas pour un moment, le temps de regarder un peu la télé, et de rentrer à pied chez moi. Mais pendant le trajet, je suis de plus en plus furieuse, quand j'atteins la maison, je peux à peine parler tellement je suis en colère, et vous savez ce qu'il me demande, à ce moment-là ? « Qu'est-ce que tu as ? Qu'est-ce que je t'ai fait ? » Non mais vous vous rendez compte ?

Je n'ai aucune excuse, ça fait des années que je sais qu'il est comme ça. À l'école primaire, pendant un moment, il venait avec un chapeau de cow-boy. Qu'est-ce qu'il pouvait avoir l'air idiot avec ce truc ! Il le mettait dans la cour et les autres garçons le suppliaient tous de le leur prêter. C'était un immense chapeau noir avec des pompons argentés sur le bord. Il était trois fois trop grand, même pour sa grosse tête, et ça faisait ridicule. Si un autre garçon avait mis ça, tout le monde se serait foutu de lui, mais Dino avait réussi à transformer un objet débile en un truc qu'ils rêvaient tous d'avoir sur la tête.

J'aurais dû écouter Sue.

«Sers-toi de lui», elle m'avait dit. «Sers-toi de son corps et puis jette-le. Pourquoi pas? Simon ne le saura jamais.» Est-ce que j'ai fait ça? Vous pensez bien que non! Et vous savez pourquoi? Parce que ce n'est pas mon genre. Vous voyez à quel point je suis bête? Mais c'est comme ça. Je n'aurais jamais trompé mon petit ami juste pour le sexe. Peut-être que les autres filles font ça, mais pas moi. Moi, il faut que j'aie une vraie relation pour en arriver là. Je dois aimer le garçon, le respecter, et le garçon doit me respecter. Même si c'est un couillon comme Dino! Il ne sait même pas ce que c'est que le respect. J'ai toujours cru que j'étais tranquille parce que je suis intelligente, que les gens intelligents ne s'intéressent qu'à des gens comme eux. Il n'y a que les imbéciles qui s'intéressent à des imbéciles. Mais quand un intelligent tombe amoureux d'un imbécile, c'est l'intelligent qui souffre, parce qu'un imbécile fait des trucs débiles et aime ça, tandis qu'un intelligent passe son temps à essayer de rendre intelligente une situation impossible. Je suis irrécupérable!

Je n'arrête pas de me dire qu'il va changer. Je n'arrête pas de me convaincre qu'il va grandir. Mais à quoi bon? Il a tout ce qu'il veut alors qu'il se comporte comme un salaud. Sauf moi. Ça, il peut oublier.

La première fois que je l'ai jeté, c'était après une séance au cinéma — j'ai oublié quel film on était allés voir, il faut dire qu'on y va souvent. Et on passe notre temps à s'embrasser. C'est génial. Bref. À l'époque, je voyais encore Simon. Après le film, on est allés se promener dans le parking et je lui ai fait, je n'ose pas vous le dire. J'en rougis. Vous savez. Une pipe. C'était la première fois que je lui faisais ça. Ça a l'air horrible, mais en fait c'était génial. Ça m'a vraiment plu de lui donner ce plaisir. Ça me semblait normal, en fait. Pas du tout sordide. Je planais. Mais au moment où on allait partir, il a recommencé à bander, et il voulait qu'on le fasse debout, dans le parking. Moi, j'ai trouvé ça moche. Il a insisté, du coup en rentrant chez moi, je me sentais mal, grincheuse, frustrée, furieuse. Comptez sur lui pour tout gâcher... Je pensais me mettre au lit et me caresser un peu en pensant à ce qu'on avait fait, mais au final, j'ai pris une douche et je me suis couchée en me sentant stupide, comme si m'accroupir et le sucer dans ce putain de parking, c'était un compromis débile.

J'en ai conclu qu'il était vraiment affreux. Alors le lendemain, je l'ai appelé pour tout arrêter. J'étais toujours très énervée. Lui, il était au plus mal. Tout le monde me l'a dit. Il m'a suppliée de continuer à sortir avec lui et qu'est-ce que j'ai fait ? J'ai accepté ! Mais pourquoi ? Pendant deux semaines, j'ai jonglé entre Dino et Simon, et pour finir, j'ai bien dû me décider. Alors j'ai dit à Simon que j'avais besoin de souffler un peu. Il était vraiment triste. Il m'a écrit plein de lettres. Pendant deux semaines, j'ai reçu une lettre chaque matin. Je l'ouvrais au petit déjeuner et je pleurais dans mes corn flakes. Je l'ai appelé plusieurs fois et je lui ai dit que c'était provisoire. Je pensais vraiment revenir avec lui au bout de quelques semaines.

– Je comprends, m'a dit Sue. Tu t'envoies en l'air avec Dino pendant quelque temps, tu le largues et tu retournes avec Simon pour une relation mature et durable. Ça ne serait pas plus simple de tromper Simon en baisant Dino ?

– Je ne baise pas Dino, j'ai lancé.

– Qu'est-ce que tu racontes ?

– Je ne baiserai pas avec lui tant que je ne serai pas sûre que c'est bien.

– Baiser est la seule raison de sortir avec Dino ! Si tu ne baises pas, à quoi ça sert ?

– Je vais lui donner sa chance. Si ça ne marche pas, je le remets sur son étagère.

Sue m'a lancé un regard las.

– Oh non ! Prépare-toi à morfler.

– Je ne suis pas comme toi, Sue, j'ai dit. Soit c'est sérieux, soit c'est fini.

Sue avait l'air de me prendre pour une folle, pourtant Dino a ses bons côtés. Il est adorable. Je sais que ce mot n'a pas l'air de lui convenir, mais c'est vrai. Il rougit comme un petit garçon. Et il est si évident. On voit dans sa tête comme à travers un bocal à poisson rouge. Quand il ne fait pas son type cool, il est charmant.

Parce que d'accord, il veut absolument coucher avec moi. Mais moi aussi, j'ai envie de coucher avec lui ! Vraiment. Il me fait… J'en pleurerais de frustration. Quand on… Je refuse d'en parler, mais vous n'imaginez pas à quel point je suis excitée. Mais je n'accepterai pas tant que je ne le sentirai pas, et comment le sentir avec un petit copain si égoïste ? C'est débile, non ?

Le truc… c'est que je ne peux pas lui en vouloir. Peut-être qu'on se mérite l'un l'autre. Ça fait des années que je le fais courir. Soit je le jette, soit je me prépare à coucher avec lui, mais chaque fois que je le jette, on revient ensemble, et chaque fois que je vais coucher avec lui, je recule. Je dois avoir peur de morfler. Ce qui est vraiment idiot, puisque de toute façon, je morfle. Et Dino aussi.

Peut-être que si je… Si c'était justement ça, le problème ? Ce pauvre garçon doit être vraiment perdu, il n'est pas si égoïste que ça au fond, il n'est juste pas très doué pour les sentiments. C'est ça le problème. Si je baisais avec lui, peut-être que ça arrangerait tout. Et si je le rassurais de cette façon ? Moi aussi, j'en ai envie, après tout !

Demain. Après la fête. C'est décidé. Même si ensuite, je me sens mal, c'est le seul moyen de pouvoir me regarder dans la glace. J'en parlerai à Sue demain matin. Bordel, mais qu'est-ce que j'ai ?

7

Pression

Pendant que Jackie et Dino étaient enlacés dans le salon, Ben téléphonait à Ali Young dans la rue avec son portable. Ils se disputaient presque.

– C'est mon anniversaire, protesta-t-elle.

– Ton anniversaire, c'est aujourd'hui, rétorqua-t-il.

– Tu sais que je dois voir mes amis ce soir.

– Eh bien, je dois voir les miens demain.

Il y eut un silence. Miss n'était pas contente.

– Tu pourrais faire un effort.

– Et qu'est-ce que je dirais à Dino ? Il fait une fête, c'est mon meilleur ami. Je ne peux quand même pas lui raconter que je ne vais pas chez lui parce que c'est ton anniversaire, non ?

– Trouve une excuse.

– Impossible.

– Si tu le voulais vraiment...

– Impossible ! Je te verrai dimanche.

– Ce n'est pas toi qui décides, lui assena Ali.

Ben écarta le téléphone de son oreille et l'observa d'un air étonné. Il était toujours décontenancé quand elle passait en une phrase de Miss l'amante à Miss la prof.

– D'accord, j'aimerais bien te voir dimanche, se reprit-il.

Nouveau silence.

– On dirait que tu as honte de moi, se lamenta-t-elle.

Ben ne savait pas quoi répondre. Ça devenait compliqué.

– Alors ? lança-t-elle.

– Alors quoi ?

– C'est ça ? Tu as honte de moi ?

– Non, ce n'est pas ça, mais on ne peut pas vraiment s'afficher en public, hein ? Ce n'est pas comme si...

– Comme si quoi ?

– Comme si tu étais ma petite amie !

Il y eut un autre silence, si long cette fois qu'il eut peur. Il allait lancer un « allô » quand elle déclara :

– Je dois te laisser, Ben, j'ai un double appel. D'accord, on se voit dimanche. Et ne t'avise pas de sortir avec une fille, je le saurais. Bonsoir.

Et elle raccrocha.

Ben rangea son portable dans sa poche et alla s'acheter une barre au chocolat chez le marchand de journaux. Il était surpris de voir à quel point cette conversation l'avait énervé.

Que voulait-elle donc ? Il avait d'abord cru que c'était du sexe, mais il commençait à en douter. Il avait dix-sept ans, et il n'avait pas tellement envie qu'on lui mette le grappin dessus. Pas pour le moment. Et pas avant longtemps.

Baiser Miss avait toujours été une source d'angoisse, mais ces derniers temps, de nouvelles inquiétudes étaient venues se greffer. Déjà, il se demandait où ça allait le mener. Et puis, c'était peut-être injuste, mais les filles de son âge lui manquaient. Des fois, il se sentait jaloux des problèmes de Dino avec Jackie : c'était gentil, innocent et excitant. Non seulement Miss connaissait tout et avait tout fait, mais si par hasard elle avait raté quelque chose, elle était prête à essayer. Comparé à une telle brutalité, une telle crudité, s'embrasser et se peloter dans les buissons lui semblait un plaisir d'enfant, un plaisir perdu, comme les petites voitures et les billes.

Et puis, que se passerait-il si à cause de ça, il n'éprouvait plus de désir ? Si une gentille fille s'offrait finalement à lui, et que pour bander, il fallait qu'il lui regarde la foufoune au télescope pendant qu'elle faisait de la balançoire avec des pinces à linge au bout des seins ?

Mais non... Il disposait d'un immense trésor, et il était jaloux des piécettes de ses copains. Il fallait quand même regarder la réalité en face.

8

La fête

L'idée, c'était de mettre la musique à fond au moment où les gens franchiraient la porte.

Le problème, c'est à quelle heure allaient-ils arriver ? À cinq heures, tout était prêt. Jackie était venue le matin pour aider Dino à ranger, puis elle était repartie faire son travail et se préparer. Ben arriva à l'heure du déjeuner, Jonathon vers trois heures. Ils burent du Coca en regardant Dino tripoter son portable pour rappeler aux gens ce qu'ils devaient faire : venir. Jonathon commença à vouloir attaquer les bières.

– Non, il n'y en a pas assez, décréta Dino. On ne peut pas se bourrer la gueule avant que la fête commence.

– Ah bon ? fit Jonathon, l'air sincèrement surpris.

Ben agita le doigt.

– Et les filles, Jon ? Il faut être en forme pour les filles !

Mal à l'aise à ce sujet, Jonathon fit un signe de tête, haussa les épaules et essaya d'avoir l'air cool.

Fasil passa à six heures déposer ses fameuses compil' de soirée, et déclencha la colère de Dino en annonçant qu'il repartait à son entraînement, puis faire son travail.

– Tu ne vas pas me raconter ça le soir de ma fête ! s'écria Dino.

Mais Fasil resta de marbre.

– Une fête à six heures du soir ? C'est un goûter d'anniversaire, ton truc ! se moqua-t-il.

La porte se referma derrière lui, et une longue attente commença.

– J'ai peur, reconnut Dino environ une heure plus tard, juste après l'arrivée de Jackie. En fait, lâcha-t-il encore une heure plus tard, je suis terrorisé.

– Du calme, lui dit Ben. Ça va être génial.

– Je m'amuse déjà, mentit Jonathon.

Le reste de leur petite bande arriva peu après, mais Dino ne fut que brièvement rassuré. Le gros de la troupe pouvait surgir à n'importe quel moment. Il fallait de l'ambiance. Il n'arrêtait pas de courir au salon pour monter le son, mais ceux qui étaient déjà là ne s'entendaient plus et le suppliaient d'arrêter.

Dino riait, mais il était fou d'angoisse. Et si personne ne venait? Il aurait vidé la maison pour quelques potes, qui auraient tous pitié de lui. À neuf heures, Fasil vint faire le DJ. La fête avait eu de si nombreux faux départs que Dino, à bout de nerfs, dut aller se calmer dans le jardin avec Jackie.

Ils se dirigèrent vers le potager de son père. De là, il avait l'impression que la musique était si lointaine qu'elle ne venait pas de chez lui. Ils s'embrassèrent. Jackie l'empêcha de la décoiffer et lui fit des promesses pour plus tard. Après la fête. Après la danse. Après l'alcool, la cigarette et la sueur. Après le vacarme, il y aurait l'amour. Dino commençait à se sentir mieux.

– Peut-être qu'il vaut mieux attendre ici que ça démarre, suggéra Jackie, mais Dino tenait à assister au pénible accouchement de sa fête.

À dix heures du soir, il était désespéré. Il parlait avec Jackie et Sue dans la cuisine en faisant semblant d'être cool quand deux événements se produisirent. Un, la musique se tut. Deux, pendant le long et assourdissant silence, la sonnette retentit.

Dino courut vers l'entrée tout excité, jeta au passage un coup d'œil par la fenêtre et découvrit plein de gens avec des bouteilles, immobiles comme des statues devant la porte sinistrement close.

– Attendez, attendez! souffla-t-il. Ne les laissez pas entrer...

Il courut dans le salon. Où ses potes dansaient comme des fous, alors qu'il n'y avait pas de musique.

– Qu'est-ce que vous trafiquez, espèces de débiles? hurla-t-il. Qu'est-ce que vous trafiquez?

– T'es sourd ou quoi ? lâcha Snoops.

Tout le monde faisait comme si la musique était à fond et que Dino était le seul à ne pas l'entendre. Ils hurlaient comme s'ils n'arrivaient pas à se parler. Dino était tellement à bout de nerfs que pendant une seconde, il faillit les croire.

Il regardait la chaîne en essayant de comprendre comment ils entendaient la musique et pas lui. Il devint cramoisi. Dans son dos, quelqu'un ouvrit la porte et une longue file de gens entra. Deux ou trois nouveaux venus regardèrent avec stupéfaction ces fous qui dansaient sans musique. Dino entendait les autres, dont les voix résonnaient dans la maison silencieuse.

En un clin d'œil, il sut ce qu'il voulait savoir. Ils étaient déjà défoncés ! C'était parti ! Dino avait tout fait pour retarder le départ, alors que ses potes étaient déjà à fond.

– Mais qu'est-ce que vous foutez ? grogna-t-il.

Puis Fasil s'avança d'un air important, comme s'il était le seul à savoir ce qui se passait, et alluma la chaîne. Une assourdissante bouillie sonore jaillit enfin. Dino passa la tête dans le couloir. Personne ne bougeait, tout le monde avait les yeux tournés vers la porte ouverte, d'où s'échappait tout à coup la musique hurlante.

– Venez boire, venez, venez ! leur commanda-t-il.

Car une fois bourrés ou cassés, ils seraient incapables de savoir s'ils s'amusaient ou pas. Il les escorta vers la cuisine. Dès qu'il fut dans le couloir, quelqu'un monta encore la musique. Elle était si forte qu'il ne pouvait même pas parler. Les salauds ! Ils y allaient déjà comme à une heure du matin, alors que les autres arrivaient à peine ! Dino était furieux. Il y avait tellement de monde dans le couloir qu'il ne pouvait pas rejoindre la piste de danse. C'était affreux. Mettez vos manteaux là, non, dans le cagibi, alcool ici, allez fumer dans le jardin, s'il vous plaît. Une vraie maîtresse de maison! Les gens erraient par petits groupes. Il avait envie de leur crier: «Qu'est-ce que vous avez, vous ne savez pas vous amuser? Il faut que je vous apprenne, peut-être?»

Et tout à coup, il en eut marre. Il quitta la cuisine et ces connards désœuvrés et fonça rejoindre ses potes sur la piste de danse. Il se laissa submerger par la musique, vida une bouteille de bière, tira sur un joint et essaya de se détendre. Mais comme ça ne suffisait pas, il se précipita à travers la pièce, attrapa Jackie et lui roula une pelle pendant dix minutes.

C'était parfait. Ça coupa court aux conversations. Personne ne vous dérange, dans ces moments-là. Quand il eut fini et qu'on lui tapa sur l'épaule, il se sentait plus tranquille. Jackie était pantelante dans ses bras, apparemment prête à tout. Dino répondit à une question qu'on lui posait à propos des manteaux et l'embrassa à nouveau.

– Oh, Dino!

Jackie se blottit contre lui, lui caressa la joue et lui murmura dans l'oreille:

– Ça c'était un baiser. Ouah...

Quand ils respirèrent à nouveau, Dino regarda autour de lui. Tout allait bien. La musique était moins forte, c'est-à-dire qu'on pouvait s'entendre à condition de hurler, la piste de danse frémissait, les gens discutaient.

Et voilà. Il s'en était tiré en embrassant une jolie fille devant tout le monde. Si c'était pas cool, ça... Maintenant, il pouvait tranquillement aller faire son petit tour. Mais Jackie avait une autre idée en tête. Elle vit que Sue, furieuse, essayait de ne pas la regarder, pourtant elle avait pris sa décision. Elle devait coucher avec Dino. Sans attendre. Elle allait l'emmener à l'étage et le baiser comme...

– Viens, dit-elle en l'attirant.

Mais Dino se détournait déjà.

– Attends...

– Dino! Où tu vas?

– Il faut que j'aille faire un tour, Jacks, je reviens.

– Dino!

Mais c'était trop tard. Il était déjà loin. Et il ignorait ce qu'il venait de rater. Frustrée, Jackie jeta un coup d'œil à Sue, qui parlait très fort dans un coin et refusa de croiser son regard.

Dino fit son tour, serrant les mains et donnant de grands coups dans le dos des mecs. Tout allait bien.

«Bienvenue chez Dinorosso», murmura-t-il rien que pour lui, imaginant qu'il planait et les gens osaient à peine lever les yeux vers lui. Il régla ses rayons laser à cinquante centimètres au-dessus des têtes pour éviter de faire des blessés. Fasil était un DJ parfait, pas de problème de ce côté-là. D'ailleurs, il n'y avait pas le moindre problème.

Parce qu'évidemment, la fête de Dino était géniale. Il alla dans la cuisine et embrassa Grace près de la porte du jardin. C'était une fête, tout le monde faisait ça. Mais il résista froidement à sa proposition d'aller faire un tour dehors. Il reprit le couloir et rejoignit Ben qui regardait en direction de l'escalier. Dino suivit son regard et découvrit un spectacle incroyable: Jonathon en train de dévorer Deborah sur les marches.

Jonathon ne savait pas du tout comment c'était arrivé. Ils bavardaient dans l'escalier, et c'était un peu gênant parce que chaque fois que quelqu'un montait ou descendait, Deborah devait se plaquer contre lui. Logique, Deborah prenant pas mal de place. Jonathon se sentait embêté pour elle, mais aussi parce qu'il ne voulait pas être vu comme ça. Il se faisait déjà suffisamment charrier au sujet de leur amitié.

Le baiser était venu de nulle part, il ne se souvenait même plus de quelle façon. Il s'était souvent interrogé sur le moment adéquat pour embrasser une fille, et il essaya de reconstituer la scène pour la prochaine fois, quand il serait avec quelqu'un qui lui irait vraiment. Et maintenant que ça avait commencé, ça ne s'arrêtait plus. Deborah poussa un soupir, ferma les yeux et l'allongea presque sur elle. Une vague d'hormones le submergea. Elle sentit son érection et lui sourit. Puis elle lui attrapa les fesses pour qu'il se frotte doucement contre elle. À chaque fois qu'elle touchait son sexe, il sursautait comme un Frankenstein touché par la foudre. Il glissa ses mains vers un sein. Ils manquèrent tomber, se rattrapèrent et s'affalèrent deux marches plus haut. Jonathon mit les mains sous son T-shirt et lui caressa le soutien-gorge.

Ne sachant pas comment c'était arrivé, il ne savait pas non plus comment s'arrêter. Pourtant, il était gêné d'embrasser une grosse dans l'escalier, où non seulement tout le monde pouvait les voir, mais où il devait se plaquer contre le mur pour laisser les gens passer. En attendant, il la touchait partout sous ses vêtements. Ce qu'il parvenait à atteindre, en tout cas.

Quand il voulut glisser une main dans sa culotte, elle ouvrit les yeux et lui chuchota : « Pas ici. » Puis elle lui fit un sourire langoureux et chaleureux, et son regard dériva vers le palier. Terrifié, Jonathon ferma les yeux et l'embrassa de nouveau, plus profondément que jamais. Pourtant, il n'en avait pas envie. Mais allez comprendre ! Son pénis était en fer forgé dans son jean. Deborah le caressait discrètement du dos de la main, et Jonathon se sentait dans un tel état de bonheur qu'il crut mourir.

« Mais elle ne m'intéresse pas », essayait de protester Jonathon. Mr Zob Zobut fit son sourire un peu ahuri de petit bonhomme tout dur et lui rétorqua : « Toi peut-être pas, mais moi si. »

Ça durait depuis des heures. Il était presque couché sur elle, et ils se lapaient mutuellement le visage à grands coups de langue. Les gens continuaient à passer près d'eux. D'ici peu de temps, tout le monde serait au courant. Jonathon se sentait de plus en plus mal à l'aise, mais il ne savait pas comment se sortir de cette situation.

– Jonathon ! Tu t'amuses bien, dis-moi.

Jonathon ouvrit les yeux pour découvrir Dino et Ben au pied de l'escalier. Dino avait un sourire acéré. Ben ne quittait pas Deborah des yeux. Il était fasciné par le spectacle de cette fille en transe. Le visage de Deborah était tendu vers Jonathon, paupières clauses, lèvres humides, avide. Elle ouvrit les yeux et jeta un coup d'œil à Ben. Il sourit, acquiesça, et elle lui fit un petit sourire avant de fermer à nouveau les yeux et d'approcher son visage de Jonathon pour qu'il l'embrasse. Lequel s'exécuta. Quand il regarda à nouveau quelques instants plus tard, ses potes étaient partis.

Tout à coup, Jonathon eut une idée.

– J'ai besoin de pisser, dit-il, et paniqua aussitôt en pensant qu'elle risquait de l'accompagner à l'étage. Je vais dehors, il y a la queue ici, ajouta-t-il rapidement.

En s'écartant d'elle, il eut l'impression d'être un rapace qui sautait de la carcasse d'un dinosaure. Il fit la grimace, dévala les marches et se précipita dans la cuisine.

Deborah se leva et défroissa ses vêtements. Elle aimait beaucoup Jonathon, et n'en espérait pas tant. Ils avaient des tas de points communs, passaient des heures à bavarder au lycée, mais ne se voyaient jamais en dehors. Elle avait rêvé qu'il se produise un miracle à la fête, sans trop y croire. Pourtant, il lui avait sauté dessus. Ça n'irait peut-être pas au-delà, mais quel enthousiasme! Ça signifiait bien quelque chose... Personne ne lui avait jamais expliqué qu'un garçon qui bandait, ça n'avait aucune signification.

– C'était juste une pelle, dit Jonathon à Dino un peu plus tard dans la cuisine.

Dino rétorqua avec une grimace :

– Je ne sais pas comment t'as fait, c'est répugnant!

– Hein?

– C'est répugnant.

– Qu'est-ce qu'il y a de répugnant?

– Elle est grosse.

– Elle n'est pas si grosse que ça!

Mais Dino répliqua :

– Quand même!

Jonathon essaya de minimiser son geste.

– Une pelle, c'est une pelle, où est le problème?

Il voulut expliquer qu'elle avait de beaux seins, ce que racontaient les garçons d'une fille dont ils n'avaient rien à foutre, mais ce n'était vraiment pas sympa.

– Ça ne l'empêche pas d'avoir des sentiments, tu sais, dit sévèrement Ben. Ce n'est pas parce qu'elle est un peu forte...

– Grosse, insista Dino. Elle est grosse.

– Elle est ronde, dit Ben. Et certains trouvent ça très attirant.

– Comme Jonathon, railla Dino, et Ben s'étrangla de rire.

– Ça vaut toujours mieux que Jackie la grande tige, lâcha Jonathon.

Dino roula des yeux. Non mais pour qui il se prenait?

– C'est une fille bien et elle t'aime beaucoup, alors ne lui fais pas de mal, conseilla Ben.

– Gros, c'est gros, point final, continua Dino.

– En attendant, ça ne l'empêche pas d'avoir un cœur.

– Le cœur gros, oui! lança Jonathon, qui ne saurait jamais résister à un bon jeu de mots.

Les deux autres le fusillèrent du regard. Il se sentit mal. À cet instant, Jackie et Sue traversèrent la foule en l'interpellant.

– C'est sérieux avec Debs? lui lança Sue.

– Quoi?

– C'est sérieux?

– Quoi?

– Arrête de dire «quoi»!

– T'as vraiment envie de sortir avec elle? lui demanda Jackie d'un ton sévère.

Jonathon était horrifié. D'un côté, il refusait de faire plaisir à Dino en disant qu'il n'aimait pas Debs parce qu'elle était grosse. D'un autre, il craignait que

Ben et les filles pensent qu'il se servait d'elle. Car il aimait vraiment bien Deborah, et il ne voulait pas la blesser. Il ne voulait pas non plus d'elle comme petite amie, mais il n'était plus très sûr de pouvoir refuser.

– Alors?

– Vous allez un peu vite, non? lança Ben.

– Elle t'adore, tu le sais, non? Elle t'aime vraiment beaucoup. Tu ne te rends pas compte de ta chance. C'est une fille géniale. Alors j'espère que tu n'es pas en train de déconner avec elle!

– Non, bien sûr que non!

– Ce qui signifie qu'elle te plaît vraiment?

Coincé entre Dino, Ben et ces folles furieuses, Jonathon se dandinait sur place.

– Évidemment qu'elle me plaît. Je l'ai embrassée, non?

Il avait envie d'ajouter : «Ce qui ne signifie pas que...» Mais il garda le silence.

– Parfait.

– Ton compte est bon, dit Dino après qu'elles furent parties. Elles vont lui dire que tu sors avec elle.

– Je ne savais pas qu'elle t'avait tapé dans l'œil, lança Ben.

– Moi non plus, reconnut Jonathon.

Il se fraya un chemin dans la foule. Il était perdu.

– Alors comme ça, toi aussi tu aimes les grosses, lança Dino à Ben.

Ben fit un sourire et se glissa par la porte du jardin.

En fait, il était jaloux. Pas pour Deborah, même s'il l'aimait bien. Il était jaloux de la relation entre Jon et elle. Ils s'entendaient bien. Ils avaient vraiment l'air bien ensemble sur l'escalier. Il leur souhaitait plein de bonheur.

« Fait chier », se dit-il en en aspirant une bouffée d'air. Toutes ces jolies filles. Et tous ces veinards qui sortaient avec elles, qui leur roulaient des pelles, qui les pelotaient. Et lui qui ne pouvait pas. Comme disait Ali, si elle apprenait ça, elle ferait de sa vie un enfer. Ben était un beau garçon, un garçon populaire, plein de jolies filles avaient envie de se jeter dans ses bras, mais il n'osait pas. Et il ne pouvait en parler à personne. C'était débile pour quelqu'un qui avait des rapports sexuels avec une experte, mais il se sentait novice.

« Et merde, se dit-il, heureusement, la vieille salope ne peut pas se ramener ce soir. » Et rien que d'y penser, il en eut un frisson.

Voir un pote embrasser une grosse n'était pas la seule épreuve qui attendait Dino. Peu après, il découvrit Jackie en train de rouler une pelle à Fasil dans la cuisine. Tout à coup, son bonheur fut aspiré comme dans un siphon. Un peu malvenu comme situation, non ?

Dino n'y alla pas par quatre chemins. Il les interrompit.

Fasil eut un comportement exemplaire. Il prit un air docile, comme résigné à rester célibataire toute sa vie, et fila. Mais Jackie pivota sur elle-même et décocha un regard furieux à Dino.

– Tu sors avec moi. C'est ma fête. C'est moi que tu embrasses, déclara-t-il.

– J'embrasse qui je veux.

Ce qui mettait vraiment Dino en colère, ce n'était pas qu'ils se soient embrassés. C'était qu'ils se soient embrassés devant tout le monde. Sa copine qui roulait une pelle à un autre en public. Pas de doute, elle était en faute. Sauf que…

– Et toi, tu as embrassé Grace, espèce de faux cul! lui hurla Jackie.

Dino rougit. C'était vrai. Il s'était comporté comme un beau salaud, ce qui le rendit encore plus furieux. Mais ce qu'il ne supportait pas, c'était de passer pour un salaud.

Il se pencha vers son oreille et lui murmura:

– Chut, sinon, tout le monde va croire que je suis un salaud.

– C'est ça ton problème? De passer pour un salaud? Mais tu en es un! cria-t-elle en le plantant là.

Dino se sentait plus que jamais un salaud. Et il était hors de lui.

– Salope! Garce! beugla-t-il assez fort pour que tout le monde entende.

Elle se retourna et lui lança d'une voix de pimbêche:

– Oh Dino, je m'entraînais pour mieux t'embrasser tout à l'heure. Tu es réputé pour embrasser si biennnnnnnnnnnnnnnnn...

Et elle dit ça d'une telle manière que ça laissait entendre que Dino embrassait comme un pied. Puis elle s'éloigna d'un pas furieux.

Il resta planté là comme un crétin, les joues de plus en plus rouges. Tout le monde avait dû les entendre se disputer. Il essaya de sauver les meubles:

– Arrête tes conneries, tout le monde sait que j'embrasse comme un...

Mais il s'interrompit parce qu'il mettait le pied dans un endroit marécageux. Se vanter à ce sujet... c'était vraiment trop gamin.

Ne sachant que faire, il tourna les talons et sortit. De la pièce, de la maison, du jardin. Il était rouge de colère et vert d'humiliation. Eh bien, qu'ils s'amusent!

Qu'ils prennent du bon temps ! Il ne voulait plus les voir.

Au bout de quelques pas, Dino se souvint que la fête se déroulait chez lui, qu'il n'avait donc nulle part où aller. Un instant il pensa mettre tout le monde dehors, mais impossible. Ça ne serait pas cool du tout.

Il revint sur ses pas. De dehors, la fête avait l'air de battre son plein. Il chercha une solution à son problème. Ça sautait aux yeux ! Il avait tout faux, il lui suffisait de l'admettre ! Admettre qu'on avait tout faux, ça c'était cool. Ça faisait plus humain. Il avait embrassé ailleurs, Jackie aussi. Et alors ? Bien sûr, il aurait mieux fait de ne pas s'énerver comme ça. Et il aurait vraiment préféré que Jackie n'embrasse pas Fasil. Mais ce qui était fait était fait.

Il attendit encore un peu dehors, le temps de rassembler ses esprits. Il s'exerça à se moquer de lui-même. Puis il sonna. C'était plutôt drôle, en fait, comme situation.

– J'étais parti pour rentrer chez moi, dit Dino à Stu. Je perds les pédales, on dirait ! Ah ah !

Stu sourit, et Dino sut que c'était bon. Quand il cessa de rire, il alla s'excuser auprès de Jackie. Qui lui pardonna aussitôt.

– C'est oublié ? demanda-t-il.

– C'est oublié.

Dino se pencha vers elle et lui murmura :

– Désolé.

– Ouais, moi aussi.

– On n'embrasse plus ailleurs, d'accord ?

– On n'embrasse plus ailleurs.

Dino pensa alors avec joie : « Ça roule toujours. »

– Ça roule toujours ? Pour tout à l'heure ?

– Mouais. Si tu es gentil.

Il s'en était fallu de peu. Il alla voir Fasil et, attitude plus que cool, bavarda un peu avec lui, juste pour lui montrer qu'il ne lui en voulait pas. Mais aussi pour le mettre en garde.

– Je crois que ça roule avec Jackie pour tout à l'heure, dit-il.

– Mouais, fit Fasil.

Dino se pencha tout près et lui murmura :

– Ça roule pour sonder le trou de la vierge.

Fasil recula d'un air horrifié. Dino lui répondit par un clin d'œil.

La fête passa de sympathique à bruyante à déchaînée à frénétique. Dino fuma un peu, but quelques bières et sentit une auréole se former au-dessus de sa tête. Sa fête était réussie. Il était vraiment un dieu. Tous ces gens qui s'amusaient grâce à lui, et sa sainteté le pape Dino Ier qui passait de groupe en groupe pour donner sa bénédiction. Ses potes se dandinaient et gueulaient comme des macaques. Eux, ils n'en étaient pas restés aux joints, mais Dino refusa de les accompagner. Il ne voulait pas risquer de mettre en péril sa séance avec Jackie. Ce qui, tout de même, était l'événement essentiel de la soirée. Il ne voulait pas que ses parties intimes se recroquevillent comme des limaces apeurées, il voulait un sexe bien dur et gonflé pour la nuit à venir.

Les gens dévalaient l'escalier en criant, d'autres hurlaient dans la cuisine et se battaient pour ce qui restait d'alcool. Certains couples se retiraient dans les chambres et, si les chambres étaient pleines, dans le jardin ou sous des couvertures au rez-de-chaussée. D'autres s'embrassaient dans l'escalier.

– C'est la queue pour les chambres ? leur cria Jonathon depuis le bas des marches.

À trois mètres et cinquante personnes de là, Deborah leva la tête et rit trop bruyamment. Jonathon fit mine de pas la voir. Dans le salon, certains s'étaient aperçus que s'ils sautaient suffisamment fort, ils pouvaient faire avancer le piano. Ça faisait une impression bizarre. Quelqu'un baptisa le piano « le père de Dino », parce qu'en arrivant vers eux, il semblait vouloir les mettre à la porte.

Une fille du nom de Sam fit l'amour dans le lit des parents de Dino avec un certain Robby, qui vomit juste après sur les draps. Ils cachèrent ça avec le couvre-lit et rentrèrent chez eux. À côté, dans le cagibi, un gamin qui s'appelait Simon Tiptree faisait semblant de dormir sur une pile de manteaux. Une fois seul, il se mit à fouiller les poches et les sacs à la recherche d'argent et d'objets de valeur. En même temps, dans la cuisine, une fille toute maigre vêtue d'une robe rose ouvrait la porte du frigo. Et y découvrait un trésor. Du fromage, de la tourte, des saucisses ! Le paradis. Et un gâteau à la crème ! Qu'y avait-il de mieux que le paradis des saucisses ? Le paradis des gâteaux à la crème, bien sûr ! Avec un gémissement de plaisir, elle se découpa une tranche de rêve et mordit dedans.

À cet instant, Jonathon essaya de se dérober à la vue de Deborah en fonçant dans la cuisine. Ça craignait. Il l'avait embrassée, et alors ? Depuis quand on n'avait pas le droit d'embrasser, point final ? Parce qu'elle était grosse ? Maintenant, elle le suivait partout ! Et tout le monde qui voyait ça ! Dès qu'il relevait la tête, elle était là, le regard braqué sur lui, voulant le rejoindre, lui faisant des clins d'œil, tendant le cou dans sa direction. Jonathon se sentait traqué. Par chance, il se tourna au moment où la fille maigre ouvrait le frigo, et plongea dedans pour éviter Deborah. «Ne jamais se cacher d'une grosse dans un frigo», pensa-t-il, mais il n'avait nulle part où aller. Il baissa la tête, comme s'il cherchait quelque chose.

– Salut, fit-il à la fille près de lui.

Elle agita une part de gâteau sous son nez.

– Pas mal, dit-elle la bouche pleine.

Sa petite robe rose était si courte qu'on voyait sa culotte à chaque fois qu'elle se penchait ou qu'elle levait les bras. Le centimètre carré de tissu devait valoir cher, comme aurait dit son père. Jonathon espérait que Deborah le voie avec une jolie fille. Au moins, elle capterait le message.

– Je m'appelle Jonathon, dit-il, osant faire le premier pas pour la première fois de sa vie, mais pour une tout autre raison que la drague.

– Et moi Zoë, répondit-elle, toujours la bouche pleine.

Elle agita son gâteau en direction du frigo pour inviter Jonathon à se servir. Il attrapa une saucisse et, pris d'une soudaine impulsion, la plongea dans le gâteau de la fille pour la ressortir pleine de crème. Mais tout en faisant ça, il eut le désagréable sentiment qu'il allait le regretter. Il resta planté avec la saucisse entre les doigts.

– Espèce de gros dégueulasse! protesta Zoë en éclatant de rire, postillonnant de la crème un peu partout.

Jonathon agita la saucisse comme si c'était une marionnette.

– Madame Saucisse a mis un beau chapeau blanc aujourd'hui, plaisanta-t-il.

Il allait continuer son spectacle quand la fille rit si fort qu'elle recracha de la crème partout dans le frigo.

– Merde, du vomi dans le frigo! plaisanta Jonathon.

Zoë le trouvait vraiment génial, ce type. Fasil apparut juste à ce moment-là, regarda la saucisse avec ébahissement, puis le gâteau dans la main de la fille. Et découvrit l'état du frigo. Il avait beau se faire prendre en train de rouler une pelle à Jackie, Fasil n'en était pas moins un garçon de principes.

– Qu'est-ce qu'il y a? Qu'est-ce que vous foutez? demanda-t-il. Le frigo! Toute la bouffe! Vous n'avez pas le droit de lui faire ça!

– Faire ça à qui? demanda la fille. C'est qui le proprio?

– Qu'est-ce que tu foutais? demanda Fasil à Jonathon, lequel lui répondit faiblement:

– C'est juste une saucisse...

– Regarde-moi ça, elle a mangé la moitié du gâteau, râla Fasil. Elle dégueule dans le frigo, et toi tu l'encourages!

– C'est ça votre façon de faire la fête? protesta la fille. C'est comme ça que vous vous éclatez?

Fasil leur claqua la porte du frigo au nez. Jonathon jeta un coup d'œil autour de lui. Évidemment, Deborah était là. En deux pas, elle était sur lui.

– Ouah, fit-elle. De la saucisse à la crème. J'adore!

Elle prit la saucisse des doigts de Jonathon et se mit à la lécher.

– Je vois... fit Jonathon.

La fille en robe rose profita de la diversion pour s'éclipser. Fasil regardait Deborah et la saucisse comme si c'était un chat en train de pondre un œuf. Zoë se réfugia dans le couloir, où elle termina tranquillement son gâteau adossée au mur.

Ça faisait déjà vingt-quatre heures qu'elle faisait la fête. Elle avait commencé dans un bar au cidre et à la vodka avec des amis, puis pris pas mal d'ecstasy dans une soirée, et passé la journée devant la télé chez une copine en attendant d'aller chez Dino. Elle avait atterri là par amis interposés. Ses compagnons en avaient eu marre et ils étaient rentrés chez eux, mais Zoë n'avait nulle part où aller. Elle restait là dans l'espoir de piquer quelques trucs. Et comme elle n'avait rien mangé de la journée, elle mourait de faim et elle était épuisée.

Le type à la saucisse avait été sympa. Elle aimait bien les types drôles.

Une fois son gâteau terminé, elle but une gorgée dans un verre abandonné sur un rebord de fenêtre. Mélange de cidre et de bière. Elle reposa le verre avec une grimace et se retint au mur pour ne pas perdre l'équilibre. Elle avait des vertiges. Elle décida d'aller à l'étage chercher un endroit où se reposer. La première pièce où elle entra fut le cagibi, où Simon Tiptree dut à nouveau faire semblant de dormir sur la pile de manteaux. Zoë le regarda avec attention pendant une minute, écoutant son souffle pour s'assurer qu'il dormait. Puis lui donna un coup de pied. Il ne bougea pas.

Ravie qu'il soit dans les vapes, Zoë commença à faire les poches des manteaux. Dans son faux sommeil, Simon fut choqué. Cette voleuse allait lui voler tout ce qu'il avait volé! Et il n'y pouvait rien! S'il s'éveillait, elle risquait de faire des histoires, et quelqu'un pourrait alors s'apercevoir que le sac de Simon était rempli des affaires de tout le monde. Il ne pouvait qu'attendre, impuissant.

La fille fut déçue de trouver si peu d'argent. Il n'y avait presque rien dans les manteaux. Elle s'attaqua ensuite aux sacs, et ce fut en ouvrant un banal sac à dos en nylon qu'elle se vit riche. Un vrai trésor ! Avec des montres, des billets, environ cinquante ou soixante livres et même quelques bijoux.

– Ouais ! s'exclama-t-elle tout bas.

Elle regarda d'un air curieux Simon qui, toujours couché sur le dos et fou de rage, essayait de ne pas se trahir. Son visage fut parcouru par un petit tic.

– Merci, mon chou, lui lança-t-elle en sortant.

Elle savait qu'elle aurait mieux fait de partir sur-le-champ, mais elle était épuisée. Elle n'avait presque rien mangé depuis douze heures à part ce gâteau, elle était imbibée de vodka et de cidre, il fallait qu'elle se repose. Elle passa la tête dans une chambre. Un couple était étendu sur le lit. Impossible de dire s'ils venaient de faire l'amour ou s'ils étaient évanouis. Aucune importance, il y avait un petit canapé avec un couvre-lit en chenille sous la fenêtre. Elle s'y blottit, remonta le couvre-lit jusqu'à son menton, et s'endormit.

Dans la pièce voisine, Simon était furieux. Après avoir pris tous ces risques ! Il avait besoin de cet argent, il savait déjà comment l'utiliser ! Mais que faire ? Dès que la fille quitta le cagibi, il se rassit, grogna et se prit la tête dans les mains. Cette salope était minuscule, en plus ! Insupportable ! Se faire avoir par une petite meuf comme ça ! Alors lui, dans le genre, c'était vraiment l'arroseur arrosé ! Frustré, abattu, il bondit en direction du rez-de-chaussée dans l'espoir de repérer la fille, de la suivre, et de lui sauter dessus dans la rue pour récupérer son argent. Mais elle resta introuvable. Il rentra chez lui les mains vides, avec juste une bonne migraine. Il en tira une conclusion : quitte à voler, autant voler un voleur, on a moins de chances d'être dénoncé.

À deux heures, Ray et Alan Wicks se mirent à lancer des bouteilles dans la rue devant la maison, signe évident que la fête touchait à sa fin. Il n'y avait plus rien à boire, et beaucoup de gens étaient déjà partis. Quelques amis proches mettaient leurs manteaux. Il y eut un vent de panique quand les invités découvrirent qu'ils avaient été pillés. Certains qui n'avaient plus rien pour rentrer chez eux durent emprunter à d'autres qui s'étaient montrés plus prudents. Un ballet de taxis emporta tout le monde. Ne resta qu'un petit groupe de fumeurs assidus sur le perron, que Dino ne savait comment déloger. Quelques potes vidèrent les fonds de bouteille, puis partirent en petit groupe, laissant Jacks, Ben, Fas, Sue et son petit copain Dave. Et Jonathon. Et Deborah.

Il y eut une vague tentative de ménage, mais Jackie avait autre chose en tête. Alors que les autres buvaient du café, elle était assise sur le canapé avec Dino et soupirait, la tête sur son épaule. Dès qu'il se tournait vers elle, elle l'embrassait.

– J'imagine que c'est l'heure d'y aller, dit Sue en se levant. Elle fit un sourire à Jackie. Allez, viens, on va chercher les manteaux de ces débiles, histoire d'accélérer la manœuvre.

Jackie bondit, et elles montèrent toutes les deux à l'étage.

Jonathon lança un regard plein d'envie à son copain.

– Tu n'es pas obligé de nous mettre dehors, Dino. Tu n'as pas besoin de toute la maison.

Il fit un sourire étrange à Deborah qui, assise à côté de lui, le tenait par la main.

– Ouais, ouais, c'est ça, fit Dino.

– T'as besoin du rez-de-chaussée comme bassin

d'écoulement ou quoi? lança Jonathon. T'en as une si grosse? Il te faut une chambre supplémentaire pour manœuvrer? Peut-être qu'on pourrait t'aider pour la position?

– Ta gueule, le coupa Dino, mais au fond de lui, il était ravi.

En haut, Sue et Jacks bavardaient dans la chambre des parents de Dino.

– Voici donc le saint des saints, dit Sue en appuyant sur le lit pour le tester. Ce lit plein de promesses qui devrait rendre toutes ses promesses…

– Tais-toi!

– Tu as changé les draps?

– Tais-toi!

– Il n'y aurait rien de pire que de se réveiller dans l'odeur de son père.

– Oui, je sais, je lui ai demandé de le faire hier.

– Tu lui as demandé ça?

– Ouais, lança Jackie, ce qui était un mensonge.

Mais il lui fallait asseoir sa crédibilité. Sue poussa un soupir.

– Alors comme ça, tu vas le faire, finalement?

– Oui, fit Jackie d'une drôle de voix aiguë.

Cette fois, elle était bien décidée. Elle poussa un petit cri d'excitation.

– Eh bien, je penserai à toi. Je vais chercher les manteaux. Tu te mets au lit?

Jackie laissa échapper un rire nerveux, mais enleva ses chaussures et commença à retirer son T-shirt. Elle s'interrompit en remarquant que Sue l'observait avec un grand sourire.

– Dégage! lui lança-t-elle en lui tournant le dos.

– J'espère qu'il va savoir apprécier, commenta Sue en partant chercher les manteaux.

Jackie fit plusieurs fois le tour de la chambre, inquiète à l'idée de se mettre nue. Elle courut à la porte s'assurer que personne ne montait, puis se déshabilla complètement. Elle s'observa ensuite dans la glace. Ses yeux balayèrent les endroits qu'elle n'aimait pas. Ses hanches, un peu trop proéminentes, ses fesses qui bougeaient quand elle marchait — quelle horreur! Pour les seins, debout ça allait, mais ils glissaient vers ses aisselles dès qu'elle était sur le dos, et quand elle était jambes serrées, ses cuisses ne se rejoignaient pas en un joli triangle comme elle aurait aimé, mais étaient un peu arquées. C'étaient ses défauts secrets, que seuls ses amants voyaient. Ce que justement, elle ne voulait pas.

Elle grogna en essayant de se concentrer sur ses atouts. Elle se mit de profil, observa ses seins, son ventre et sa peau. Personne n'est parfait, mais...

«Pas mal», se dit-elle sans conviction.

Allait-elle rester debout pour offrir à Dino un tel spectacle quand il entrerait — debout, la gravité était de son côté — ou se coucherait-elle, au risque qu'il doive aller chercher ses seins sous ses bras? Elle s'approcha du lit, éteignit le plafonnier et alluma les lampes de chevet. Et décida de ne pas se mettre au lit tout de suite. Elle enfila le peignoir qu'elle trouva derrière la porte. Elle l'enlèverait dès qu'elle l'entendrait dans l'escalier, lui offrant alors une ou deux secondes de plan intégral avant de se glisser entre les draps. Elle s'approcha du lit et rabattit le couvre-lit froissé pour se réfugier plus facilement sous les couvertures.

9

Dino

Sue est revenue avec les manteaux et elle a lancé :
– On y va !
– Un grand classique, grogna Jonathon. J'aurais dû m'en douter. Entre une foufoune et ses potes, il préfère la foufoune.

Et moi j'ai pensé : « Putain, je suis le roi. » Parce que quand même. Ils rentraient chez eux et moi... Et moi... Jacks et moi... Vous la verriez, vous comprendriez.

Je les ai raccompagnés à la porte, on aurait dit des chats qui tournaient autour d'un aquarium. Ou plutôt, on aurait dit des chats regardant un autre chat qui tournait autour d'un aquarium. Et le chat qui tournait autour de l'aquarium, c'était moi ! En refermant la porte, j'ai vu Jonathon faire une drôle de tête alors qu'il jetait un coup d'œil à Deborah. « Le pauvre », je me suis dit en pensant à Jacks qui m'attendait en haut, au lit, toute nue.

Je suis monté avec deux bouteilles de bière et vous savez ce qui m'attendait dans le lit ? Vous savez ce que j'ai trouvé là-haut ? Un gros tas de vomi.

J'ai cru que j'allais péter les plombs. Le vomi était juste à la place de Jackie ! L'espace d'une seconde, j'ai même cru qu'elle s'était transformée en un gros tas de dégueulis. Puis j'ai pensé : « C'est bien ma chance ! Elle est tellement bourrée qu'elle a été malade, et c'est foutu pour ce soir, une fois de plus ! »

Je me suis précipité à la salle de bains, mais elle n'y était pas. J'ai appelé : «Jacks!», pas de réponse. En fait, j'avais déjà compris. J'avais compris en voyant le vomi. J'ai quand même voulu espérer qu'elle se cache ou qu'elle se soit endormie quelque part. J'ai cherché partout dans la maison, derrière les fauteuils, sous les lits, mais en réalité, je savais qu'elle était partie.

Le vomi, en plus, était écrasé : quelqu'un s'était couché dessus. J'ai couru à l'étage pour tester sa température du bout du coude. Quand même, je ne voulais pas toucher ça avec mes doigts. Je sais, c'est débile, mais imaginez mon désarroi. Je n'ai aucune idée de la vitesse à laquelle refroidit le vomi, en tout cas celui-là était bien froid.

«Ce n'est pas ma faute! Comment elle a pu me faire ça?» j'ai gémi. J'avais même sorti des draps propres! Je ne savais pas quoi faire, puis j'ai eu l'idée de chercher son manteau dans le cagibi, j'ai fouillé partout... Il n'y était plus. C'était la preuve ultime que cette salope avait filé. J'ai couru à la porte pour l'appeler dans la rue mais je n'ai pas osé crier très fort. C'était trop humiliant. Je n'ai pas eu de réponse.

Vous y croyez vous? Pourquoi c'était à moi que ça arrivait? Un instant plus tôt, j'étais le type le plus heureux sur terre. C'est tellement génial de raccompagner ses copains à la porte pendant que votre magnifique petite amie se glisse dans les draps. Et maintenant, voilà! Il ne me restait plus... qu'un tas de vomi.

En retournant dans le couloir, je me suis rendu compte du bordel. Il y avait des verres en plastique partout, certains renversés, d'autres remplis de mégots et autres saloperies. Je me sentais incapable de retourner dans le salon, alors je suis remonté direct, mais je sentais le bordel dans tous les coins de la maison, il me hantait. Il y avait de la bière, des mégots, des cendres, de la boue et du vomi sur les tapis et les lits. Je me suis alors souvenu que quelqu'un avait été malade jusque dans le frigo. Même le palier était dégueulasse. Il y avait des taches sombres sur la moquette. Un type avait laissé des traces de chaussures noires sur les plinthes. Il y avait du verre cassé sur les marches du haut, une rangée de mégots comme une petite barrière sur la table près de ma chambre. En tombant, certains avaient brûlé le bois.

Et moi, j'étais toujours puceau.

Je suis retourné dans la chambre de mes parents jeter un coup d'œil au vomi, comme s'il pouvait avoir disparu ou s'être transformé en Jackie. Mais il était bien là. Je l'ai observé une minute. Je me suis même demandé : « Et si je baisais le vomi à la place de Jackie, est-ce que je serais encore puceau ? » J'étais prêt à tout. J'avais destroyé la maison de mes parents pour rien. Alors, qu'est-ce qui me restait à faire ? J'ai pris une grande bouffée d'air et j'ai hurlé à pleins poumons. Et là, juste à côté, quelqu'un a hurlé à son tour tellement fort que j'ai cru mourir de peur.

10

Jonathon

Dès que Dino a refermé la porte, Sue et son petit copain ont filé chez eux. Il ne restait plus que Ben, Fas, la Grosse Méchante Deborah et moi. Je voulais que ça reste comme ça : Ben, Fas, Deborah et moi. Ou mieux, Fas et Deborah, Ben et moi. Ou encore mieux, Deborah, Ben, Fas et moi, elle à un bout de l'énumération, moi à l'autre. Mais rien à faire, impossible de se débarrasser de la Grosse Méchante Deborah. Au secours !

Ben a été très gentil. Il peut être très... correct. Fasil ne disait rien, mais je sentais sa désapprobation. Celle de Ben aussi, qui craignait que je fasse souffrir Debs. Il avait sans doute raison. En revanche, ce que ne supportait pas Fasil, c'était l'idée qu'on puisse sortir avec une grosse. Pour lui, c'était un acte moralement condamnable.

Je ne planais plus, au contraire, je me sentais cloué au sol. Vous n'avez jamais eu l'impression que les gens autour de vous n'étaient que des machines, l'impression qu'ils faisaient tous semblant d'être humains ? Mais qu'est-ce qu'ils me voulaient ? Qu'est-ce qu'ils attendaient de moi ?

Et là, il s'est passé quelque chose de très drôle. Au moment où on atteignait le coin de la rue, on a entendu un hurlement affreux. On aurait dit des marsupiaux qui copulaient dans les égouts.

– C'était Dino ? a demandé quelqu'un.

On s'est tous arrêtés, et on a entendu un autre cri, moins fort. Comme si Dino — si c'était bien lui — se retenait de crier trop fort.

– Possible, fit Ben.

On a attendu un peu, mais il n'y a plus rien eu, alors on est repartis. Puis on a entendu des pas dans la rue. On se serait crus dans un film : on avait l'impression que les caméras allaient surgir à tout moment pour filmer la créature qui nous fonçait dessus.

– Ça vient vers nous, j'ai soufflé, et Deborah a ri très fort.

Il était si tard qu'il n'y avait pas une voiture, pas un bruit. On s'est tournés en même temps vers le coin de la rue, comme des marionnettes animées par le même marionnettiste.

Ce bruit... On aurait dit, on avait l'impression que c'était...

Jackie.

En nous voyant, elle s'est arrêtée net, puis elle est repartie en sens inverse.

– Jackie, qu'est-ce que tu fais là ? Ça va ? lui a lancé Deborah.

Jackie s'est retournée, a fait un signe par-dessus son épaule, puis a secoué la tête, s'est arrêtée, et a posé un bras contre le mur. Deborah a volé à son secours avec Fasil, qui n'allait pas rater une occasion d'approcher Jackie.

Ben m'a regardé, et j'ai regardé Ben. On a éclaté de rire, tout en essayant de se retenir. Ce pauvre Dino ! Alors qu'il était sûr de parvenir à ses fins, voilà que Jackie s'était enfuie ! Elle était visiblement dans tous ses états. On s'est tournés en essayant de ne pas trop montrer notre fou rire.

Pour finir, on a réussi à se calmer. Debs et Jacks discutaient toutes les deux pendant que Fasil rôdait autour d'elles comme un chien qui attend un os.

Je me suis approché, Ben est resté derrière, les mains dans les poches, et il a lancé : « Bon, on dirait qu'il y a assez de monde comme ça pour tenir la chandelle. Je crois que je vais rentrer. » En me faisant un sourire sévère.

– Salaud, je lui ai soufflé.

J'ai regardé les autres. Deborah essayait de prêter une oreille attentive à Jackie tout en me tenant à l'œil.

– Alors, t'es prêt pour le grand saut? m'a demandé Ben.

Je détestais qu'il me dise ça.

– C'était juste une pelle, j'ai protesté.

– Pas pour elle. Je crois bien qu'elle est amoureuse. Mais c'est plutôt bien d'avoir quelqu'un amoureux de soi, non? Et toi, qu'est-ce que tu ressens pour elle?

– Je l'aime bien, mais...

– Mais?

– Je n'ai pas envie de sortir avec quelqu'un pour l'instant.

Ben m'a fait un sourire ironique en agitant un doigt:

– Il va falloir lui dire ça...

J'avais envie de l'étrangler. Je me doutais que c'était une façon de me donner un conseil, mais pour moi, ça revenait à de la torture. Car il savait très bien que j'étais incapable de dire une chose pareille.

– À plus! m'a lancé Ben, et il est parti en me faisant un petit signe amical par-dessus l'épaule.

Je me suis approché des autres pour voir ce qui se passait. Je me sentais comme une marionnette. Le libre arbitre, vous y croyez, vous?

Deborah avait l'air de passer un bon moment. Elle a ce don, Deborah, de toujours avoir l'air de passer un bon moment. C'était peut-être vrai, après tout. Mais peut-être qu'elle se forçait pour Jackie, qui riait et pleurait en même temps. Fasil la regardait d'un air béat en lui proposant sans cesse de la raccompagner. Deborah a fini par lui demander de se taire.

Deborah allait devoir la ramener. Pour moi, c'était l'occasion de dire: «Bon, eh bien, à plus...» Quel dommage! Au moment où Deborah et moi, on allait se retrouver seuls, il fallait secourir une amie! J'essayerais de ne pas paraître trop déçu, et de sortir quelque chose dans le genre : «Tant pis, ça sera pour une autre fois» (en clair, jamais). Mais Deborah m'a demandé de venir, alors j'ai dû les suivre.

En fait, le trajet a été plutôt drôle. Fas nous a accompagnés, on marchait derrière les filles comme deux gardes du corps. J'ai essayé de discuter avec lui, mais il avait tellement fumé qu'il pouvait à peine prononcer un mot. Il me regardait fixement chaque fois que je disais quelque chose, alors j'ai fini par me taire pour marcher en silence. Deborah était formidable, comme d'habitude. Jackie et elle riaient et bavardaient, Debs n'arrêtait pas de lui tapoter le dos et de la réconforter. Elle est géniale pour ça.

Finalement, on est arrivés chez Jackie. Fasil est parti dans une direction, Jackie a pris Debs dans ses bras et elle est rentrée, alors on s'est retrouvés tous les deux, la Grosse Méchante Deborah et moi. Elle a passé son bras sous le mien et elle a souri en me disant :

– J'ai attendu toute la soirée de te voir en tête à tête.

Puis elle a haussé les sourcils et m'a fait l'un de ces adorables sourires. Et bien sûr, ce traître de Mr Zobut a tout de suite dressé l'oreille.

On s'est mis en route, et Deborah n'a pas pu résister, elle m'a raconté ce qui s'était passé avec Jackie. Laquelle est toute prête, lavée, poudrée, parfumée. Elle rabat les couvertures pour se glisser dans le lit toute nue, prête à être croquée comme un bon petit pain chaud... et sur les draps, elle découvre un tas de vomi froid et visqueux. Elle est si vexée qu'elle se rhabille et se tire. Deborah a éclaté de rire. Le plus drôle, c'est que ce n'était même pas la faute de Dino ! Jackie est sortie comme une furie — mais sans un bruit —, et elle était déjà dans la rue quand elle s'est aperçue qu'elle venait de tout gâcher.

– Pourquoi elle n'y est pas retournée? j'ai demandé, et Deborah m'a répondu:

– Parce qu'elle n'en avait plus envie!

Et Debs s'étouffait de rire tellement elle trouvait ça drôle.

En fait, on s'est bien marrés tous les deux. On a fait semblant d'être Dino et Jackie, avec Jackie qui rêvait de le faire, mais qui paniquait à chaque fois que Dino sortait son machin. Je disjonctais vraiment. J'ai fait semblant d'être la bite de Dino qui faisait sa gentille. J'ai pris des pétales de rose que j'ai trouvés dans un buisson, je m'en suis mis sur la tête, et j'ai couru autour de Debs avec une drôle de démarche en lui promettant plein de trucs si elle me laissait la pénétrer. Deborah n'en pouvait plus de rire. Quel délire, faire semblant d'être la bite de son pote! S'il apprenait ça, Dino ne me parlerait plus jamais. Mais c'était génial. Puis on est arrivés près de chez elle et j'ai à nouveau eu la trouille. Je suis devenu tout calme. On est restés debout à se tenir la main. Elle s'est approchée de moi et elle m'a soufflé:

– Tu veux savoir si moi aussi, je vais partir en courant?

Je ne sais plus ce que j'ai répondu.

Elle s'est collée à moi, elle a mis une main vous voyez où, et à l'intérieur de mon jean, l'autre s'est transformé en fusée.

– Miam, elle a murmuré.

On s'est roulé une pelle mammouthesque. C'était fantastique. Je l'ai caressée partout. C'était comme... comment dire? Comme boire un grand vin. Même si je n'ai jamais bu de grand vin. C'était trop bon. C'était comme nager dans une piscine remplie de grand vin.

J'avais déjà caressé d'autres filles, mais Deborah, c'était vraiment une femme. Elle avait des seins, du ventre et des fesses. Elle sentait bon le gâteau. Pendant que je faisais ça, j'imaginais que quelqu'un nous regardait, ce qui m'a vraiment excité. J'ai remonté son pull, j'ai sorti ses seins de son soutien-gorge, je n'arrêtais pas de la déplacer sous la lumière du réverbère en imaginant qu'on pouvait nous voir. Elle avait la respiration lourde, très lourde, et elle me regardait comme si elle n'en croyait pas ses yeux. Elle n'arrêtait pas de jeter des coups d'œil dans la rue, mais elle s'en foutait, en fait. Je me suis penché pour embrasser ses tétons, et à force je les ai trempés. J'avais envie de lui baisser sa culotte. À l'imaginer debout les seins à l'air et la culotte sur les genoux, ça m'a rendu fou, mais elle n'a pas voulu. Entre-temps, elle avait pris Mr Zobut dans la main, et elle regardait l'effet que ça me faisait. Pour finir, elle s'est écartée et elle m'a caressé jusqu'à ce que je jouisse sur sa main et sur sa jupe.

– Désolé, j'ai grommelé en me tenant au mur.

Il y en avait partout sur ses vêtements. Elle a éclaté de rire en disant :

– Ça m'a bien plu.

– Mais toi ? j'ai murmuré après avoir repris mon souffle.

J'avais passé dix minutes à palper dans sa culotte, sans succès.

– C'est bon, elle a dit. Puis elle a ajouté : Je te montrerai comment on fait la prochaine fois.

Je l'ai regardée. Elle avait la tête tendue vers moi, ses jolies dents blanches scintillaient à la lueur du réverbère. Je me suis demandé : « Ça signifie que je ne sais pas comment faire ? » Eh oui. Ça signifiait aussi qu'elle s'attendait à me revoir ? Eh oui.

Et moi, est-ce que je voulais ?

« Je ne sais pas », a dit une petite voix dans ma tête.

– Il faut que je rentre maintenant, m'a annoncé Deborah.

– Bon, eh bien, merci...

– Tu n'as pas à me remercier ! elle a gloussé.

– T'as vraiment aimé ?

– Oui ! elle s'est exclamée, comme si ça aussi, c'était une bonne blague.

Je n'y comprenais rien, mais elle avait l'air sincère.

– Tu vas aider Dino à faire le ménage demain ? elle m'a demandé.

– Je lui ai promis.

– À demain, alors. Vers midi ?

Elle m'a embrassé, puis elle a posé la main sur mon visage, c'était très doux, elle a tourné les talons et elle est rentrée chez elle. J'ai pensé : « Génial. »

Au secours !

11

La fée des soirées

Quel cri !

Mais d'où il venait ? D'un assassin ? De Jackie ? Du vomi ? Non, non, par pitié, pas du vomi ! Dino se retourna brusquement. Le couvre-lit chenille du petit canapé bougea, puis une fille pâle et défaite apparut. Elle avait des bras si maigres qu'on aurait dit une enfant, et elle ouvrait des yeux comme des soucoupes.

Elle semblait aussi terrorisée que lui. Mais elle était jolie, avec ses cheveux bruns bouclés. Dino comprit tout de suite que ce n'était pas le vomi qui avait crié, puis il se demanda si cette fille pouvait être une fée.

– Qui tu es? Qu'est-ce que tu fous ici? lança-t-il.

– Désolée, je me suis endormie.

– Ça alors! Tu es apparue comme une fée! Mais qu'est-ce que tu fabriques ici?

– Je te l'ai dit, je me suis endormie.

Elle regarda la chambre d'un air apeuré et sourit en déclarant:

– Je suis la fée des soirées! Alors, quels sont tes trois vœux?

Mais elle regretta aussitôt ses paroles et devint toute rouge. Puis elle sourit de nouveau, comme pour bien montrer que ce n'était qu'une blague.

Dino sentit son cœur battre très fort parce que quand même, ils étaient tous les deux seuls dans une chambre, et voilà qu'elle lui offrait trois vœux. La baiser, se faire sucer, et... Il en trouverait bien un troisième. D'un autre côté, il avait si peur qu'il osait à peine la regarder. Il se mit à faire les cent pas. C'était impossible... Elle plaisantait, il n'y avait pas d'autre explication... Quoique... Quand il releva la tête, elle avait l'air renfrogné.

– Tu trouves vraiment que j'ai l'air d'une fée? interrogea-t-elle d'un air soupçonneux.

– Il n'y a plus personne, déclara-t-il.

Elle se leva. Elle portait une minuscule robe rose qu'elle tira sur ses cuisses. Elle était si peu habillée que Dino pensa à nouveau qu'elle ne pouvait que s'offrir à lui. Peut-être attendait-elle juste qu'il le lui demande... Il se souvint qu'on lui avait dit un jour qu'avec les filles: «pour obtenir quelque chose, il faut demander».

– Qu'est-ce que tu veux ? dit-il d'un ton inquiet.

– T'as une clope ?

– Je ne fume pas. Mais j'imagine qu'il y en a quelque part.

Tout à coup, elle s'approcha du lit et ramassa par terre un paquet de Marlboro Light et un briquet. Elle secoua le paquet, qui fit du bruit. Elle prit une cigarette et l'alluma. Et resta plantée là en observant Dino.

– Quelqu'un a dû les oublier, fit-elle en secouant le paquet sous ses yeux.

– Ouais.

Puis, sans qu'il sache pourquoi, Dino regarda le lit. Elle suivit son regard. Tous deux se dévisagèrent.

– Bon, je crois que je vais y aller, annonça la fille.

– Quelqu'un a vomi. Tu as vu ?

– Ah ouais.

Dino reprit :

– Ma copine... Je veux dire, c'est une copine qui a fait ça, puis elle est partie. Il n'y a pas longtemps. Tu l'as vue ?

– Je dormais, répondit la fille en tirant une grande taffe.

Elle avait l'air d'en avoir marre, pourtant elle restait. Elle restait là à moitié nue, les bras autour des côtes, à tirer sur sa clope. Ses jambes étaient aussi décharnées que le reste de son corps. Ce visage très maquillé, ces jambes nues... On aurait dit une pute, ou alors... Sinon, pourquoi se promènerait-elle comme ça ?

Elle vit que Dino l'observait, et tira à nouveau sur sa robe.

– La fête a duré longtemps, dit-elle en se forçant à rire.

– Une bonne partie de la nuit, fit Dino.

– Non, moi, j'avais commencé la veille!

– Ouah! Dans ce cas, t'as vraiment joué les prolongations.

– Ouais…

Elle prit une autre grande bouffée puis demanda:

– Quelle heure il est?

– Je ne sais pas, environ trois heures.

La fille soupira et dit:

– Écoute, il est tard, je n'aime pas te demander ça, mais est-ce que je peux rester ici?

– Mes parents rentrent demain soir.

– Je serai partie. En attendant, je me ferai toute petite, je peux dormir sur le canapé.

Dino pensa: «Tiens donc!» Mais trop timide pour lui demander de coucher avec lui, il proposa:

– Tu m'aideras à nettoyer demain?

– D'accord!

Elle avait l'air contente. C'était un *deal*.

– Bon, d'accord. Merci.

– Génial!

– Eh bien… Merci.

Puis elle s'assit sur le canapé et lança:

– À demain, alors.

– Si j'étais toi, je préférerais…

Dino voulait lui proposer un véritable lit, mais les mots refusèrent de franchir ses lèvres. Puis il se dit qu'elle avait forcément compris. Et puis, quel type serait trop crétin pour ne pas tenter sa chance dans une situation comme ça? Qu'est-ce qu'il raconterait à ses copains après? «On a bavardé un peu, et puis elle est allée se coucher…»

Il lança:

– Tu veux une tasse de thé?

– Nan, je veux juste dormir.

Il fronça les sourcils. Il fallait savoir! Avec sa robe qui couvrait à peine sa culotte...

Alors il se jeta à l'eau:

– Tu peux passer la nuit là. À condition que ce soit avec moi.

Elle ne lui jeta pas un regard. Puis, la bouche entrouverte, elle finit par lever les yeux. Avec un petit sourire, Dino fit un pas vers elle. Elle ne bougea pas quand il s'assit près d'elle. Et tout à coup, Dino sut, sans savoir pourquoi, qu'il pouvait faire tout ce qu'il voulait à cette fille, qu'elle ne refuserait jamais. Il le savait, voilà tout.

Il lui passa un bras autour des épaules, lesquelles étaient toutes froides. Il l'embrassa. Elle avait l'haleine aigre. Elle secoua la tête en disant:

– Non.

– Allez, lui dit-il.

Ça sautait aux yeux qu'elle ne résisterait pas, aucun doute là-dessus. Il l'attira vers lui puis la coucha sur le dos et la regarda. Sa petite robe était remontée, du coup on apercevait le triangle blanc de sa culotte. Il l'embrassa à nouveau et alla droit au but. Elle se débattit vaguement et détourna la tête. Il l'embrassa alors dans le cou, lui écarta les jambes et introduisit un doigt en elle. Relevant la tête pour voir son visage, il fut étonné de voir ses yeux grands ouverts. Elle regardait ailleurs, à l'autre bout de la chambre. Inquiet, Dino regarda lui aussi, mais il n'y avait que la penderie. Pourtant, ça le déconcentrait, qu'elle regarde comme ça.

Elle dit d'une petite voix gémissante:

– J'ai froid.

– On peut aller dans mon lit, proposa-t-il.

Il se leva, lui tendit la main et la conduisit jusqu'à sa chambre. Elle avait une telle expression d'indifférence qu'il lança :

– Ça t'est complètement égal, c'est ça ?

Elle haussa les épaules, et il se dit qu'en fait, elle s'en foutait. Près du lit, il l'embrassa à nouveau pour qu'elle ne puisse pas parler et, éventuellement, se plaindre. Puis il lui passa sa robe rose par la tête, et elle se retrouva en culotte — une minuscule culotte qui lui couvrait à peine les poils —, ses petits seins nus. Dino la poussa doucement sur le lit, et elle se glissa sous la couette. Il enleva son pantalon et se mit au lit à son tour. Elle lui demanda d'éteindre la lumière, mais il n'en fit rien. Il lui retira sa culotte, elle souleva les fesses pour l'aider. Et... Et...

Dino perdit tous ses moyens.

Sous ses mains, la fille était aussi froide et dure qu'un morceau de beurre tout juste sorti du frigo. Il l'embrassa à nouveau, très fort, pour rester en érection. Et vite, avant qu'il soit trop tard, il se coucha sur elle, lui écarta les genoux, se caressant d'une main, se tenant en équilibre sur l'autre. Mais son machin était déjà presque tout mou. Il se frotta entre les jambes de la fille, essaya de la pénétrer, mais rien à faire. Il l'embrassa à nouveau, la caressa un peu, commença à lui mordiller les seins, en vain. Il avait envie de s'énerver contre elle parce qu'elle restait couchée là sans bouger, mais il n'osa pas. Alors il frotta son pubis contre le sien, mais plus il craignait de ne pas bander, moins il bandait. Pour finir, il n'avait plus entre les jambes qu'une limace qui pendait misérablement.

Et voilà. C'était atroce à quel point ça dégonflait vite. La fille avait un petit sourire sur le visage, et

Dino ne s'était jamais senti aussi seul de sa vie, au lit avec une fille, mais sans érection.

Cherchant une excuse, il lâcha :

– C'est… je dois être fatigué, je ne sais pas. Ça fait si longtemps. J'ai oublié comment on faisait…

Puis il la regarda avec terreur. Avait-il vraiment dit ça ? Se rendait-elle compte de combien il était ridicule ? La fille le prit dans ses bras en pressant son petit visage contre le sien.

– Ce n'est pas grave, gloussa-t-elle.

C'était un joli gloussement, même Dino s'en rendit compte.

– C'était bien la peine, ajouta-t-elle, faisant allusion au chantage qu'il venait de lui faire.

Il était maintenant si doux, si pathétique…

– Tu es gentil, fit-elle.

Puis elle se mit à lui chatouiller les côtes, alors il la chatouilla lui aussi. Ils se bagarrèrent un peu, elle sortit de la couette, et Dino se remit à bander. Alors, avant que ça disparaisse à nouveau, il l'embrassa très fort, mais elle cria de douleur quand il lui heurta violemment les lèvres.

– Désolé, murmura-t-il.

Elle le regarda d'un air curieux alors qu'il la tripotait partout, comme un pirate plongeant les mains dans un trésor. Ça allait marcher, Dino le savait, malgré sa peur de la pénétrer. Tout à coup, la fille lui attrapa la tête et dit :

– Je t'en prie. Non. Non.

– Désolé, répéta-t-il.

– Ce n'est pas grave. C'est aussi bien comme ça, non ?

– Oui, fit Dino d'une toute petite voix.

Elle lui demanda en souriant :

– Tu restes ici avec moi ?

– Ouais, répondit-il, espérant bien faire une nouvelle tentative un peu plus tard.

La fille se blottit contre lui en souriant. Elle avait l'air heureuse, là, contre lui. Elle posa le visage sur son bras et soupira.

– Je n'ai jamais fait ça, dit-elle d'une voix étouffée.

– Quoi ?

– Rester blottie contre quelqu'un toute la nuit, et c'est tout.

– Ah ouais, fit Dino.

– Blottie dans tes bras, comme s'il n'y avait rien à craindre.

Dino écoutait son cœur battre et la fille respirer. Rien à craindre dans ses bras. Ça lui paraissait étrange, stupéfiant même, qu'elle soit si détendue alors qu'il avait essayé… alors qu'il s'était vraiment comporté comme un salaud. Mais il se sentit flatté. Une minute plus tard, elle dormait. Dino se dit : « La pauvre, elle doit être épuisée », et lui caressa les cheveux. Il regrettait d'avoir voulu l'obliger à coucher avec lui. Alors il décida d'exaucer son vœu en la gardant toute la nuit dans ses bras, et s'endormit à son tour.

Il se réveilla à l'aube en se demandant pourquoi, puis sentit un corps chaud dans son dos et se souvint. Tout à coup, il était très éveillé. La fille dormait paisiblement en lui soufflant sur l'épaule. Il n'osait pas bouger, de peur de la réveiller. Elle avait la peau chaude, le visage détendu et si calme que Dino, dans son état, le prit pour celui d'un ange. Une fée ou un ange ? Il n'avait jamais respiré l'odeur de cette créature, ça ne ressemblait à rien de terrestre. Elle était la preuve vivante de sa nullité.

«J'ai un taux d'échec de cent pour cent», se dit-il, même s'il savait que c'était sévère. Et le plus inquiétant, c'était de ne rien pouvoir y faire. Tout le monde peut cligner de l'œil, bouger les orteils, remuer la langue. Certains peuvent même agiter les oreilles. Mais la bite, rien à faire. On contrôle tous ses membres, sauf un. Celui-là, il agit tout seul.

Dino savait qu'il ne serait pas serein tant qu'il n'aurait pas réussi à tirer son coup. Mais combien de temps ça prendrait? Jackie s'était enfuie. Il s'était promis de la larguer si elle déclinait l'offre une fois de plus. Et elle l'avait déclinée en beauté! Ensuite, avec la fille qui dormait près de lui, ça avait été le bouquet. Il observa son petit visage qui dépassait de la couette et se dit: «Ça doit être une sacrée salope pour accepter de venir dans mon lit comme ça.» Dino ne connaissait pas de salopes. Les filles de son entourage n'avaient rien de filles faciles. Certaines, surtout les plus jeunes, se laissaient toucher sans trop de problèmes, mais ne se seraient pas retrouvées au lit avec un type rencontré cinq minutes plus tôt en échange d'un toit pour la nuit. Quelle garce! Il se demanda si ce n'était pas à cause de ça qu'il ne pouvait pas bander. Peut-être qu'il ne réussirait qu'avec une fille bien... Une fille qui s'en foutait, ça n'était pas très excitant.

Mais ça n'arrangeait pas du tout Dino! Il refusait de ne bander que pour des filles bien! Il voulait bander avec des garces, des salopes, des putes! Du moment qu'elles étaient bien foutues... plus y en aurait, mieux ça serait.

Pourtant, au fond de lui, il ne pensait pas ça. Déjà, cette fille était ravissante dans son sommeil. Et puis, elle avait eu tellement de plaisir à se blottir contre lui. Elle l'avait consolé alors qu'il voulait l'obliger à coucher avec lui. Comment traiter de salope une fille si gentille et si heureuse de dormir avec vous ?

Quand même… Elle était nue comme un ver dans son lit. Il n'allait pas laisser passer l'occasion de la baiser, sinon il s'en mordrait les doigts pendant des semaines, des mois, voire des années. Il devait la sauter. Il n'avait qu'à la réveiller et la sauter. Même pas besoin de la réveiller, puisque ça lui était égal. Elle était prête à tout. Et lui qui ne bandait pas !

La fille se retourna. Elle était maintenant sur le dos, la tête sur le côté, la bouche entrouverte. Salope ou pas, elle était vraiment très jolie. Tout doucement, Dino souleva la couette pour l'observer. Il contempla les courbes de son corps, ses petits seins, le coin sombre plus bas que son ventre. Il admira le rond bien net de ses mamelons.

Encore plus doucement, Dino tendit la main en direction de la petite lampe de chevet et l'alluma. La fille ne bougea pas. Il y voyait beaucoup mieux comme ça. Elle avait de jolis mamelons roses, et des poils tout en bas. Il observa son propre corps, ce traître de pénis mou à quelques centimètres du coffre au trésor. Pas la moindre réaction. Il essaya de se concentrer, en vain. Tout en douceur pour ne pas la réveiller, il commença à se caresser sous la couette en la regardant. D'abord rien ne bougea, puis il s'excita un peu, et son machin parut avoir quelques soubresauts. C'était un peu gonflé, ce qu'il faisait, mais ça marchait ! Il accéléra le rythme. Le matelas remuait, les seins de la fille bougeaient en rythme. Il se promit de tenter de la pénétrer s'il réussissait à durcir, ce qui était en fait déjà le cas. Mais il n'avait plus envie d'arrêter… Oh non, elle n'allait pas se réveiller maintenant…

– Hé! Mais qu'est-ce que tu fabriques?

– Hein?

– Qu'est-ce que tu fabriques?

– Euh rien... Tu veux une tasse de thé?

– Quelle heure il est?

La fille — il ne connaissait même pas son prénom — s'assit en remontant la couette jusqu'à son menton. Dino se dit qu'elle devait le prendre pour un pervers. Et elle avait raison. Il jeta un coup d'œil à l'horloge.

– Cinq queues, répondit-il pendant que son érection disparaissait comme par magie.

– Hein?

– Euh... cinq heures. Tu veux une tasse de thé? proposa-t-il à nouveau.

Elle fit mine de réfléchir et annonça:

– J'ai faim.

– Tu veux des céréales? Un sandwich? Je fais de délicieux sandwichs à l'œuf.

– Génial!

– Tu veux quoi, alors?

– Les deux.

12

Dino

En bas, j'ai fait chauffer la cuisinière. Je n'y arriverais jamais! D'abord, Jackie qui disparaissait au moment où elle allait enfin écarter les jambes, puis c'était le vomi dans le lit, puis mon machin qui refusait de coopérer, et pour finir, je me faisais choper en train de me branler. En deux heures, j'étais passé de baiseur à branleur à serveur ! Il n'y a rien de plus atroce qu'être surpris en pleine branlette. Le truc, maintenant, c'était qu'elle ne rencontre jamais mes potes, des fois qu'elle aille leur raconter ça.

Pour vous dire dans quel état j'étais, j'espérais même qu'elle se barre avant mon retour. Mais elle m'attendait au lit, elle avait juste remis sa petite robe rose.

– Génial, méga super génial ! elle a dit en voyant ce que je lui apportais.

J'ai posé le plateau devant elle et je me suis assis au bord du lit. J'avais l'impression d'être son père. J'essayais de remettre mon machin en route. Je me disais : «Elle n'a pas de culotte là-dessous», j'essayais de penser à son corps. Rien à faire.

– T'es toujours là ? j'ai lancé.

– Hein ?

– Je me disais que tu serais peut-être partie.

– Pourquoi ?

– Parce que je suis un vrai...

J'ai failli dire branleur, mais ça aurait été vraiment se jeter dans la gueule du loup. Après tout, peut-être qu'elle ne m'avait pas vu.

– Branleur ? elle a lancé.

J'ai rougi. C'est ce que je déteste le plus. Je trouve ça horrible.

– Non. Je parlais d'hier soir. De t'avoir demandé... en échange d'un lit... De coucher avec moi. Je ne suis pas comme ça d'habitude. Désolé.

Elle a haussé ses épaules toutes maigres.

– Je voulais juste un lit pour la nuit. Tu sais, rien ne me fait peur. Pas de morale avec moi. Mais au moins, je ne me sers pas des autres. Je fais ce que j'ai envie, pigé ?

– Tu n'avais pas l'air très heureuse quand je t'ai annoncé que tu devrais...

– On n'est jamais content de recevoir des ordres. Je voulais juste un lit pour la nuit, elle a répété avant de mordre dans son sandwich à l'œuf.

Du ketchup lui coula sur le menton. Il y eut un silence.

– Moi, c'est Dino, j'ai dit.

– Je sais, j'ai entendu des gens t'appeler hier soir.

– Et toi?

– Siobhan. Siobhan Carey. (Elle termina le sandwich et s'attaqua aux corn flakes.) Mais je sais pourquoi tu es désolé. Tu es désolé de ne pas avoir pu bander.

– Mais non!

– Si.

– Peut-être, j'ai reconnu. Mais pour le reste aussi.

– T'inquiète pas, ça va revenir. On tire le diable par la queue et puis... elle s'est moquée.

J'ai à nouveau rougi. Je me sentais vraiment mal. Elle a dû s'en apercevoir, parce qu'elle a dit:

– T'en fais pas.

En attendant, tout ce que j'ai réussi à faire, c'était une grimace. Elle m'a regardé d'un air bizarre.

– C'est pour ça que tu m'as plu, tu sais, elle a dit. Je te préfère quand tu ne bandes pas à quand tu m'obliges à baiser avec toi.

– Je n'ai jamais fait ça!

– Un peu quand même.

Et elle avait raison. Elle a réfléchi un moment.

– Je me suis sentie en sécurité.

Au moment où elle disait ça, il s'est passé quelque chose d'étrange. Tout à coup, elle a eu les larmes aux yeux. Je n'avais jamais pensé que... imaginé ce qu'elle pouvait ressentir. Je lui ai mis la main sur l'épaule. J'aurais aimé la prendre dans mes bras, mais je ne voulais pas qu'elle croie que j'en profitais.

– Je ne t'aurais pas mise dehors, tu sais, je lui ai dit.

– Tu m'aurais tannée toute la nuit. C'est ce que font les mecs.

Elle a terminé ses corn flakes et s'est frotté les mains. Puis elle a dit :

– Allez, viens.

Elle s'est penchée par-dessus le plateau et m'a pris dans ses bras. C'était bon. Au bout de deux secondes, elle m'a lâché, elle a posé le plateau par terre et s'est poussée pour que je m'assoie plus près d'elle. On s'est serrés l'un contre l'autre. J'ai cru qu'elle voulait à nouveau se blottir dans mes bras.

On est restés comme ça jusqu'à ce qu'elle déclare qu'elle avait froid, alors on s'est remis sous la couette. Elle m'a caressé la nuque. À ce moment-là, moi aussi je me sentais vraiment bien, si vous voyez ce que je veux dire, et j'ai pensé : « Oh oh ! »

Je l'ai embrassée, et elle m'a rendu mon baiser.

Elle avait remis sa culotte, alors elle l'a enlevée à nouveau, et sa petite robe rose aussi. Je me suis déshabillé. C'était génial, d'être tous les deux nus comme ça. J'avais une érection monumentale. J'ai mis ma main... ça roulait tout seul. C'était génial. Je lui ai écarté les jambes, je me suis approché d'elle... et vlan. J'ai senti le sang refluer comme si on avait coupé le robinet.

– Ne t'inquiète pas, ça ira mieux demain matin, elle m'a rassuré.

Mais à ces paroles, le monde s'est effondré autour de moi. Maintenant que je savais que je pouvais débander d'un coup, et ça serait toujours comme ça, j'en étais sûr. Une vie d'impuissance m'attendait.

Pourtant, quelque part, j'étais soulagé. Étrange, non? Parce qu'au moins, comme ça, je n'avais plus besoin d'essayer. C'était un tel souci, un tel investissement... Autant se branler. Maintenant, fini les soucis. Mais je savais que je ne penserais pas comme ça longtemps.

En attendant, je n'avais rien de mieux à me mettre sous la dent. Pas de vie sexuelle. J'étais damné. Même Jonathon était mieux loti que moi, alors qu'il sortait avec une grosse. Pourtant, c'était quand même dommage de laisser passer ma chance.

– Je peux regarder? j'ai demandé.

– Quoi?

– Tu sais bien.

J'ai désigné la couette de la tête. Jackie voulait bien que je la touche, mais elle refusait que je lui retire sa culotte, de peur que ça aille trop loin. Un jour, j'avais essayé de jeter un coup d'œil sur le côté, mais comme elle refusait d'enlever son jean et d'ouvrir les jambes... Là, j'allais me régaler.

– Regarder quoi? répéta-t-elle.

– Tu sais bien... J'aimerais... voir.

Elle a gloussé en attrapant la couette.

– Je suis timide! elle s'est exclamée.

– Bon, d'accord, j'ai dit, et d'une certaine manière, Siobhan a eu l'air contente.

Elle a gigoté comme si je la chatouillais.

– Non, non, elle gloussait en faisant semblant de me repousser, alors que je ne faisais rien.

Alors évidemment, j'ai essayé de l'attraper.

– Arrête! elle a crié.

Puis, la couette sous le menton, elle a réfléchi.

– Ce n'est pas très joli, elle a dit.

– Ça m'est égal.

– Quoi, ça t'est égal ?

– Non, ce que je veux dire, c'est que je n'y crois pas.

J'ai fait semblant de soulever la couette, elle m'a attrapé les oreilles et elle a de nouveau crié :

– Non ! Arrête ! Tu n'as pas le droit ! Arrête ! Tu peux regarder, mais uniquement sous la couette.

– Vraiment ?

– Oui. Ça, je veux bien.

– Mais je ne verrai rien… j'ai protesté, et tout en disant ça, j'ai aperçu la petite lampe de chevet.

– Non ! elle a hurlé en voulant retenir mon bras, mais je l'ai repoussée.

– Si je ne peux pas voir, ça ne sert à rien !

– Non !

– Si !

– Mais je ne verrai plus rien !

– Moi je verrai ! j'ai triomphé.

Elle m'a lâché les oreilles et s'est couchée, et je suis descendu sous les couvertures. Elle ne m'a pas arrêté quand je lui ai écarté les cuisses et remonté les genoux.

– Ça va ? a-t-elle demandé d'un air timide.

J'étais incapable de parler. C'était… parce que quand même, j'avais vu des photos, mais ça n'avait rien à voir avec les photos. Là, c'était vrai ! C'était plus gros que je croyais, plus rouge, plus poilu. Stupéfiant. Et ça avait une incroyable odeur épicée. Le sexe à l'état pur. Je l'ai touché avec mes doigts, et ma queue s'est aussitôt mise à pulser comme une bombe.

– Ouah ! j'ai lâché.

C'était impressionnant. Les photos, ça n'était rien en comparaison. Sans sortir de la couette, j'ai tendu la main vers la table de nuit.

– Qu'est-ce que tu fais ?

– Je cherche un préservatif.

Elle a rigolé, mais je m'en foutais. Ça devait lui paraître vraiment étrange, comme situation, mais vous savez quoi ? Je pense que ça l'a excitée. Elle a trouvé une capote et me l'a tendue. Je me suis tortillé sous la couette avec la lampe, j'ai réussi à l'enfiler sur ma bite toute raide sans jamais cesser de la regarder. J'ai soulevé la couette pour prendre un peu d'air.

– Je n'avais jamais vu ça, j'ai dit.

Je l'ai embrassée, lui maintenant une jambe en l'air avec un bras. Elle m'a souri et guidé vers le bon endroit avec sa main, et j'y étais enfin.

13

Ben

Le lendemain matin, j'ai émergé à onze heures. J'étais déjà en retard. J'ai filé sous la douche. Petit déj ? Mission impossible. J'ai attrapé mes affaires de foot. Et son cadeau d'anniversaire, un CD. Mais j'avais autre chose pour elle : mon ancien uniforme de collégien.

Je l'avais retrouvé quelques jours plus tôt. Le blazer bleu marine était au fond de ma penderie. Maman l'avait gardé pour mon frère Neil, mais il avait catégoriquement refusé de mettre un truc ayant déjà servi. Le polo et le sweat étaient dans le placard de Neil. Le pantalon aussi. Encore de la récup. Je suis vraiment content de ne pas être petit frère. J'ai déniché les chaussures au fond de mon armoire, toutes craquelées. Je les ai essayées, elles m'allaient encore.

Je croyais avoir grandi ces dernières années, apparemment pas des pieds.

Au final, j'ai tout laissé. Ça ne me plaisait pas. Rien que d'y penser, ça me foutait la nausée. J'ai mis mes affaires de sport dans mon sac et j'ai filé.

– À plus ! j'ai lancé en passant devant mes parents.

– Où vas-tu ? m'a demandé mon père.

– Au foot.

– Tu as pris ton petit déjeuner ? Si tu fais du sport, il te faut un petit déjeuner, m'a dit maman.

– Oui, oui, j'ai menti, et je suis parti.

Je ne me sentais pas bien. J'avais mal au crâne. Je n'avais qu'une envie, retourner au lit.

Ces histoires d'uniformes. Elle me tannait avec ça. Une fois, elle s'est déguisée en boniche. Elle m'a fait asseoir dans un fauteuil avec une bière et elle a tourbillonné autour de moi avec un plumeau en se penchant pour que je voie ses seins ou son cul. Elle n'avait pas de culotte. Vous voyez le genre ? Il fallait que je lui donne des ordres et que je me rince l'œil, mais je ne savais pas trop comment faire. Ça me gênait. Elle, elle s'en foutait. Elle a minaudé puis elle m'a déshabillé, comme d'habitude, sauf qu'elle m'appelait « monsieur ». Alors imaginez ce qu'elle me ferait si je m'habillais en collégien.

Elle était tordue. Je m'en foutais de l'uniforme, mais certaines fois, j'avais vraiment la trouille. Elle me faisait faire des trucs au lycée aussi. Au début, c'était plutôt excitant. Elle m'emmenait dans la réserve pour me rouler une pelle, et je lui caressais les seins. C'était bon, mais ça foutait quand même la pétoche. Une fois, elle m'a chopé dans les coulisses, elle a relevé son T-shirt et le mien, elle a retiré son soutien-gorge et elle m'a roulé une pelle monstrueuse, torse contre torse, alors que tous les acteurs étaient de l'autre côté du rideau. J'ai cru mourir. C'était hallucinant. Mais elle devenait de plus en plus incontrôlable. En fait, elle aimait bien prendre des risques. Elle essayait toujours de m'attraper les couilles quand j'étais derrière elle. Elle faisait barrage avec son corps pour que personne ne voie. Un jour, elle m'a mis une heure de colle pour que je reste au lycée après les cours. C'était vraiment gonflé! Elle a prétendu que j'avais fait un truc alors que je me tenais bien tranquille. Personne n'a été dupe! J'ai cru qu'elle allait m'obliger à la sauter au lycée, mais ça a été pire. Elle m'a emmené en coulisses, elle a baissé mon jean et taillé une pipe. En me plaçant face aux rideaux pour que je vérifie que personne n'arrive.

– Fais attention à ce que personne ne nous voie, elle m'a dit.

J'ai voulu l'arrêter, mais avec elle, j'ai l'impression de ne pas savoir dire non. Elle n'en fait toujours qu'à sa tête, rien qu'à sa tête. C'est dégueulasse.

14

Une mère aimante

Il crut d'abord qu'elle n'avait pas entendu la sonnette, mais alors qu'il approchait à nouveau son doigt du bouton, il entendit des pas derrière la porte. Son cœur se mit à battre très fort à l'idée que ça puisse être un bison blessé ou un tigre affamé, et non Miss, tout simplement. Quand elle ouvrit la porte, elle avait les cheveux en bataille, le visage ravagé. Il régnait dans l'appartement une odeur mêlée de bière, de cigarette et d'encaustique.

– Ben, grogna-t-elle en se mettant une main sur le crâne et en repartant en sens inverse.

Il la suivit.

Dans l'appartement, rien n'était comme d'habitude. Un instant, il crut même s'être trompé d'endroit. Mais comment aurait-elle pu... Non, c'était impossible. C'était l'appartement qui avait changé.

Chez Miss, il y avait toujours du bordel. Ses vêtements gisaient en deux tas par terre, l'un propre et l'autre sale, et elle retardait la lessive jusqu'au dernier moment. Elle n'aimait guère épousseter, pour les vitres, elle attendait de trouver un laveur, elle ne passait l'éponge que quand un truc gluant refusait de sécher, et elle ne nettoyait le sol de la cuisine que lorsqu'il collait trop à la semelle de ses chaussons. De temps en temps, elle faisait un effort, mais ce qui s'était produit là était d'un tout autre ordre. L'endroit était nickel. Plus que nickel : stérile.

– Qu'est-ce qui s'est passé ? demanda Ben en agitant les mains.

Mais il connaissait déjà la réponse.

– Ma mère s'est invitée à ma fête d'anniversaire. Mets la bouilloire en marche, répliqua-t-elle en repartant d'un pas lourd.

Il existe toutes sortes de mères. Il y a des mères aimantes et des mères qui haïssent, des mères qui rendent coupable, triste, furieux ou heureux, qui font rire, peur, des mères qui frappent, des mères qui rendent fou, malade, font pleurer, rassurent, ennuient, donnent envie de travailler, pour n'en nommer que quelques-unes. Ça vaut aussi pour les pères. Alison Young avait une mère lobotomisante. Après chacune de ses visites, Ali passait la journée à errer chez elle comme un zombie sous tranquillisants.

Ben avait déjà vu ses ravages. Deux mois plus tôt, un dimanche, suite à une visite de sa mère, il avait trouvé Ali dans le même état, au lit avec une atroce gueule de bois. Il avait d'abord cru que sa mère la poussait à boire, mais non. Devant elle, Ali se sentait une merde, voilà tout.

En préparant du café à la cuisine, il découvrit, exactement comme la fois précédente, que tout avait changé de place.

– Où sont passées les tasses ? demanda-t-il.

– Là où cette grosse salope les a mises.

Les tasses étaient maintenant à la place des plats, les plats à la place des bols, et les bols... Où pouvaient bien se trouver les bols ?

– Elle dit qu'elle ne le fait pas exprès, murmura Ali en buvant son café. Elle enlève tout pour nettoyer les placards, puis elle range là où ça lui semble le mieux.

Elle laissa couler une larme et attrapa un mouchoir.

Ben connaissait déjà des tonnes d'histoires sur Mrs Young. Comment elle avait encouragé Ali à faire une fête pour ses quatorze ans, juré qu'elle n'y assisterait pas, pour finalement rester et obliger tout le monde à faire des jeux.

« À jouer à colin-maillard, à la chaise musicale ! Tu imagines ta mère qui t'oblige à jouer à colin-maillard pour la fête d'anniversaire de tes quatorze ans ! Te retrouver comme une débile avec un foulard sur les yeux !» enrageait Ali.

112

Quand Ali avait eu ses règles pour la première fois, sa mère l'avait conduite dans la salle de bains puis avait annoncé la nouvelle à toute la famille au dîner. Et pendant une semaine, elle en avait parlé à tous les visiteurs.

– «Ça y est, elle est réglée!» criait-elle en montrant mon entrejambe, lui avait raconté Ali. Je te jure. Alors évidemment, les gens suivaient des yeux la direction qu'elle leur montrait. J'avais l'impression qu'ils me voyaient nue!

Cette fois-ci, Mrs Young avait débarqué pour l'anniversaire de sa fille. Or Ali avait invité quelques amis. Ils étaient sortis boire un verre, puis revenus chez elle afin de prolonger la soirée.

Mrs Young était arrivée entre-temps. Ali ignorait qu'elle possédait un trousseau de clés. Sa mère n'eut pas l'air très heureuse de s'apercevoir qu'Ali avait des amis, mais servit tout de même des boissons et des petits gâteaux. Puis elle refusa de s'asseoir. Elle laissa «les jeunes gens entre eux» et fila dans la cuisine commencer son nettoyage rituel. Une fois le contenu des placards par terre, elle changea d'avis, abandonna la cuisine devenue impraticable et s'attaqua au salon, passant d'abord l'aspirateur dans les coins pour se rapprocher peu à peu du centre jusqu'à atteindre son objectif : que les gens inventent une excuse pour partir.

Quand Ali lui reprocha d'être parvenue à ses fins, elles eurent une terrible engueulade. Comme à chaque fois, Ali tenait cinq minutes puis se précipitait en larmes dans sa chambre pendant que sa mère continuait son impitoyable nettoyage en hurlant par-dessus l'aspirateur. C'était trop humiliant. Mais pourquoi ne pouvait-elle pas l'arrêter? Pourquoi était-elle à ce point impuissante face à sa mère ? C'était pathétique, non ? Pourquoi ça n'arrivait qu'à elle ?

Ben écoutait avec une sympathie mitigée, en partie consterné, en partie amusé. Ali semblait plutôt énergique, comment était-elle si démunie face à sa propre mère ? Après avoir bu son café, elle se traîna jusqu'à son lit, remonta les couvertures sous son menton et enfouit la tête dans l'oreiller. Ben était debout près du lit, mal à l'aise.

– Ça va ?

– Ça va, ça va.

Ce qui n'avait pas l'air vrai du tout.

– Tu veux dormir ? demanda-t-il, plein d'espoir.

Mais elle lui répondit en levant la tête vers lui :

– Tu peux me faire un câlin si tu veux.

Ben hésita. Il avait envie de dire qu'il n'avait pas le temps, mais elle savait que c'était faux, alors il retira ses chaussures et se glissa dans le lit.

– Pas comme ça, j'ai envie de sentir ta peau, réclama-t-elle.

Il retira alors son jean et son T-shirt et s'allongea près d'elle. Elle approcha son dos de lui et il la serra dans ses bras.

Il se demanda s'il devait lui faire l'amour. Sur le chemin, il s'était senti épuisé et n'avait eu qu'une envie, retourner au lit, mais il était maintenant parfaitement éveillé. Il aurait voulu courir partout. Une minute plus tard, elle se retournait pour se blottir contre lui. Elle ferma les yeux en soupirant. Et pour la première fois, il remarqua les deux cicatrices blanches qui coupaient ses poignets de part en part. Puis il s'endormit.

15

La vengeance est un plat
qui se mange froid

La Siobhan de Dino s'appelait en réalité Zoë. Elle était la fille d'assez gentils parents qu'elle méprisait. Quand elle se réveilla au lit avec Dino, elle fut ravie d'avoir passé la nuit avec un garçon qui ignorait tout de sa réelle identité. Au petit déjeuner, sans savoir pourquoi, elle lui raconta à nouveau des mensonges, juste pour s'amuser.

Ainsi, son père devint un vétérinaire spécialisé dans les reptiles. Elle avait dix-sept ans, et elle était la cadette de cinq enfants. Elle était née par accident, ses parents ne la désiraient pas. Du coup, ils la détestaient et la fliquaient. Si jamais ils apprenaient qu'elle couchait, ils seraient fous de rage. Ils tueraient sans doute le type. Il valait mieux que Dino ne vienne jamais chez elle.

Il goba tout.

En réalité, Zoë n'avait que quatorze ans, mais elle cultivait depuis de nombreuses années une passion pour les ennuis. Elle adorait ça. Le père qu'elle avait inventé pour Dino soignait des alligators atteints de rage de dents et des pythons géants souffrant de scoliose. Son véritable père était chef d'équipe dans une usine de produits laitiers. Il avait les mains si propres que sa peau se craquelait. S'il avait vu un seul des animaux dont elle parlait, il aurait pris ses jambes à son cou. Elle avait pensé aux reptiles pour deux raisons.

Un, son père avait une peau de serpent, deux, il s'était mis en colère quand elle avait voulu quitter la maison le vendredi soir uniquement vêtue d'un débardeur et d'un pantalon en peau de serpent.

– On dirait qu'un boa vient de t'engloutir les jambes! lança-t-il en lui barrant le chemin.

Zoë était remontée dans sa chambre en hurlant :

– Pourquoi ça te rend si furieux? C'est parce que ça te donne envie, oui!

Elle avait alors mis sa robe de soirée rose et lancé le pantalon dans la cheminée en hurlant :

– Comme ça, je ne le porterai plus jamais!

Le pantalon se consuma en dégageant une sale odeur, et Zoë se glissa par la porte. Elle entendait encore son père crier alors qu'elle dévalait la rue. Elle était furieuse de s'être fait surprendre en tenue de tueuse, furieuse d'avoir jeté son pantalon. Zoë était une fille tellement trépidante et dangereuse qu'elle n'aurait pas été étonnée de faire un jour le saut de l'ange jusqu'en enfer.

Mais ce matin-là, elle découvrit qu'elle aimait bien Dino. Quand il ne voulait pas à tout prix la sauter, il était adorable. Et beau mec. En fait, Dino était canonissime, tout en lui était beau, mais elle n'oubliait pas qu'il l'avait obligée à baiser, et que, sans qu'elle sache pourquoi, elle avait accepté. Au lit, elle se demanda si elle devait le mordre ou lui flanquer un coup de pied dans les couilles. Elle était capable de tout. Et elle était sûre d'une chose : Dino allait morfler, quoi qu'elle éprouve pour lui. Lui raconter des tonnes de mensonges, c'était marrant, mais comme vengeance, ça ne suffisait pas. Dire qu'il croyait se servir d'elle... Tôt ou tard, il allait comprendre son malheur.

Mais pour l'instant, elle s'amusait bien. Ils avaient passé la matinée à jouer dans le lit comme deux gosses sur un château gonflable. Elle serait bien restée là toute la journée — elle n'avait nulle part où aller, surtout pas chez elle — mais à l'instant où elle sut que les amis de Dino venaient l'aider à ranger, elle se souvint qu'on l'attendait au bowling. Elle bondit du lit et s'habilla en un instant. Il eut juste le temps de lui fixer un rendez-vous le week-end suivant, et elle était dehors.

Zoë prit un bus qui la ramena en ville et se réfugia dans une cabine téléphonique.

– Salut, Sam.

– Comment s'est terminée la fête ?

– Je suis restée toute la nuit.

– Zoë !

Cette dernière éclata de rire au ton scandalisé de son amie.

– Avec le propriétaire.

– À quoi il ressemble ?

– Canonissime. Tu te souviens d'un brun avec des mèches dorées ?

– C'est lui ? Pas mal...

– Mais crétin. Je vais le revoir. En tout cas, c'est ce qu'il croit !

Et elle éclata à nouveau de rire. Sam rit elle aussi, mais sans conviction.

– Tu es une mauvaise fille, Zoë Trent.

– Je lui ai raconté une tonne de mensonges, tu n'en croirais pas tes oreilles. Je lui ai donné un faux nom, un faux âge, tout faux.

– Pourquoi ?

– Je ne sais pas, j'en avais envie, c'est tout ! s'exclama Zoë, qui n'allait certainement pas admettre qu'il l'avait obligée à coucher avec lui. Il croit que mon père soigne des reptiles. Je te jure ! Et que je m'appelle Siobhan. Qu'on a une piscine intérieure et que mes parents me font tellement confiance qu'ils me laissent la maison quand ils partent en week-end !

Elle n'avait rien raconté de la sorte à Dino, tout du moins en ce qui concernait la piscine et les week-ends, mais Zoë était une menteuse invétérée.

– Et puis, j'ai trouvé plein d'argent, reprit-elle.

– Zoë !

– Presque soixante livres.

– D'où tu tiens ça ?

– D'après toi ?

Sam se mit en colère.

– Zoë, ce n'est vraiment pas cool, les gens sont venus à cette fête en toute confiance !

– Oh, ne fais pas ta râleuse. Ce sont tous des gosses de riches, ils ont tous une famille et une maison, ils ne vont pas en mourir !

– Des gosses de riches parce qu'ils ont une famille et une maison ? Dans ce cas, toi aussi tu es une gosse de riche !

– Ni gosse ni riche ! Tu veux venir dépenser ça avec moi ?

– Non.

– Allez ! Soixante livres !

– Pas aujourd'hui. Pourquoi tu fais des trucs pareils, Zoë ? De toute façon, j'ai plein de travail.

– Du travail ? Qu'est-ce que tu me racontes ?

– Il y en a qui veulent réussir dans la vie, tu sais.

– Quand même, Sam, soixante livres !

Sam réfléchit un instant.

– C'est une jolie somme, se laissa-t-elle tenter.

– Allez, viens. On va tout dépenser ! Jusqu'au dernier sou ! Aujourd'hui !

– Bon, d'accord.

– Génial! On se retrouve en ville. Chez Stred dans une heure?

– Je dois d'abord finir mon boulot. J'en ai au moins pour deux heures.

– Allez, Sam, je t'invite!

– Deux heures.

– Bon, d'accord, accepta à regret Zoë.

C'était dégueulasse de la faire attendre. C'était elle qui payait, non? Ça, c'était tout Sam. Une vraie déconneuse, mais seulement quand elle cessait d'être raisonnable, et seulement si elle ne risquait pas se faire choper. La reine des coups en douce, cette Sam.

Zoë raccrocha et regarda autour d'elle. Deux heures à tuer. C'était vraiment pénible. Pourquoi la vie était-elle si pénible?

Elle rentra chez elle à huit heures le dimanche soir. Sam et elle s'étaient bien amusées, elles avaient tout dépensé jusqu'au dernier centime. Elles étaient allées au cinéma, au bowling, avaient mangé une tonne de chips et de bonbons et acheté un CD chacune. Mais Zoë avait dû entreposer le sien chez Sam parce que ses parents fouillaient souvent sa chambre.

Elle était partie depuis le vendredi soir. Avant qu'elle ait refermé la porte, son père et sa mère jaillirent du salon comme deux blaireaux armés.

– T'en as rien à foutre de nous, c'est ça? lui hurla son père. On se fait un sang d'encre, alors que toi, tu n'en as rien à foutre!

– Exact.

– C'est injuste! glapit-il.

– Ma chérie, pourquoi tu te comportes comme ça? gémit sa mère, au bord des larmes.

Son père leva la main pour la faire taire.

– Tu ne respectes absolument rien. Tu ne penses à rien, tu n'as de sentiments pour personne. Il n'y a que toi qui comptes. C'est ça, hein?

Que pouvait-elle répondre? C'était vrai. Elle s'en foutait. Elle s'en foutait de tout. Elle était comme Cendrillon : elle n'avait rien en commun avec ses parents. Pourtant, ils n'étaient pas méchants. Bien sûr, ils avaient leurs défauts. Son père était autoritaire et il n'aimait pas les enfants. Sa mère ne la comprenait pas, mais elle faisait pourtant plein d'efforts. Quand Zoë était petite, sa mère passait des heures derrière la porte à l'écouter jouer à la poupée avec ses amies pour comprendre cette enfant qui était sa fille. On ne pouvait pas lui reprocher de ne pas avoir essayé. Mais celle qui posait problème, c'était Zoë. Elle détestait ce qu'elle faisait, la façon dont elle se comportait, mais c'était plus fort qu'elle.

Sa mère la dévisageait en exhibant ses larmes comme les joyaux de la couronne, mais Zoë refusa de culpabiliser. Était-ce sa faute si elle avait des parents inquiets? Elle monta les escaliers d'un pas décidé.

– J'aurais pu avoir deux handicapés mentaux comme parents, tellement vous ne me comprenez pas! hurla-t-elle en direction du rez-de-chaussée. Elle entra dans sa chambre, puis ressortit en gueulant :

– Arrêtez de me faire culpabiliser!

– Zoë, tout ce que nous te demandons, c'est de nous dire où tu vas. Tu n'as que quatorze ans, nous devons nous assurer que tu ne fais pas de bêtises. Nous sommes responsables... se lamenta sa mère.

– Responsable, tu as déjà entendu ce mot, responsable? tempêta son père. J'imagine qu'il ne signifie pas grand-chose pour toi, non?

Zoë claqua la porte.

– Espèce de minables, grogna-t-elle.

C'était vrai. Son père gueulait et sa mère pleurait, mais aucun d'eux ne savait comment contrôler leur fille. Elle fit les cent pas dans sa chambre. Pourquoi n'avait-elle nulle part où aller? Pourquoi était-elle si seule chez elle? Pourquoi son père ne venait-il pas tambouriner à sa porte quand elle le traitait comme de la merde?

– Putain de bordel fait chier! hurla-t-elle, mais il n'y eut aucune réponse.

Elle descendit sans un bruit au rez-de-chaussée. Ses parents regardaient un jeu télévisé en grignotant des cacahuètes, comme s'il ne s'était rien passé. Elle avait envie de les tuer, mais elle se contenta de remonter en courant dans sa chambre et d'éclater en sanglots. Elle ne pouvait pas les tuer, en revanche quelqu'un allait être sacrifié, et vite. La seule question, c'était sur qui ça allait tomber.

16

Le bonheur tient
dans un sac-poubelle bien rempli

Le sexe? Pas de problème, mec. Le sexe, c'était son truc.

«Je suis un dieu», pensa Dino. Cette fille… Il l'avait presque rendue folle de plaisir. Jackie ne savait pas ce qu'elle ratait. Il était tellement content qu'il lui aurait tout pardonné. « Aurait », parce que maintenant, il n'avait plus besoin d'elle. Il avait une nouvelle meuf.

Une demi-heure après le départ de Siobhan, Jackie téléphona et se confondit en excuses. Elle était horrifiée par son geste. Elle ne comprenait pas pourquoi elle s'était enfuie. Ce vomi l'avait vraiment choquée, et elle était partie sans réfléchir.

– Il faut qu'on parle, dit-elle.

– Je ne crois pas qu'il y ait grand-chose à dire.

– Je veux coucher avec toi.

– Ne t'embête pas avec ça, quelqu'un s'en est chargé hier soir.

Et il raccrocha.

Jackie, c'était du passé.

Dino se sentait tellement soulagé d'avoir perdu son pucelage qu'il ne se rendait même pas compte qu'il était malheureux. Pour commencer, il n'avait pas du tout confiance en Siobhan. Il gardait un goût amer du chantage qu'il avait dû lui faire, et il était blessé dans son amour-propre. Et puis, tout de même, il s'était fait planter par Jackie. Et puis surtout, alors même qu'il se félicitait de l'avoir larguée, il ne supportait pas l'idée de la perdre.

Il était amoureux, et il ne le savait même pas.

Après avoir raccroché, il descendit manger un bol de céréales. Au moins, ça servirait de leçon à Jackie. Il essaya de s'imaginer en train de faire avec elle ce qu'il venait de faire avec Siobhan, mais il se sentit mal à l'aise. Puis il jeta un coup d'œil à l'horloge et s'aperçut que les aiguilles s'étaient mystérieusement déplacées sur une heure de l'après-midi. Et les autres qui devaient arriver à midi ! Et ses parents qui allaient rentrer ! Ils allaient voir qu'il y avait eu une fête à la maison !

L'angoisse de Dino atteignit des hauteurs vertigineuses. Il se précipita sur le téléphone pour appeler tout le monde, mais ses potes étaient trop occupés à dormir. Il commença à courir de pièce en pièce en jetant les détritus dans un sac-poubelle, mais au bout d'une demi-heure, rien ne semblait avoir changé. Il regrettait déjà d'avoir parlé de Siobhan à Jackie, même si elle l'avait bien mérité. À deux heures, la sonnette retentit enfin. C'était Deborah, un sourire béat sur le visage.

– Jon est arrivé ? demanda-t-elle.

– Vite ! la pressa-t-il, il faut qu'on range !

À sa grande surprise, Deborah ne semblait pas du tout comprendre sa détresse. Elle commença par essayer d'appeler Jon, mais son téléphone fixe sonnait dans le vide et son portable était éteint. Puis elle voulut aller le réveiller, alors Dino dut surveiller la porte pour qu'elle ne s'échappe pas. Et les autres ? Ces sales menteurs, ces traîtres, aucun ne s'était pointé ! La maison était un puits sans fond rempli de saloperies. Mégots par terre, verres en plastique écrasés dans des flaques de bière. Il fallait remettre à leur place tous les objets fragiles et partir à la recherche de tas de vomi cachés dans des endroits encore secrets. Ses parents rentraient dans quelques heures, or il y avait une semaine de travail pour vingt fées du logis.

Quand Ben arriva vers trois heures, Dino ne savait s'il devait le serrer dans ses bras ou le frapper, tellement il était en retard.

– Où t'étais, putain ? gémit-il.

– Je cuvais, fit Ben. T'inquiète pas, on va y arriver. Où est Jackie ?

Une demi-heure plus tard, on frappait de nouveau à la porte. Deborah et Dino arrivèrent en même temps dans l'entrée pour ouvrir. C'était Jackie et Sue.

– Deborah! glapit Jackie. Tu es là!

C'était donc avec elle que Dino avait passé la nuit!

– Tu as vu Jonathon? lui demanda aussitôt Deborah. Qu'est-ce qu'il y a? Qu'est-ce que j'ai fait? ajouta-t-elle en voyant l'expression horrifiée de Jackie.

Il fallut un moment pour tout éclaircir. Deborah, qui venait de passer une heure avec Dino, en avait marre et décida de partir. Se rendant compte de son erreur, Jackie s'excusa auprès d'elle puis s'efforça de recoller les morceaux avec Dino, mais il était trop occupé à ranger la maison. Une dispute éclata. Sue commençait à regretter d'être venue. Jackie l'avait appelée à un moment du dimanche matin dont elle ignorait même l'existence. Elle avait la gueule de bois, mais Jackie s'en fichait complètement. Sue n'avait pas cru un mot de ce que lui avait raconté son amie. Comment Dino aurait-il couché avec quelqu'un?

«Il n'y avait plus personne. Qu'est-ce qu'il a fait, il a appelé une agence d'*escort girls*?» avait-elle rétorqué quand Jackie l'avait appelé sur son portable.

Dès qu'ils seraient face à face, Jackie et Dino se hurleraient dessus. Et Sue était censée faire le ménage pendant ce temps?

Elle avait un principe. Elle ne faisait jamais le ménage.

– D'accord, râla-t-elle. Je range une chambre, et puis j'y vais. J'ai plein de travail à la maison.

– Mais tu as profité de la fête, toi aussi, s'écria Dino. Tu t'amusais bien!

– Nan, c'était une fête minable, lâcha-t-elle avant de monter l'escalier en traînant les pieds.

Ce ne fut qu'en arrivant dans la grande chambre qu'elle se souvint de l'histoire du vomi.

Pendant ce temps, Jackie était au bord de la crise de nerfs.

– Il faut qu'on parle, balbutia-t-elle à Dino alors que Sue tapait du pied à l'étage.

– Il faut qu'on range, insista Dino.

– Tu crois vraiment que je vais faire le ménage alors que tu as passé la nuit avec une autre ?

Après un bref coup d'œil à Jackie, Dino comprit que s'il s'en tenait à cette version, il n'avait aucune chance de lui faire faire quoi que ce soit. Même sa culpabilité ne suffirait pas à rendre Jackie raisonnable. Or, les parents de Dino arrivaient dans quelques heures. Deborah était partie, on ne pouvait pas compter sur Sue, Ben était un mec. Que faire ?

– Je t'ai menti, lui mentit-il.

– Tu m'as menti ?

– Oui.

– Tu as voulu me faire mal !

– Jacks, tu t'es enfuie alors que tu m'avais promis. Et tu m'as promis de m'aider à ranger, il est trois heures et demie, et regarde ce foutoir ! Je suis désolé de t'avoir raconté des histoires, mais je t'en prie, est-ce qu'on peut ranger cette maison ?

Jackie observa le chaos à travers ses larmes. Après tout, elle était en tort. Dino était un menteur, mais au moins il mentait pour dire qu'il avait couché avec une fille, et pas le contraire.

– D'accord, fit-elle, mais après, il faut qu'on parle.

– Je t'aime ! s'écria Dino.

Il la prit dans ses bras et l'embrassa. Il était à nouveau heureux, et sa copine tout à coup pleine d'illusions sourit de bonheur. C'était un don chez Dino :

125

ses émotions étaient contagieuses. Il les communiquait aux autres. S'il n'allait pas bien, personne n'allait bien. S'il souriait, le monde souriait. Et là, tout roulait. Il avait perdu son pucelage. Il ne s'était pas séparé de Jackie. Elle allait l'aider à ranger. Jackie vit ses yeux pétiller de joie et sentit un frisson descendre le long de sa colonne vertébrale jusqu'à son ventre. Ben, au fond de la pièce avec un sac-poubelle rempli de canettes de bière, éclata de rire en les voyant. En haut, Sue râlait encore à l'instant où le plaisir la gagna par les pieds. Elle ne comprit pas ce qui se passait. Deborah, qui retenait ses larmes en rentrant chez elle, imagina Jonathon qui se réveillait en pensant à elle, et elle lui pardonna sans même savoir quoi.

17

Dino

Dès que Jacks s'y est mise, ça a été magique. La maison s'est nettoyée toute seule. Comme par magie! Elle a même réussi à embaucher Sue, et elles s'en sont donné à cœur joie toutes les deux. Sue chantait en passant l'aspirateur sur le palier. Ça, c'est les filles. Dire que moi, je suis incapable de ranger ma chambre...

Pendant ce temps, j'ai un peu réfléchi à ma situation, et... j'ai commencé à la trouver plutôt cool. Au final, tout le monde y trouvait son compte, surtout moi. Siobhan était super, mais je n'avais pas trop envie d'elle comme petite amie. Vous voyez ce que je veux dire? Parce que quand même, elle fait un peu salope. Pas Jackie. Mais Siobhan baise et Jackie ne baise pas, et baiser, ça je veux recommencer!

Alors je me suis dit: «Pourquoi pas les deux?» Pourquoi pas sortir avec Jackie et baiser Siobhan? Siobhan et moi, ça ne durerait pas, mais je pouvais très bien la voir un moment en cachette de Jackie. Ça m'irait très bien. Ça lâcherait du lest par rapport à Jackie, et quand elle voudrait enfin...

«Ouah, Dino, si j'avais su... J'aurais accepté des mois plus tôt...»

J'aurais de l'entraînement! C'est pas cool, ça?

C'était vrai que du coup, je ne tannerais pas autant Jackie, puisque j'aurais du sexe ailleurs... Et elle me trouverait compréhensif! Plutôt pas mal, non? De toute façon, ça lui pendait au nez. Ça faisait des semaines qu'elle me menait en bateau alors, tôt ou tard, j'allais finir par chercher ailleurs.

À quatre heures et demie, j'ai mis tout le monde dehors. Comme Sue a une voiture, elle est allée porter les sacs-poubelle à la décharge. C'était son idée. Parce que qu'est-ce qui se passerait si mon père et ma mère jetaient un coup d'œil dans la poubelle et découvraient les verres en plastique, les mégots, les canettes et tout ça?

Pendant ce temps, j'étais seul dans une maison toute propre à attendre le retour de mes parents.

* * *

Mais dès qu'il fut à nouveau seul, Dino renoua avec l'angoisse. Il trouva tout à coup la maison trop bien rangée. Pourquoi Ben avait-il ciré la table avec autant de soin ? Personne ne la cirait jamais, cette table, et là elle brillait comme dans une pub. Jackie avait mouillé les rideaux pour laver l'endroit où quelqu'un avait renversé de la bière, et il restait une grosse tache humide. Sue était allée acheter des désodorisants pour couvrir l'odeur de bière et de cigarette. Depuis quand la maison sentait comme ça ? Au secours, ses parents allaient comprendre !

Il appela Jackie sur son portable pour lui demander un conseil, mais cette grosse vache égoïste l'avait éteint. Elle s'était sans doute recouchée, juste au moment où il avait besoin d'elle ! Dino s'efforça de mettre un peu de désordre. Il épongea l'autre partie du rideau, lequel était toujours sale, puis essaya de rendre à la table son aspect terne. Il passa ses mains moites dessus, mais ça donnait juste l'impression que quelqu'un avait traîné ses mains sales sur une table propre. Alors il alla chercher un peu de graisse sur la grille du barbecue et l'étala avec un chiffon. La table était plus terne, mais surtout plus grasse.

Les clés tintèrent dans la serrure, et sa mère lança d'une voix chaleureuse :

– On est là !

À cet instant, tout lui revint en tête. Il n'y avait pas pensé une seule fois du week-end. Il bondit dans l'escalier pour échapper à ses parents. Mais où aller ? Sa mère avait une aventure avec un branleur de son collège. Dino venait de perdre son pucelage, ça aurait dû être un des plus beaux jours de sa vie. En plus, il n'avait pas une, mais deux petites amies, tout aurait dû être parfait. Est-ce qu'il se sentait bien pour autant ? Non. Et pourquoi ? À cause de sa mère, putain.

Ses parents entrèrent en bavardant comme deux enfants. Si son père savait ce que Dino savait, il ne sourirait pas comme ça. Ils s'arrêtèrent au pied de l'escalier et levèrent la tête vers lui. Dino leur décocha un regard noir.

– Quel accueil, lança son père.

Sa mère avait cessé de sourire. Dino avait le don de lui casser le moral.

– Un bonjour, peut-être? dit-elle d'une petite voix.

Dino fit un air méprisant et partit dans sa chambre. Il était furieux. De quel droit lui gâchaient-ils ce moment? Devoir se soucier de la sexualité de ses parents au moment où il débutait la sienne! C'était affreux. Ils n'étaient que des égoïstes. Des égocentriques. C'était SA journée, SON moment, et au lieu de parader, il était pétri d'angoisse.

Il alla s'allonger sur son lit en essayant de se souvenir de sa nuit. Ses mains sur les seins de Siobhan, la sensation de son corps chaud qui bougeait sous lui. Mais il ne pensait qu'à Dave Short faisant la même chose à sa mère.

Quand il l'entendit monter l'escalier, son cœur se mit à battre violemment dans sa poitrine. Elle venait lui parler! Elle savait qu'il savait! Elle frappa, passa la tête par la porte et lui demanda:

– Pourquoi la table sent-elle la saucisse?

Dino n'en revenait pas. De quoi parlait-elle? C'était tout ce qu'elle trouvait à dire après une semaine à faire la maligne? Il voulut la chasser d'un geste de la main, mais cette salope se mit en colère. L'instant d'après, Dino hurlait, et son père montait lui dire de ne pas parler comme ça à sa mère. Ils étaient tous les deux au pied de son lit à le traiter de petit con pendant qu'il pensait : « Vous ne comprenez rien.» S'ils avaient la moindre idée de ce qu'il pouvait dire... Il était une bombe à retardement. Un vrai missile de croisière, putain. Dire qu'il allait devoir trouver une solution à cette situation de merde...

Alors que son père allait chercher Mat et que sa mère préparait le dîner, Dino se dit que tout ça n'avait aucune importance. Apparemment, ils avaient passé un bon moment ensemble. Ils semblaient s'aimer. Alors à quoi bon s'inquiéter? Il y avait peut-être des choses qu'il ignorait. Peut-être s'étaient-ils rendu leur liberté sexuelle. Peut-être avaient-ils décidé que leur mariage était terminé, mais qu'ils restaient ensemble pour les enfants. Ça pouvait être une explication. Peut-être qu'ils pratiquaient le triolisme. Ça arrivait, ce genre de choses. Ça devait bien être le cas de certains parents. Et il fallait que ça tombe sur lui.

– Vous vous êtes bien amusés? leur demanda-t-il ce soir-là au dîner.

Avec un petit clin d'œil à sa mère. Qui resta de marbre.

– Oui, merci de t'en enquérir, répliqua son père d'un ton sarcastique.

– Vous étiez tous les deux, c'est ça?

– C'est difficile de passer un week-end en amoureux à plus de deux, non? lança son père.

– Un week-end cochon, c'est ça? avança Mat, mais personne ne lui prêta attention.

Dino fit un sourire narquois. Il avait envie de leur dire qu'il était au courant. Il fixa sa mère et lui lança un regard plein de sous-entendus.

– Tu es toute rouge, dit son père.

– Ça doit être une bouffée de chaleur à cause de la ménopause, expliqua sa mère en agitant la main pour avoir un peu d'air.

Tous les regards étaient braqués sur elle.

– Qu'est-ce que c'est que ça ? demanda Mat d'un ton soupçonneux.

– Moi, je n'ai pas remarqué le moindre signe de ménopause chez toi, souligna son père.

Dino perdit patience. Il ne supportait plus ce petit jeu débile. Ça sortit tout seul.

– Dave Short n'était pas avec vous ?

Tout en prononçant ces mots, il sut qu'il aurait mieux fait de se taire. Lui-même resta bouche bée.

Sa mère passa du rouge au livide.

– Dave Short ? Dave Short ? répéta son père. Pourquoi Dave Short ?

Ne sachant que faire, Dino éclata de rire comme s'il s'agissait d'une bonne blague. Mais on aurait dit un chien souffreteux.

– Ah bon, vous ne pratiquez pas le triolisme ? lança-t-il.

Et tout à coup, il eut envie de voler au secours de sa mère. Il se força tellement à rire qu'il s'étrangla. Puis sa mère éclata de rire à son tour, un rire creux, un rire d'acteur débutant...

Et Mat se joignit à elle. Il ne comprenait rien à la situation, mais il adorait voir les autres rire. Par quel miracle entraîna-t-il Dino et sa mère à rire vraiment ? En tout cas, la situation devint réellement drôle. Peu après, tous les trois avaient les larmes aux yeux. Seul son père tenait ses couverts, en les regardant tous comme s'ils étaient des étrangers.

Tard ce soir-là, alors que Dino était au lit, la dispute éclata.

18

Jonathon

– Si je comprends bien, Jackie a vomi dans le lit puis elle s'est barrée. Peut-être que c'est une perverse. Comment on appelle ceux qui aiment le vomi ? Les vomitophiles ? Les dégueulophages ? j'ai demandé.

– C'est malin, a fait Dino en roulant des yeux.

– Ce n'est pas exactement ce que tu espérais, a précisé Ben.

– Je croyais que c'était la fête en échange de sa culotte. Tu es sûr qu'en fait, ce n'est pas en voulant te faire une pipe qu'elle a...

– Tu me vexes, a déclaré Dino d'un air sévère.

– Parce que si c'est ça, on ne peut pas lui en vouloir. Rien que d'imaginer...

– Ta gueule, a lâché Dino.

Et il m'a décoché son fameux regard. C'est dégueulasse. Je lui ferais gober n'importe quoi, mais il suffit qu'il me lance un regard et je me ratatine.

– Désolé, James Dean, j'ai tenté, mais c'était trop tard : j'avais cessé d'exister à ses yeux.

Ben a agité le doigt et fait un sourire naïf en disant :

– Tu avais dit que c'était sa dernière chance.

Dino a grimacé.

– On ne peut pas obliger quelqu'un à coucher avec soi, j'ai lancé, mais il m'a ignoré.

– Alors ? a demandé Ben.

– Je ne sais pas à quel point elle m'aime, a déclaré Dino.

– Pour moi, ça ne fait pas de doute qu'elle est très amoureuse, j'ai dit.

Il m'a décoché un petit sourire. La flatterie mène à tout avec 007.

C'est comme ça que je l'appelle : 007. Pour son côté James Bond, évidemment.

– Je suis d'accord avec Jon, a fait Ben.

Dino a eu l'air tellement content que Ben et moi, on a échangé un regard ravi. C'est drôle, non ? Pourquoi est-ce qu'on est heureux quand un truc fait plaisir à Dino ?

Il a grogné :

– Si je ressors avec elle, vous me traitez de branleur ? Après tout ce qu'elle m'a fait ?

– Ça dépend, a dit Ben. Qu'est-ce que tu ressens pour elle ?

Il y a eu un silence, pendant lequel Dino avait l'air de chercher le sens de cette question.

– Quels sont tes sentiments pour elle ? j'ai insisté.

Il a eu l'air troublé, puis il a souri.

– Je n'y ai jamais réfléchi, il a dit avec une fausse timidité.

Comment était-ce possible ? Il nous avait parlé de Jackie des centaines de fois, et il ne s'était jamais demandé ce qu'il éprouvait pour elle ?

– Tu ne t'es jamais posé la question ? j'ai demandé.

– Si, bien sûr, a lâché Dino en rougissant. Mais...

– C'est clair, a fait Ben. Notre bon vieux Dino l'aime plus qu'il ne veut l'admettre.

Dino a fait un sourire timide en hochant la tête :

– C'est vrai, il a reconnu en rougissant à nouveau. Elle est adorable.

Il est mignon, n'est-ce pas ? Mais c'est aussi un vrai connard.

– T'as qu'à rester avec elle le temps de trouver mieux, j'ai essayé.

C'était juste une plaisanterie pour qu'il oublie sa gêne, mais il m'a décoché un regard comme si j'avais blasphémé.

– N'importe quoi, il a aboyé.

J'étais retombé très bas dans son estime, cette fois sans même savoir pourquoi. Et là, au plus fort de ma confusion, j'ai levé la tête et je l'ai aperçue près des casiers.

Deboraaaaaaaaaaaaaaaaaargh !

Elle discutait avec Sue et Lesley. Elle a agité la main. J'ai fait semblant de ne pas la voir, mais trop tard. La pauvre, elle n'a pas été dupe. Du coin de l'œil, je l'ai vue se retourner vers ses amies.

– Tu veux qu'on en parle ? m'a proposé Ben en désignant Debs de la tête.

– Non.

Puis j'ai adouci ma réponse avec un haussement d'épaules en disant :

– Qu'est-ce qu'il y a ? Je lui ai roulé une pelle, et alors ?

– Je ne crois pas qu'elles partagent ta vision des choses, m'a dit Ben en désignant de la tête les filles près des casiers.

Dino s'est penché vers moi et m'a glissé :

– Les seins de ta femme tremblent comme de la gélatine !

J'ai fait un petit sourire, mais il m'avait bien eu. C'est tout moi, ça ! Je vis dans la peur que les blagues horribles que je balance à tout le monde me reviennent dans la figure.

Debs se prenait des vannes de partout, surtout de moi. Dans son dos, bien sûr. Parce que personne n'a envie de la faire souffrir. On l'aime bien. Mais les blagues, c'est drôle. Et moi, j'adore les blagues.

Du genre, Deborah a un ventre portefeuille : avec des poches partout. Elle a tellement de plis que c'est difficile de s'y repérer sans une carte. Si on la faisait fondre pour la mettre dans le réservoir d'un véhicule qui roule à la graisse, on aurait le temps de faire un aller-retour jusqu'à Londres. Certains disent que ce n'est pas sa faute, qu'elle a des problèmes d'hormones.

« Bien sûr, je réplique, de sandwiches aux hormones. »

Vous voyez le genre ? Je suis méchant. Je serais tétanisé si elle apprenait ça, mais dans son dos, je suis redoutable.

– Alors c'était comment d'être coincé entre ses deux jambonneaux ? m'a lancé Ben.

Celle-là aussi, elle venait de moi.

– Laisse tomber.

– T'as essuyé les traces de graisse après ? m'a demandé Dino en haussant la voix, comme pour qu'elle entende.

Le salaud. Encore une fois, c'était une de mes vannes. Si jamais ça lui arrivait aux oreilles, je mourrais de honte.

Et ça a continué toute la matinée. Le lycée tout entier était au courant. Moi, j'étais sur le cul. À cause des réactions. Parce que d'accord, je suis cruel, je le sais. Mais c'est juste pour rigoler. Je passe les bornes. Je suis insensible. Mais je ne le fais pas exprès. En revanche, certains, si. J'avais toujours cru qu'on plaisantait sur les grosses parce que c'était une bonne source de blagues. Et là, je me suis rendu compte que certains trouvent les grosses moralement condamnables.

– C'est comme baiser une vache, a lâché Snoops.
– Arrête tes conneries, je lui ai jeté.
Snoops est un connard, mais même des gentils comme Fasil se déchaînaient.
– Désolé, Jon, je n'adhère pas… à ce genre de choses. Quel genre de choses? Qu'est-ce qu'il voulait dire? Jusqu'à Ben, qui est vraiment le plus gentil de tous.
– Ce n'est pas ma tasse de thé. Ou plutôt mon saladier, il a ajouté.
– Maintenant, t'es coincé, m'a dit Dino.
– Et ça va pas être facile de localiser la sortie! je n'ai pas pu m'empêcher de rétorquer.
Tout le monde s'amusait à mes dépens. Même moi.

Je suis aussi cruel qu'eux. J'ai toujours cru que le physique d'une fille n'avait pas d'importance. Que c'était la personnalité qui comptait. Alors pourquoi je ne voulais pas de Deborah? Je l'aime bien. Mes hormones la trouvent géniale. Dès que je pense à cette séance seins à l'air avec Mr Zob Zobut de sortie, l'autre soir juste devant chez elle, mon pantalon manque d'exploser. Alors où est le problème? Je me trompe depuis le début, c'est ça? En fait, j'ai honte de m'afficher avec elle, c'est ça?

Parce que, franchement, l'humiliation serait sans borne. Tout le monde en parlerait tout le temps. C'est débile. Elle n'est même pas si grosse que ça, elle est ronde. Ce n'est pas sa faute si, un jour, elle a été élue la grosse du lycée.

Pourtant, j'aime ça. Les filles, je veux dire. Je m'entends bien avec elles. Et j'aime le sexe. Non que j'aie beaucoup d'expérience dans ce domaine. En tout cas pas avec une autre personne dans la même pièce au même moment. En fait, je n'arrive pas à conjuguer les deux. Il y a des filles que j'aime bien, mais dès qu'il pourrait se passer quelque chose entre nous, je suis tétanisé. Ça me fait peur. Le sexe, c'est... un peu indécent, non? Je ne comprends pas comment les filles peuvent aimer ça. On pourrait croire que c'est trop grossier pour elles. Coucher avec une fille, c'est comme lui glisser un crapaud sous la robe, agiter une souris morte devant son nez ou lui lancer des vers de terre à la figure. Elles sont tellement responsables, tellement adultes. Mais apparemment, même les gentilles rêvent que vous mettiez votre truc dans leur machin. Ce sont les endroits les plus... inconvenants de nos corps. Je n'y comprends rien.

En fait, je ne vois pas comment relier ce que j'éprouve pendant une branlette et ce que je ressens quand je discute avec une fille. Pour moi, ça n'est pas compatible. Pourtant, Deborah, que j'aime vraiment bien, veut qu'on associe les deux. Ça a l'air trop beau pour être vrai, non? Et refuser, ça paraît vraiment crétin.

Peut-être que j'ai peur, voilà tout. Peut-être que si je me jetais à l'eau, ça irait mieux ensuite.

On m'a servi la vengeance bien froide le lendemain. Je ne m'étais jamais senti aussi gêné de ma vie.

Je parlais avec Ben, Dino, et deux autres types. Ben m'engueulait.

– Tu n'aurais pas dû lui donner un faux espoir, me reprochait-il.

– Elle n'y peut rien si elle est grosse, a ajouté Fasil. T'imagines peut-être que ça lui plaît? Tu lui as fait croire que ça n'avait pas d'importance.

– Mais ça n'en a pas! j'ai lâché. Il y en a qui aiment les grosses!

– Je le savais. En fait, elle te plaît. C'est répugnant, a fait Snoops.

– Mais non, pas moi! Je ne parlais pas de moi, putain!

– Pourtant, j'ai eu l'impression que tu passais un bon moment, a remarqué Dino.

J'aurais dû me rendre compte qu'ils jetaient des coups d'œil par-dessus mon épaule. Ben a ensuite prétendu qu'il avait essayé de me faire signe du menton. Je ne sais pas si je dois le croire. Il aurait mieux fait de dire : «Salut, Sue, Jenna et Jackie, ça va?» au lieu de s'empêtrer dans des signes incompréhensibles. En clair, les trois harpies sont arrivées dans mon dos juste au moment où je disais cette connerie de première classe... :

– Je lui faisais une faveur.

Je ne le pensais même pas. C'était une blague. Pour les faire taire.

– Salaud! m'a hurlé Jenna dans l'oreille.

J'ai bondi. Et j'ai dû m'évanouir dans les airs.

– T'es dégueulasse, a sifflé Sue. C'est elle qui te faisait une faveur! Si seulement tu savais!

– Je ne voulais pas dire ça! Ce n'était pas ça du tout! Mais merde, ce n'était qu'une pelle! Si j'avais embrassé n'importe qui d'autre, tout le monde s'en foutrait!

– C'est vrai. Mais toute cette chair... a fait Snoops.

– Connard, je lui ai répliqué.

– Ne dis pas ça, tu es un connard comme lui, m'a lancé Sue.

– C'est vous qui faites de la discrimination, j'ai explosé. Si j'avais embrassé une fille mince, tout le monde s'en foutrait.

– Tu lui as fait croire qu'elle avait une chance, c'est ça le problème, a déclaré Fasil d'un ton sentencieux.

– Vous me faites vomir, a aboyé Sue. Deborah a une chance, comme vous dites, avec beaucoup de garçons ! Elle avait un petit ami il n'y a pas si longtemps ! Et c'est elle qui l'a largué !

– Vous voyez ? j'ai dit.

– Elle est vexée, dit Jackie d'un air sérieux.

Et elle a désigné l'autre bout de la salle. Debs était à une table, de profil. Elle devait bien savoir qu'on parlait d'elle. Comment supportait-elle ? Se doutait-elle qu'on parlait de son poids ?

– Je plaisantais en disant que je lui faisais une faveur, j'ai répété d'un ton pathétique.

– Il faut que tu ailles lui parler. Tu lui dois bien ça.

– D'accord, j'irai lui dire un mot, j'ai bafouillé.

Et les trois filles ont répondu en chœur :

– Quand ?

* * *

Je ne suis pas un être humain comme les autres. C'est dur à croire quand on me voit, parce que je dois vous paraître bien banal. Ne riez pas. Je ne sais pas comment expliquer ça. Voilà. J'ai une armée de petits magiciens invisibles qui exaucent tous mes souhaits.

Je sais que ça paraît idiot. Je suis sans doute cinglé. Mais imaginez que c'est vrai. Vous ne pouvez être sûr de rien. On ne peut rien prouver. C'est une question de foi. En fin de compte, c'est la même chose avec le bon Dieu, non ? Lui non plus, on ne le voit pas. On ne sait pas s'il est là ou non. Dieu et les petits magiciens ont tous un problème de crédibilité. C'est parce qu'ils sont mystérieux et invisibles.

Mais les magiciens ont des principes débiles. Ils sont tellement bourrés de règles morales qu'ils me refusent la plupart des trucs. Et ils sont très susceptibles, aussi. Par exemple, si je leur demandais de me livrer le Taj Mahal sur un plateau, de m'allonger la queue jusqu'à trente centimètres ou de me rendre millionnaire, un truc vraiment intéressant et utile, ils refuseraient, même si c'est facile pour eux. Ils trouvent ça trop évident, ce genre de choses. Ça reviendrait à leur demander de prouver leur existence. Ça signifierait que je ne crois pas vraiment en eux... et s'ils ont le moindre doute, ils râlent et ils se mettent à bouder. Ce qu'il faut, c'est rester dans le domaine du possible. Il faut qu'à l'arrivée, on ne sache pas si on a obtenu les trucs par hasard ou par magie. Par exemple: «Faites que Deborah arrête de me courir après.»

Ce genre de choses, mes magiciens peuvent me l'accorder. Il suffit de bien formuler sa requête.

Mais «Faites que Deborah arrête de me courir après», ça ne va pas aller parce que ça implique d'agir sur les sentiments d'une autre personne, et ça ils ne le font jamais. C'est immoral. Ou alors: «Faites, je vous en supplie, je vous en supplie, que Deborah soit mince... mais avec des gros seins, parce que j'aime bien jouer avec ses gros nichons, et comme ça, personne ne se foutra de ma gueule parce que je sors avec une grosse.»

Bien joué, mais ça ne marchera pas non plus, parce qu'ils ne vont pas changer quelqu'un uniquement pour me faire plaisir. Vouloir transformer un corps, c'est aussi mal que de vouloir modifier des sentiments. Mes magiciens seraient vexés et furieux. Même si Deborah voulait être mince avec de gros seins — c'est sans doute le cas — ça serait immoral, parce que ça serait tricher. Mes magiciens lui demanderaient de faire un régime, comme tout le monde.

Alors qu'est-ce que vous dites de ça ? « Faites que je tombe amoureux d'elle. » Qu'est-ce que vous en pensez ? Mais peut-être qu'ils ont déjà réalisé ce souhait. En tout cas, pour Mr Zobut, c'est clair. Alors, pourquoi je panique à l'idée de coucher avec elle ? Sur le moment c'était bien — génial, même —, mais quand j'y repense, je me sens très mal à l'aise. Pourquoi ? De toute façon, ça non plus ce n'est pas moral. En fait, tout est immoral ou presque, quand on y pense. On ne peut pas changer quelqu'un, et on ne peut pas se changer.

Alors ?

« Je vous en supplie, donnez-moi le courage de lui dire que je l'aime beaucoup beaucoup, mais que je ne suis pas amoureux d'elle. »

Mais ça aussi ils refuseront, parce que je pourrais très bien le faire tout seul. La magie, c'est juste pour les trucs qu'on ne peut pas faire seul. Mais j'en suis incapable, vous savez pourquoi ? Parce que je suis un lâche. Donc je suis niqué.

Du coup, à quoi servent mes magiciens ? Ils ne font rien pour m'aider sur les trucs faciles, et les trucs difficiles, ils veulent que je les réalise tout seul.

Je détestais l'idée de la faire souffrir. C'était insupportable.

Le plus simple, c'était donc de sortir avec elle. Pourquoi pas ? Je l'aimais beaucoup. C'est un début, non ? En plus, c'est une femme. Ça compte. En clair, elle a des seins et une foufoune. Je sais, ça paraît superficiel, mais j'en suis là. Des seins et une foufoune, ça compte chez une petite amie. En fait, c'est le plus important. J'en rêve. J'y pense tout le temps. Je passe des heures à en regarder sur mon ordinateur : des seins, des culs et des foufounes, jusqu'à ce que ça me sorte par les yeux. Deborah a tout ça. Elle a même les meilleurs seins qu'on puisse imaginer. De gros seins de femme avec de gros mamelons bien foncés… miam.

Peut-être devrais-je tout simplement accepter ce qui m'arrive. Faute de grives, on mange des merles, comme on dit. C'est un peu dur à accepter, mais si je restreins mon champ d'action aux jolies filles, je risque de rester puceau toute ma vie. J'ai déjà remarqué que les jolies filles ne flashent pas vraiment sur moi. Je ne suis pas ce qu'on appelle un beau mec. Et puis, Deborah m'aime bien. On est potes. Elle pourrait être ma meilleure amie. Que votre meilleure amie accepte de baiser avec vous — qu'elle le veuille! —, ça n'est pas si fréquent. Debs et moi. Pourquoi pas? Elle est intelligente et drôle. On a les mêmes goûts, le même sens de l'humour. On passe des heures à bavarder. Elle est douée en dessin. Je devrais être flatté. Elle fait des caricatures incroyables. Elle vous croque en une minute. Quelques traits de crayon, et voilà. Il faut voir ça. Elle rit à mes blagues et elle m'écoute. Vous savez quoi? Je crois que je lui donne du bonheur. Ça compte, non? À la fin de la fête, quand on était assis sur le canapé à se tenir la main, elle n'arrêtait pas de me sourire. Ça ne vaut pas le coup, ça?

Et puis il y a ses seins et sa foufoune.

Mais ça ne durera pas. Quand elle me connaîtra vraiment, elle me larguera. Parce que je suis assez bizarre, comme type. Je ne suis gentil que parce que je veux qu'on soit gentil avec moi. Plutôt superficiel, non? Je pense beaucoup trop à moi. Je sais manier les mots, mais c'est tout. Résultats scolaires? Très inégaux. Relations sociales? Timides. Relations avec les filles? Nulles. Connaît ses limites? Non. Et puis à l'intérieur de ma tête… Vous n'imaginez pas tout ce qui me passe par la tête. C'est un tel bourbier là-dedans… Comment sortir avec une fille quand on a tant de secrets? Mon activité de branlette, par exemple. Je n'arrête pas! Un véritable obsédé! Et mes magiciens… C'est un peu gamin comme truc, non? Et plein d'autres choses. Des fois, je passe des heures au lit à penser à des trucs horribles. J'ai des idées abominables. Des machins violents, tout sauf charitables, des perversions dégueulasses. Vous n'en croiriez pas vos oreilles.

Pourtant, Deborah a l'air de bien m'aimer. Elle est intelligente, gentille et sérieuse, et elle m'aime bien.

Mais quand même! Elle est géniale en tant qu'amie, sauf qu'en tant que petite amie, c'est un gag. Qu'est-ce qui me fait peur, au final? Qu'elle soit grosse? Même si je suis un nul, ce n'est pas possible que je sois aussi mesquin que ça. Alors quoi? Ma queue l'adore, mais une partie de moi se ratatine de honte à l'idée de faire ça avec elle.

* * *

À sept heures ce soir-là, alors qu'il atteignait le monument aux morts de Scofield Park, Jonathon n'avait toujours pas pris de décision.

Deborah n'était pas encore arrivée. Il fit le tour du monument en rêvant, espérant, souhaitant, craignant qu'elle ne vienne pas. Les vœux peuvent se réaliser, mais uniquement si on fait les bons. Dans ce cas, ils s'emboîtent comme une pièce de puzzle, et tout rentre dans l'ordre. Et là, quel était le bon vœu?

Jonathon tournait autour d'un banc en marmonnant quand elle apparut. Il sursauta. Elle lui fit un sourire anxieux.

– J'avais peur que tu ne viennes pas, dit-elle.

– J'avais dit que je viendrais.

Ils se regardèrent et se sourirent.

– On va faire un tour? proposa-t-elle.

– D'accord.

Ils traversèrent la pelouse en direction de la roseraie. Elle lui prit la main. Ils marchèrent en parlant du lycée, de Dino, de Ben qui ne sortait avec personne alors que toutes les filles le mataient. Ils ne dirent rien à propos de... d'eux. Quand ils regagnèrent le monument, elle s'y adossa et lui dit: «Embrasse-moi.»

Jonathon s'exécuta. Elle avait un goût de chewing-gum, et un jeu de mots minable lui vint aussitôt à l'esprit: fille grosse, fille-gum, chewing-girl. Il s'appuya de tout son poids sur elle. Elle l'enlaçait, ses gros seins plaqués contre lui. Et Mr Zobut se dressa entre eux. Deborah poussa son ventre dans sa direction, et il se plaqua gentiment contre elle.

– On s'entend si bien, lâcha-t-elle.

– Oui.

– Alors, où est le problème?

Que répondre? «Je t'aime bien, je suis certainement amoureux de toi, mais je ne supporte pas l'humiliation d'être vu en compagnie d'une grosse»? Il secoua la tête et déclara:

– Je ne sais pas. J'ai besoin de réfléchir.

Deborah tourna la tête, puis le regarda à nouveau.

– C'est à cause de mon poids? demanda-t-elle.

– Mais non! Bien sûr que non! Ça n'a aucune importance!

Elle fronça les sourcils.

– Alors quoi?

– Je ne sais pas, répéta Jonathon.

– Je comprends, tu sais.

– Quoi ? dit-il, paniqué.

– Tu n'as pas à être amoureux de moi. Je sais que je suis grosse.

– Tu n'es pas grosse ! protesta énergiquement Jonathon. Tu ne dois pas croire ça ! (Deborah rit en voyant sa fureur.) Tu n'es pas grosse. Gros c'est... beaucoup plus que ça.

– Dans ce cas, je suis enveloppée.

– Ronde, peut-être.

– Ronde, reprit-elle en souriant.

– Tu n'aimes pas être ronde ?

Elle haussa les épaules.

– Non. Mais toutes les filles (elle désigna de la main le parc, la ville, la terre entière) veulent être minces, avoir une silhouette parfaite, des seins parfaits, tout de parfait. Moi, je ne peux pas rivaliser. J'aimerais être mince, évidemment, et en même temps, je trouve ça idiot. Parce que tout ça, ce n'est qu'une histoire de mode. Je ne suis pas à la mode, c'est tout. Et je refuse de me faire violence à cause de la mode. Alors j'ai décidé de rester ronde.

– Tu es incroyable. Il faut oser penser ça, dit-il avec ferveur.

Qui d'autre aurait une telle force de caractère ? Elle était vraiment exceptionnelle. Et elle voulait être sa petite amie.

Elle sourit et frotta son ventre contre un Mr Zobut ravi.

– Alors comme ça, tu t'en moques de ce que pensent les autres ? demanda-t-il.

– Bien sûr que non. Je déteste ce qu'ils pensent. Qu'est-ce que tu t'imagines ? Que je suis grosse et heureuse de l'être ?

– Non, non, ce n'est pas ça. Mais tu as toujours l'air... je ne sais pas. Tellement à l'aise.

145

– C'est dur, la façon dont les gens me voient. Toutes ces moqueries.

Il rougit. Savait-elle?

– Quand par exemple personne ne m'invite à danser au bal du lycée.

– Moi je t'ai invitée à danser.

– Tu n'es pas comme les autres.

– Ben aussi a dansé avec toi.

– Il est gentil.

– Tout le monde t'aime bien, lui rappela-t-il.

– Quelle importance? Tout le monde m'aime bien, mais personne n'est amoureux de moi. Ce qui n'est pas tout à fait vrai. En dehors du lycée, il y a plein de garçons qui flashent sur moi. C'est juste votre bande qui me rejette. (Elle regarda Jonathon droit dans les yeux.) Je m'en fous des autres. Mais pas de toi. Toi, je t'aime beaucoup.

Jonathon lui fit un sourire et déclara d'un ton un peu solennel:

– Je t'aime bien.

Il était soulagé d'avoir pu dire quelque chose de vrai.

– Et alors?

Il ne savait pas quoi ajouter. Il ne savait pas ce qu'il devait dire, ressentir. Tout ce qu'il savait, c'est qu'il était perdu et qu'il avait peur.

– Tu n'es pas obligé de te décider maintenant, fit-elle en lui reprenant la main et en le regardant tristement.

– Ça te va?

– Oui. J'aurais préféré que tu dises oui tout de suite, mais tu as bien le droit à quelques jours. Allez, viens, je t'offre une glace.

Et elle l'entraîna dans le parc en direction du camion de glaces sous les peupliers. Jonathon voulut payer, mais elle refusa. Pendant qu'on les servait, elle lui sourit. La glace sortit tout entortillée de la machine.

– On dirait un chien qui chie, fit remarquer Jonathon.

Deborah protesta haut et fort. Mais rigola en même temps. C'était génial. Elle aimait même ses blagues dégueulasses.

Ils allèrent s'asseoir sur un banc côte à côte pour déguster leur glace. Une fois son cône terminé, elle se leva et essuya les miettes sur son jean.

– Je veux ta réponse avant ce week-end, déclara-t-elle.

– Oui, m'dame.

– Embrasse-moi à nouveau, lui ordonna-t-elle.

Jonathon s'approcha d'elle et, dès qu'ils s'embrassèrent, Mr Bonnet Rouge surgit. Deborah le prit dans sa main à travers le pantalon. Elle se dégagea pour mieux regarder Jonathon dans les yeux. Il bouillait au point de voir trouble. Il l'entendit parler comme dans un rêve.

– Tu m'excites tellement, disait-elle.

– Hein ?

– Je veux être ta maîtresse. Je veux le faire avec toi. Je veux tout faire.

Puis elle le lâcha et partit en lui lançant par-dessus son épaule un regard sans sourire.

Le pénis de Jonathon avait atteint un tel point de rigidité que c'en était extrêmement désagréable. Il avait l'impression qu'on lui avait injecté un litre de testostérone. Sous le choc, il tituba jusqu'au banc.

« Espèce de traître », jeta-t-il à Mr Zobut.

Mais il avait une si furieuse envie de se branler qu'il dut courir jusqu'à chez lui. Comment une fille dont il n'était pas amoureux l'excitait-elle à ce point ?

Comment était-ce possible ? Les hormones le submergeaient. Il avait l'impression de flotter, de n'être qu'un élément dans une mer de désir. Il dut s'occuper à trois reprises de Mr Zobut. Puis, toujours allongé, il regarda l'organe fatal.

– Tu ne connais pas de limite, lui dit-il d'un air sévère.

– Et alors ? Qu'est-ce que ça peut faire ? Tu as entendu ce qu'elle a dit.

– Elle a dit tout. Elle a dit qu'elle voulait tout faire.

– Et tu sais ce qu'on dit, insista Mr Zobut avec un grand sourire.

– Les grosses, elle aiment ça, récita Jonathon. Les grosses, elles sont prêtes à tout.

– C'est la chance de ta vie, lui assena Mr Zobut.

19

Sue

Jackie a un gros problème : elle veut toujours avoir raison. Quand on n'est pas de son avis, elle prend ça pour une insulte. Elle insiste pendant des heures et au final, je cède : « D'accord, d'accord, tu as raison et j'ai tort, mais je m'en fous, je vais quand même faire ça/mettre ça/essayer ça. » Quel est le tort d'avoir tort ? En tout cas avec Jackie, il vaut mieux admettre qu'on a tort...

Apparemment, tout roulerait toujours pour elle. Normal. Quand on est sérieuse, bosseuse et intelligente, à l'arrivée on récolte de bonnes notes, un bon métier, de bons gamins et un bon mari. Et à ce moment-là, Dino pointe son nez! Non mais vous vous rendez compte? Des années à faire tout comme il faut, et vlan, Dino. Parce qu'être un peu moins sérieuse, je veux bien. Mais de là à se retrouver avec Dino!

Après la fête, j'ai cru qu'elle allait enfin remettre les pieds sur terre. Pour finir de se persuader qu'elle n'avait pas envie de coucher avec lui, elle ne pouvait pas mieux faire que s'enfuir de son lit à deux heures du matin! Je l'ai invitée chez moi, je l'ai installée dans le salon, j'ai dit à ma mère qu'on avait besoin d'un peu de tranquillité, et j'ai à nouveau tenté le coup.

J'y suis allée en douceur. Avec plein d'émotions. J'ai passé en revue tout ce qui pâtissait de sa relation avec Dino. Son travail. Et ça, elle déteste. Jackie est la bonne élève par excellence. En plus, elle se ridiculisait. Atroce! Elle perdait toute confiance en elle, aussi. Là, elle a tiqué. Cette fille responsable avait maintenant le libre arbitre d'une marionnette! Et je lui ai asséné le coup de grâce: je lui ai annoncé qu'elle se servait de Dino.

C'était comme si je lui avais donné une baffe. Vous comprenez, Jackie n'est pas seulement sérieuse. Elle est aussi fondamentalement gentille.

– Dino est un garçon, je lui ai expliqué.

Elle semblait avoir oublié ce détail évident. Ça arrive. Des fois, on s'imagine qu'un garçon, c'est juste une fille avec une queue entre les jambes. Eh bien non, pas du tout.

– Et alors? elle a demandé d'un ton agressif.

– Il veut baiser, non? Mais pas seulement. Ses sentiments, il les met au bout de sa bite. Essaie d'imaginer que son cœur se trouve là. Alors voilà, Dino veut te donner son cœur.

Elle a grogné — elle n'était pas encore convaincue —, alors j'ai insisté :

– Ça fait longtemps que tu le mènes en bateau, Jackie. C'est dégueulasse ! Un, tu l'empêches de tirer son coup, et deux, tu rejettes son amour ! Qu'est-ce qu'il ressent, d'après toi ?

Elle n'était pas contente du tout.

– Depuis quand tu compatis au sort de Dino ?

– Je m'en fous de Dino, mais puisque tu es incapable d'agir pour toi, peut-être que tu peux agir pour lui.

– Tu veux que je couche avec Dino pour son bien !

– Non. Le truc, c'est qu'on parle de Dino comme si c'était juste un bout de viande. Mais Dino, c'est plus que ça. C'est un garçon qui tient à toi. Tu ne peux pas le considérer comme un machin que tu allumes et que tu éteins à ta guise.

– Tu as bien changé d'avis, elle m'a rétorqué. Tu disais que Dino n'en avait rien à foutre de personne, à part lui.

J'ai haussé les épaules et j'ai lâché :

– Peut-être qu'il est humain, après tout.

Une seconde, j'ai cru que j'en avais trop fait, mais elle semblait prête à croire n'importe quoi. Elle s'est mise à hocher lentement la tête. J'ai sauté sur l'occasion :

– Ce que tu dois faire, c'est être franche avec lui. Honnête. (J'ai vu que ça l'énervait, mais j'allais parvenir à mes fins.) Tu n'es pas prête à coucher avec lui, c'est évident. Alors dis-le-lui. Dis-lui la vérité. Dis-lui que tu veux sortir avec lui, mais pas coucher.

– Mais c'est ce que je fais depuis le début !

– Non. Depuis le début, tu dis que tu vas coucher avec lui. C'est différent. C'est toujours : « Pas aujourd'hui, mais demain, la semaine prochaine. »

Tu lui brandis ça sous le nez. Arrête d'agiter cette carotte.

Jackie a réfléchi.

– Mais il va me jeter, elle a protesté.

– Tu lui dois ça et tu le dois à toi-même. À toi et à lui. Dis-lui oui ou dis-lui non, Jackie, mais ne continue pas comme ça, ce n'est pas juste.

J'ai cru qu'elle allait m'envoyer balader, mais non, elle s'est mise à pleurer. Incroyable. Ce genre d'arguments, d'habitude, ça ne marche jamais. Et là, tout fonctionnait! Pour une fois, j'avais raison! À moins que ce soit juste un moyen pour elle de se dérober...

Je l'ai prise dans mes bras, et elle a sangloté sur mon épaule.

– Tu as raison, elle m'a lâché d'une voix étouffée. Je dois être honnête. Je dois lui dire que je ne veux pas coucher avec lui.

Et j'ai pensé : « Gagné ! » Dino n'allait pas s'en tirer comme ça.

20

Ben

Vous connaissez le paradis? Je vais vous raconter. Vous êtes allongé en travers d'un lit moelleux si grand que vous pouvez vous étirer sans jamais toucher le bord. Tout est chaud : l'air, votre peau, les draps tout froissés. Il y a une bière fraîche sur la table de nuit et une tablette de chocolat aux raisins à côté. Un bon film à la télé. Puis la porte s'ouvre et Ali Young surgit avec un bol de Frosties, uniquement vêtue d'une paire de socquettes blanches. Vous regardez ses seins pendant qu'elle approche.

– Tu regardes mes seins? elle demande, et vous dites:

– Oui, Miss.

Elle pose les Frosties sur le lit, prend ses seins dans ses mains et les agite. Puis elle se penche pour les frotter contre votre visage comme si c'était... une belle paire de seins.

– Miam, je dis.

C'est ça, le paradis.

– Magnifique, j'ajoute.

C'était la semaine après la fête de Dino. Ali s'était remise de la visite de sa mère, et tout était rentré dans l'ordre. Des fois, le mardi, elle veut baiser dans le salon. Par terre, sur la table. C'est génial, bien sûr. Mais ce que je préfère, c'est me rouler dans son grand lit, moi dessus, elle dessus, moi derrière... Et le meilleur, c'est de pouvoir recommencer dès qu'on en a envie... Divin.

Ali s'est couchée près de moi pour regarder la télé. Il y avait un bon film, mais aussi plein d'autres choses plus intéressantes à faire. J'ai souri tendrement à ses seins, et j'ai attendu qu'elle surprenne mon regard.

– Un, deux, trois, elle a dit en agitant sa poitrine.

– Miam miam miam, j'ai dit en me penchant pour l'embrasser avec un soupir.

– Reste là, elle a dit.

– C'est une torture de rentrer, j'ai répondu, la tête dans les mains.

Une heure plus tard, j'étais censé retourner sous la gouverne de mes parents, dormir dans mon lit une place, dans ma petite chambre, dans une maison pleine de gens qui étaient pour moi de vrais étrangers, ces derniers temps.

– Ne le fais pas, alors.

– Je n'ai pas le choix.

– Pourquoi ?

– Tu sais bien qu'ils m'attendent.

– Appelle-les. Dis que tu passes la nuit chez un copain.

– Ils connaissent tous mes potes. Ils me demanderont son numéro de téléphone. Ils risquent d'appeler. Et puis, je ne dors jamais chez un copain quand j'ai cours le lendemain.

– Mon pauvre ! elle a dit avec un sourire un peu moqueur. Le petit garçon doit rentrer bien à l'heure chez lui… Ben, tu as dix-sept ans, ils n'ont pas besoin de savoir ce que tu fais à chaque seconde de ta vie.

– Va te faire foutre… je lui ai murmuré.

Je déteste quand elle me parle comme ça. C'est déjà assez compliqué comme situation, pas la peine d'en rajouter.

– Raconte un bobard. Dis-leur qu'il y a un nouveau au lycée. Dis-leur que c'est une fille ! Tu as le droit d'avoir des rapports sexuels, au moins ? Je devrais peut-être envoyer un formulaire d'autorisation à tes parents…

– Arrête et viens plutôt regarder le film.

Je sentais son regard sur moi : elle se demandait si elle devait continuer ou non. Quelques minutes plus tôt, j'étais sûr de partir dans une heure mais là, je ne savais plus. C'était comme si je lui faisais une infidélité. Elle me donne souvent cette impression. Sans que je comprenne pourquoi, elle me fauche l'herbe sous le pied.

Parce que, soyons honnêtes. En fait, j'avais envie de rentrer chez moi. Je n'avais pas envie de passer la nuit dans son lit. Ça me mettait mal à l'aise.

– On devrait faire ça plus souvent, elle a dit en se blottissant contre moi et en m'attrapant le bras.

– Oui, j'ai dit en passant le bras autour de ses épaules.

– Qu'est-ce que tu penses du jeudi?

– Du jeudi?

– Pourquoi pas? Puisque tu ne peux pas dormir ici...

– Peut-être, mais...

Je n'en avais pas envie non plus. Ça a l'air idiot. Un instant, c'est le paradis, et juste après, je veux retourner chez papa-maman. Vous me trouvez peut-être salaud, mais Miss pouvait être très énervante. Je voulais garder mes distances. J'ai cherché une bonne raison de ne pas venir le jeudi. J'ai entraînement de foot, il y a une émission géniale à la télé, je dois faire mon boulot. Non.

– Je ne peux pas.

– Pourquoi?

– Ils veulent me voir de temps en temps. Je ne suis jamais à la maison. Je sors le mardi, je vois mes copains le mercredi, je suis avec toi le dimanche...

Il y a eu un silence.

– J'ai la désagréable impression d'être en train de mendier, elle a dit.

C'était nouveau, tout ça. Au début, elle faisait très attention qu'on se voie deux fois par semaine, et pas plus. Elle risquait son job. Si quelqu'un apprenait notre histoire, ça foutait sa carrière en l'air. On ne lui redonnerait jamais un poste si on savait qu'elle baisait avec les élèves.

Qu'elle baisait avec les élèves. Des fois, je lui balançais ça, ce qui l'énervait.

– Je baise avec toi, elle se défendait. Mais que toi, Ben, au cas où tu t'imagines que je me tape le reste de la classe. Eh non !

– Désolé, Miss.

Alors pourquoi changer ?

– Pourquoi ? je lui ai demandé.

– Pourquoi quoi ?

– Pourquoi tu veux me voir plus souvent ?

– Je cherche juste un moyen de faire l'amour plus souvent, elle a dit, vexée.

– Vraiment ?

– Tu es parano ou quoi ? elle a lancé.

– Parce que justement, on était d'accord pour ne pas se voir trop souvent.

– Tout ça parce que j'avais envie qu'on se voie un jour de plus par semaine ?

– Désolé, j'ai dit.

– Tu es parano ou quoi ? elle a répété.

– Tu sais, j'aimerais bien qu'on se voie plus souvent, mais ce n'est pas facile.

– Pourquoi ?

– Parce que. Chez moi... Tu comprends ? Mes parents me laissent sortir, mais ce n'est pas si simple. Je dois les tenir au courant. Ce n'est pas facile. J'ai l'impression de leur cacher un truc.

Elle a eu l'air de comprendre. Elle a acquiescé et elle a fait la grimace.

– D'accord. On va chercher une solution.

Je n'ai pas répondu. J'ai attrapé les Frosties et j'ai essayé de regarder le film. J'avais peur de l'avoir

155

blessée, mais non. J'ai bu ma bière, on a regardé le film, on s'est roulé une pelle géniale sur le palier et je suis rentré chez moi. Délicieux. Mais rentrer chez moi, c'était délicieux aussi.

21

À dix centimètres du but

– Tu es sûre que tu es prête ? demanda Sue.

– On la refait une dernière fois.

– Tu l'aimes beaucoup.

– D'accord.

– Mais pour certaines raisons (Sue poussa un soupir impatient) tu ne peux pas coucher avec lui.

– Mais je veux quand même sortir avec lui.

– Oui, mais pas de sexe.

– Pour l'instant.

– Non, pas pour l'instant ! Ça fait croire que tu accepteras la semaine prochaine, comme d'habitude ! Tu refuses de penser au sexe dans un futur proche.

– Mais il va me jeter ! protesta Jackie.

« C'est le but, non ? » pensa en silence son amie mais elle répondit :

– Peut-être, mais peut-être pas, comment savoir ? Peut-être qu'il est plus correct qu'il n'en a l'air. Mais s'il ne veut plus te voir uniquement à cause de ça, c'est fini entre vous. D'accord ?

Jackie fit la grimace, mais elle savait que Sue avait raison. Elle ne pouvait pas continuer à promettre une vie sexuelle qu'elle ne se sentait pas prête à assumer.

– Soit il accepte, soit il refuse. S'il t'aime vraiment, il acceptera. Et sinon, c'est terminé. Comme ça, on pourra peut-être arrêter d'en parler et discuter de trucs plus intéressants. De moi, par exemple, dit-elle avec espoir.

Jackie répéta ses répliques, se maquilla, pleura et se remaquilla. Sue la rassura en lui tapotant le dos, la fournit en mouchoirs et lui conseilla d'être forte. Elle était presque certaine que Dino allait jeter Jackie. Bien sûr, leur séparation ne durerait pas, ils seraient à nouveau ensemble dans la semaine, mais au moins elle gagnerait quelques jours. Au final, Sue n'obtint même pas ça. À la grande surprise de Jackie, l'entretien avec Dino ne se passa pas comme prévu. En revanche, elle comprit plus tard à quel point la situation était dinoesque. Il l'avait complètement manipulée. On aurait dit un marionnettiste qui opérait d'une main pendant qu'il focalisait son attention sur l'écran de télé. Or la marionnette, c'était elle.

C'était pourtant bien parti. Les parents de Jackie étaient de sortie, et Dino était passé la voir. Ils avaient deux heures devant eux, même si elle ne s'attendait pas à ce que ça dure si longtemps. Elle lui fit du café et alla droit au but. Elle l'aimait beaucoup, mais elle ne se sentait pas assez à l'aise pour coucher avec lui. Coucher avec quelqu'un, expliqua-t-elle, c'était quelque chose de très particulier, de très intime. Bien sûr qu'elle le désirait très fort, la preuve, elle ne cessait de le toucher. Pourtant, quelque chose la retenait. Elle ne savait pas trop quoi, mais elle avait décidé de le respecter et voulait que Dino aussi le respecte.

– Je pense que tu as raison, dit Dino.

– Pardon?

– Je suis d'accord avec toi.

– Tu es d'accord?

– Ouais. Laissons-nous un peu de temps. Il n'y a pas le feu. Peut-être que tu as un problème avec ça. Peut-être que tu as vécu une mauvaise expérience.

– Je ne pense pas, Dino, répondit-elle d'un air crispé.

– Tu as peut-être volontairement oublié, je ne sais pas. Mais je suis d'accord. Laissons tomber le sexe. C'est ce que tu veux?

– Oh oui! s'exclama Jackie.

Ses mains tremblaient tant qu'elle dut poser son café sur la table.

– Ouf! lâcha Dino en se recroquevillant. Tu m'as fait peur. J'ai cru que tu voulais casser.

– Non, non, pas du tout!

Il secoua la tête. Il avait réellement eu peur. Il la regarda attentivement.

– Tu n'as pas l'air contente, fit-il remarquer.

– Mais si!

En vérité, Jackie était déçue. Elle pensait en avoir fini une bonne fois pour toutes avec les tergiversations, l'inquiétude, l'angoisse. Avec les coups bas. Dino allait faire son salaud et ça serait vite réglé. Mais tout au contraire, il avait cru qu'elle voulait le larguer!

– Tu en es sûr? demanda-t-elle.

– Sûr de quoi? Tu n'es pas en train de me larguer, hein?

– Non, mais…

– Quoi?

– Je pensais que tu ne voudrais rien savoir…

– Tu me prends pour qui? Pour un salaud? Si tu le sens comme ça, pas de problème. Je suis d'accord.

– Oh, Dino !

La déception de Jackie se dissipa. Elle était tellement contente qu'elle lui sauta dans les bras. Elle l'avait sous-estimé ! Il l'aimait vraiment ! Et tout à coup, ils étaient enlacés sur le canapé à s'en faire sauter les boutons du jean.

– Comme c'est bon, fit Jackie.

Elle lui était tellement reconnaissante, elle était tellement contente que Sue se soit trompée, qu'elle se laissa aller. L'un d'eux heurta la table basse, et une tasse se renversa. Comme Jackie se levait pour aller chercher une éponge, Dino se plaqua dans son dos et la poussa vers le canapé. Jackie se pencha, et il fit mine de lui donner des coups de rein. Il essaya d'imaginer que son jean et sa culotte avaient disparu, mais il était encore à dix centimètres du but. Jackie mouillait dans son jean. Tout au fond de sa gorge se formèrent les mots : « Vas-y, retire-le-moi. »

Elle sentait la phrase onduler en elle. Elle la murmura en silence, et ça lui parut si bon. Si épicé, si sexy, si vrai qu'elle se demanda si, finalement, elle n'allait pas la prononcer.

– Vas-y, retire-le-moi, s'entendit-elle dire.

Dino fit une pause.

– Tu es sûre ?

– Oui, vas-y.

Elle le laissa attraper sa fermeture éclair. Qui descendit dans un gémissement. Dino tira sur le jean. La culotte partit avec, et tout à coup, Jackie sentit l'air frais sur ses fesses.

– Non ! hurla-t-elle.

Elle se retourna et remonta son jean à toute vitesse.

– Ne fais pas ça ! cria-t-elle.

– Mais c'est toi qui me l'as demandé... glapit Dino.

Ils se dévisagèrent.

– Tu vois, dit-elle. Je suis folle. J'ai besoin de me faire soigner. La prochaine fois que je te demande ça, ne m'écoute pas, d'accord ?

Dino poussa un grand soupir.

Puis elle porta sa main à la bouche et fut prise d'un fou rire pendant que le désir de Dino se muait en frustration, puis en résignation. Dès qu'elle le regardait, elle riait davantage. Elle crut que son rire serait contagieux, mais Dino se contenta de l'observer avec un sourire narquois. Ça dura longtemps, et finalement il partit dans la cuisine. Une fois seule, Jackie reprit ses esprits, fit les cent pas dans le salon et courut s'excuser. Incroyable mais vrai, il accepta ses excuses. Encore une preuve d'amour ! Elle l'avait vraiment mal jugé.

Ils se rassirent sur le canapé. Jackie planait. Il était si gentil ! Il était vraiment gentil. Il ne comprenait rien, mais il la respectait. Et elle qui se comportait comme une salope ! Mais c'était plutôt drôle, non ? En fait, son instinct avait été le bon : Dino valait mieux que les apparences. Sous une bonne couche de macho, il y avait un garçon doux et gentil.

Dino s'enfonça dans le canapé. Et tout à coup, il se mit à lui raconter l'histoire de sa mère et de Dave Short. Ça sortit comme ça. Sans qu'il sache pourquoi, il fut pris d'une brusque envie de tout lui raconter.

– Au fait, lança-t-il. Ma mère a une liaison avec un type de son collège. Je les ai surpris l'autre jour dans le salon.

– Quoi ?

– Je te disais que… (Il évita le regard de Jackie.) Ma mère a une liaison.

Et il sourit. Il voulait paraître amusé, mais son sourire se mua en une affreuse grimace. Car tout à coup, il se sentait terriblement meurtri par cette histoire. Exactement ce qu'il ne voulait pas. Il cessa de sourire et jeta un regard noir à Jackie pour lui faire comprendre qu'il refusait toute compassion.

– Et ça s'est passé quand?

– Juste avant la fête.

– Pourquoi tu ne m'en as pas parlé?

– Je ne sais pas. Il y a eu la fête et tout. Mais ça n'a aucune importance.

– Ça n'a aucune importance?

Jackie se demanda si c'était pour cette raison que Dino se montrait tout à coup compréhensif. Elle se leva pour remonter son jean, comme s'il était encore baissé. Puis elle se rassit.

– Raconte-moi tout.

– Il n'y a rien à raconter.

Mais il lui dit tout. Tout, mis à part ce qu'il éprouvait depuis, c'est-à-dire soit une amnésie totale, soit l'angoisse la plus poignante.

– Elle ne sait sans doute pas que je les ai vus, mentit-il.

– Si elle ne le savait pas au début, après ce que tu as lâché sur Dave Short et leur week-end, elle ne peut plus en douter.

– Ça ne signifie rien, protesta Dino, irrité.

Et voilà! Il se montrait compréhensif et responsable, et au lieu de le rassurer, elle l'enfonçait!

Jackie décida de faire la fille outragée.

– Mais comment elle peut faire ça à ton père? Et à toi! Chez vous en plus! Et elle ne vient même pas t'en parler! Dino, tu dois vraiment te sentir mal.

– Mais non... C'est leurs affaires, après tout.

– Ce sont aussi les tiennes ! Si elle ne t'en parle pas, tu dois lui en parler.

– Arrête tes conneries.

– Et pourquoi ? C'est horrible !

– Mais non.

– Vraiment ?

Jackie l'observa avec attention : il était en train de se mettre en colère. Il la regardait de travers, faisait la grimace, ricanait. Aucun doute, Dino se réfugiait dans le déni.

– Dino ?

– Arrête, dit-il en lui tournant le dos.

Jackie l'attrapa par le bras. Il avait besoin d'elle, or il était en train de lui filer entre les doigts.

– Je tiens à toi, protesta-t-elle. Dino ! Regarde-moi, j'ai l'impression que tu n'es plus là !

Il voulut rire, mais tout à coup ses yeux s'emplirent de larmes. Il n'en revenait pas. Mais d'où venaient ces pleurs ? Pourquoi était-il triste ?

– Oh, Dino...

Elle lui caressa doucement la joue. Il fut soudain secoué de sanglots et rempli d'incompréhension. Puis il la prit dans ses bras, enfouit la tête dans ses cheveux et pleura.

Une heure plus tard, après que Jackie eut refermé la porte derrière lui, elle alla se voir dans le miroir du salon. Elle avait encore les cheveux humides là où Dino avait pleuré. Quelque part dans sa tête, une petite voix — sans doute Sue — lui murmurait : « Tu vois, il t'a encore bien eue. » Il ne devenait compréhensif et responsable que pour lui balancer ses problèmes. Peut-être. Mais Jackie s'en foutait. Il s'était blotti contre elle comme un bébé. Il lui avait offert son cœur. Il avait besoin d'elle.

– Je n'ai jamais pleuré comme ça, lui avait-il dit ensuite. Je ne m'en croyais pas capable en présence de quelqu'un.

Il l'avait conquise. Peu après, le téléphone sonna. Sue venait aux nouvelles.

– Incroyable ! s'écria Jackie. Il a accepté !

– Quoi ?

– Il a accepté ! Il a accepté le *deal* !

– Tu es sûre ?

– Mais oui ! Il a dit qu'il comprenait.

– Qu'il comprenait ? répéta Sue, incrédule.

Depuis quand Dino comprenait-il les choses ? Elle insista :

– Qu'est-ce que tu lui as dit exactement ?

– Ce qu'on avait prévu. Que j'avais besoin de temps pour m'assurer de nos sentiments, et il a dit qu'il était d'accord.

– Qu'il était d'accord ?

– Mais oui. Il a dit qu'on n'avait qu'à laisser tomber le sexe pendant un moment.

– Dino a dit ça ?

– Mot pour mot.

– Il te prépare un coup en douce.

– Pourquoi tu es tellement méfiante avec lui ?

– Pas toi ?

– Non, dit Jackie d'un air offensé. Il a réagi comme il fallait, non ? C'était le *deal*, non ?

– Le moins qu'on puisse dire, c'est qu'il sait s'adapter… Je n'aurais pas cru ça de lui.

Dino serait-il donc un être intelligent ? Impossible. Mais même cette éventualité restait plus probable que le fait qu'il puisse être attentionné.

– Il te prépare un coup en douce, je te dis.

– Ne sois pas cynique. Il a été gentil.

– Ça vaut mieux que ses récriminations habituelles, j'imagine, reprit Sue. Mais ça ne lui ressemble pas, non ? À moins que tu me fasses le coup du vrai Dino, du Dino caché qui n'attendait que ça pour se révéler ?

– Oh, ne fais pas ta grande dame, lâcha Jackie.

Jackie ne l'aurait jamais admis, mais elle espérait bien avoir découvert le « Dino caché ». Elle était loin de soupçonner toute la déception qui l'attendait.

Avant de raccrocher, elle hésita. Elle voulait raconter le reste à Sue, mais elle savait ce que dirait son amie en apprenant l'histoire de la mère de Dino. Alors Jackie garda le secret, mais en reposant le combiné elle pouvait imaginer la réaction de Sue : « Pauvre fille ! Mais pourquoi tu te laisses avoir comme ça ? »

« Il a besoin de moi », se défendit Jackie en pensée. Dino était un gros nounours d'un mètre quatre-vingts. Il allait même jusqu'à pousser des petits grognements dans son oreille. Il avait besoin d'elle. Mais avait-elle besoin de lui ?

22

Dino le torpilleur

De retour chez lui, Dino fila dans sa chambre. Il se sentait calme, pourtant son corps trépidait comme si une machine tournait à toute vitesse en lui. Le moindre soubresaut aurait suffi à le mettre en pièces. Il était furieux que Jackie se soit offusquée à ce point de cette horrible histoire entre ses parents. Dans quel état il était, maintenant !

Il entendit les pas de sa mère dans l'escalier. Il avait très envie qu'elle lui parle, mais à quoi bon ? Il avait parlé à Jackie, et le résultat n'était pas beau à voir. Parler, ça ne faisait qu'aggraver les choses.

Elle continuait à monter l'escalier. Le bois cessa de craquer quelques instants, puis sa mère franchit les dernières marches d'un pas ferme. Et frappa à la porte. Dino se jeta sur son lit, se tourna face au mur et ferma les yeux. La porte s'ouvrit.

– Dino ?

Pas de réponse.

– Dino ? Tu dors ?

– Hein ? Qui est là ? Maman ?

– Tu as passé une bonne journée ?

– Ouais. Pas mal, pourquoi ?

– Tu as l'air…

– Je suis fatigué.

Il l'observa en plissant les yeux, comme si la lumière le gênait. Sa mère semblait avoir envie de se débarrasser de son fardeau une bonne fois pour toutes.

– Est-ce que… ? Tu veux… ?

– Quoi ?

– Y a-t-il quelque chose qui t'ennuie… ?

– Non.

– … dont tu veuilles parler ?

Mais tout à coup, Dino se sentit incapable de prononcer un mot. Sa mère n'insista pas.

– Tu veux un sandwich ? proposa-t-elle.

Là, il reconnaissait sa mère.

– Oh oui !

Elle lui sourit et, tous deux complices dans le déni, ils reprirent leur rôle de mère et de fils.

– À l'omelette ?

– Avec du ketchup.

– Ça marche !

– Merci maman !

Il était sincère. Et surtout, tellement soulagé : elle était simplement venue lui parler d'un sandwich à l'omelette. Épuisé, il se rallongea.

« Les choses ne sont pas aussi évidentes qu'elles en ont l'air », se persuada Dino.

Ce qui était parfaitement vrai. Il ferma les yeux et essaya de tout oublier.

Dix minutes plus tard, Kath Howther remontait l'escalier, frappait doucement à la porte et entrait avec le sandwich à l'omelette sur une petite assiette. Dino dormait profondément.

– Dino ?

Pas de réponse. Elle s'approcha, posa l'assiette sur la table de nuit et observa le visage de son fils.

– Dino.

Elle prononça ce nom comme pour l'essayer, comme pour voir s'il convenait encore à ce beau jeune homme qui, quelques années plus tôt, était encore son petit garçon. Comment se comportait la mère d'un enfant maintenant presque adulte ? Saurait-elle faire ? Elle avait cru que les relations se simplifiaient au fil des années, elle avait davantage pensé à elle, et tout à coup perdu pied. Pourtant, elle avait tellement envie d'une maison heureuse : la famille, les enfants, papa et maman. Elle aimait tellement son fils qu'elle se sentit envahie de sentiments débordants.

– Je suis désolée, murmura-t-elle.

Elle ressortit sur la pointe des pieds, guetta devant la porte pour voir s'il dormait vraiment, mais n'entendit aucun bruit.

Il n'y a rien de pire que l'incertitude, mais celle-ci ne dura pas longtemps. Le lendemain matin, Dino fit exploser sa famille par accident, comme un homme qui pointe un fusil sur la tête d'un autre et appuie sur la détente en croyant tenir un plumeau. Tout commença par une violente dispute avec sa mère. Par la suite, il en oublia même la raison, à savoir des chaussettes. Il n'avait plus de chaussettes propres. Il appela sa mère pour lui demander où elles étaient, et elle lui répondit:

– Un instant, Dino, je m'occupe du chat.

Il dévala l'escalier comme une furie.

– Le chat, le chat, le chat, encore le chat! Cette saloperie de chat passe avant tout le monde! Tu adores tellement ce putain de chat que tu devrais l'épouser! hurla-t-il dans la cuisine, les yeux lançant des flammes.

– Je t'interdis de parler comme ça à ta mère! le sermonna son père.

Ça commençait bien. Et là, incapable de se retenir, Dino lâcha:

– Elle peut épouser le chat, de toute façon ce n'est qu'une chatte! Miaou! Miaou! Miaou!

Dans le silence qui suivit, il vit le visage de son père se décomposer. Il ne se rendait même pas compte de ce qu'il disait. Sa mère était figée sur place, bouche bée, avec sa boîte pour chat à la main. Mat regardait la scène avec horreur, un morceau de toast dépassant de la bouche.

– Tu n'es qu'une chatte, répéta Dino. Miaou! Miaou! Miaou!

Mais pourquoi avaient-ils l'air à ce point ahuri ? Sa mère savait, son père aussi, non ? Ils n'arrêtaient pas de se disputer depuis qu'il leur avait balancé à la figure cette histoire de Dave Short. Le seul qu'on ne tenait pas au courant, c'était lui. Alors qu'est-ce qu'ils espéraient ?

Son père se leva brusquement et repoussa la table. Dino se prépara à recevoir des coups. Sa bouche s'emplit d'un liquide salé. Il serra les dents, prêt à goûter le sang. Son père ouvrit la bouche, et un hurlement s'en échappa.

– Espèce de gros nul ! lui lança Dino.

Son premier réflexe fut de s'enfuir, puis il se rappela combien son père lui paraissait petit, ces derniers temps. Combien, parfois, il avait envie de le rouer de coups. Le moment était peut-être venu. Dino était jeune et fort, son père n'était qu'un vieux con incapable d'empêcher sa femme de baiser avec un salopard comme Dave Short dans son propre salon. Jusque dans son propre lit, si Jackie avait raison, ce qui était presque tout le temps le cas. Dino tendit les bras pour se protéger et fléchit les jambes. Son père repoussait les obstacles sur son chemin. Une chaise tomba. Le lait se renversa sur la table. Mat bondit de son siège.

Dans cette scène au ralenti, tout à coup, un élément surgit dans le cadre. La mère. Après coup, Dino eut l'impression qu'elle avait sauté par-dessus la table. Elle se jeta sur son fils, lui passa les bras autour du cou et le serra si fort qu'elle lui fit mal.

Dino vit son père s'arrêter à mi-course, le visage crispé, moulinant des bras pour freiner son élan. Sa mère avait la tête dans son cou, comme le faisait parfois Jackie. Son père heurta le bord de la cuisinière et donna un grand coup de poing dans la corbeille à pain. Sa mère approcha les lèvres de l'oreille de Dino et lui murmura à lui en donner des frissons :

– Je t'en prie, ne fais pas ça.

– Hi ! hi ! protesta-t-il car elle le chatouillait.

– Je vais te parler de Dave, d'accord ?

– D'accord, dit-il d'une voix plus calme.

Elle le lâcha.

La cuisine l'avait échappé belle. Mat courut vers l'escalier. Chaises par terre, lait renversé, thé débordant des tasses, miettes éparpillées. Un avant-goût de désastre. C'était incroyable ce qu'on faisait comme dégâts dès qu'on ne prenait plus soin de ne rien casser. Sa mère entreprit de tout ranger, mais son père ne bougeait pas. Il avait l'air vieilli, ridé, plus petit et plus impuissant que jamais. Il semblait s'être ratatiné alors que sa mère paraissait avoir grandi.

Elle épousseta ses vêtements et reprit :

– Mais d'abord, il faudrait que j'en parle à ton père, tu ne crois pas ?

– Je croyais qu'il savait, fit Dino.

– Me parler de quoi ? demanda son père.

– Tu avais raison, lui dit-elle. Je suis désolée.

– Inutile de m'en dire plus, j'ai compris, répondit son père en secouant la tête.

Puis il se rassit et fondit en larmes, la tête dans les mains, les coudes dans les miettes de pain.

– Je le savais, je le savais, mais tu niais. Pourquoi niais-tu ?

– Je suis désolée. Mais pouvons-nous attendre pour en parler que les enfants soient à l'école ?

– Elle me traitait de paranoïaque, dit-il à Dino, les yeux larmoyants, la voix chevrotante.

Puis il se reprit, regarda la pendule et annonça :

– Je dois y aller. J'ai une réunion. Une réunion importante. Que j'attendais avec impatience. Et maintenant, regardez-moi ça. Quel gâchis !

Il lança un regard furieux à sa femme et à Dino en essayant de ravaler ses larmes. Puis il ramassa quelques affaires et attrapa sa veste sans cesser de pleurer. Dino avait l'impression de regarder une mauvaise scène dans un mauvais film.

– Tu dois vraiment partir maintenant ? lui demanda Kath.

– Combien de temps tu as eu pour me le dire ? Des semaines ? Des mois ?

– D'accord, on en parlera plus tard, dit-elle en détournant la tête.

Son père regarda Dino.

– Dino, rien de tout cela n'est de ta faute. D'accord ?

– Pourquoi ça devrait être de ma faute ? rétorqua Dino, mais se rendant compte de la dureté de ses paroles, il ajouta : D'accord, papa.

– Je dois y aller. Mon Dieu, quel gâchis !

– Ne va pas au travail, Mike. Il faut qu'on parle.

Il réfléchit un instant mais répondit :

– Non. Non. Ça ne marche pas comme ça. Ce n'est pas une raison. Tu me dis ça après tant de… de mensonges. Je veux bien prendre mon après-midi. On se retrouve ici, d'accord ?

– Cette réunion est vraiment trop importante pour toi, n'est-ce pas ?

– Ne sois pas méchante.

– Désolée. (À nouveau, elle détourna la tête et se mordit la lèvre.) Désolée.

– À tout à l'heure.

Il tapota l'épaule de Dino et partit.

Dino se leva.

– Je crois que je vais y aller aussi, dit-il.

– Non, il faut qu'on parle.

– Et le lycée ?

– Nous allons prendre notre matinée, tous les deux.

– Et de un ! ironisa Dino.

Ce qu'il voulait dire, c'est qu'elle les traitait, son père et lui, comme des dossiers : l'un le matin, l'autre l'après-midi. Sa mère comprit.

– Pas du tout. Au contraire, vous êtes des personnes importantes que j'ai trop longtemps négligées. Il faut qu'on parle. J'en ai pour cinq minutes, le temps de conduire ton petit frère à l'école.

Elle alla chercher Mat dans sa chambre. Dino ne lui obéit pas. Pourquoi devrait-il supporter ça ? Pourquoi tout s'arrêterait à cause d'elle ? Et puis quoi encore ! Il alla chercher son sac et se glissa hors de la maison pendant qu'elle préparait le goûter de Mat dans la cuisine. Il avait parcouru la moitié de la rue quand il se rendit compte qu'il devrait attendre toute la journée le fin mot de l'histoire. Or, il bouillait d'impatience. Il rebroussa chemin.

En revenant de l'école de Mat, Kath fit halte dans l'entrée et appela Dino.

– Je suis dans la cuisine, répondit-il.

– J'arrive, je passe juste aux toilettes.

Et elle courut jusqu'au miroir de sa chambre avec l'intention de se maquiller, comme si son fils était un inspecteur ou un amant, en tout cas quelqu'un à qui elle devait faire bonne impression. Qu'allait-elle lui dire ? Ce pauvre Dino était perdu. Tout dépendrait de son état d'esprit.

« C'est injuste », se dit-elle.

Qu'avait-il vraiment vu ? Elle refusait d'y penser. Quel désastre... Elle arrangea ses cheveux et descendit l'escalier. Elle ignorait toujours ce qu'elle allait lui dire.

– Il vaudrait tout de même mieux que je parle d'abord à ton père, commença-t-elle.

– Dans ce cas, je peux partir au lycée ? répliqua aussitôt Dino.

– Non, non, je t'en prie, Dino. Je ne suis pas très douée, n'est-ce pas ?

– Tu avais l'air plutôt douée l'autre jour dans le salon.

– Qu'est-ce que tu as vu ? lança-t-elle sans réfléchir.

– J'en ai vu assez, marmonna-t-il en tournant la tête pour ne pas la voir rougir.

Elle fit les cent pas dans la cuisine, et mit la bouilloire en marche.

– Un thé ?

– Si tu veux.

Las d'attendre, il gigota sur sa chaise et lui jeta :

– Qu'est-ce que tu veux me dire ? Je devrais être en cours à cette heure.

– J'aurais dû t'en parler il y a longtemps, commença sa mère en se frottant les yeux. Mais je ne savais pas comment faire. Ou plutôt, j'ignorais si tu nous avais vus ou pas.

Dino haussa les épaules.

– Évidemment, d'après ton comportement, je m'en doutais, continua-t-elle. À défaut de parler, tu as été très expressif.

Dino éclata de rire.

– Au fait, merci de m'avoir attendue, ajouta-t-elle.

Il la regarda de dos alors qu'elle préparait le thé. Il connaissait à peine cette femme. Il avait l'impression qu'elle était dans une petite boîte qu'il possédait depuis toujours. Un jour, il avait appuyé sur le bouton, le couvercle s'était soulevé, et il la découvrait très différente de ce qu'il imaginait. Et si présente. Il ne supportait pas de la voir à ce point pleine de vie, tout à coup.

Elle se tourna vers lui.

– Pardon. Voilà ce que je voulais te dire. Pardon d'avoir amené Dave à la maison. Pardon d'avoir été surprise. Pardon de ne pas t'en avoir parlé plus tôt. Tu sais, quand il s'agit d'affaire de cœur, on a toujours quinze ans. Mais je suis vraiment, vraiment désolée.

Dino se racla la gorge, et à sa grande stupéfaction, posa la seule question encore en suspens entre eux.

– Et pardon pour Dave Short ?

Elle détourna la tête, puis le dévisagea à nouveau.

– Je t'ai demandé pardon sur presque tout, n'est-ce pas ? Mais non, je ne suis pas désolée à ce sujet.

– Tu vas aller vivre avec lui ?

– Bien sûr que non ! Je ne l'aime pas, Dino.

– Tu ne l'aimes pas, mais tu n'es pas désolée ?

– Dino, c'est difficile de te parler de ça... Mais... Non, je ne l'aime pas. Le problème, c'est que je n'aime pas ton père non plus. Il me rend folle. Je ne le déteste pas, mais... (Elle prit une grande bouffée d'air.) Je ne peux plus vivre avec lui.

– Tu en es sûre ?

– Oui.

Prononcer ce mot devant son fils conforta ses sentiments. Kath Howther jetait l'éponge.

– Je le sais depuis longtemps, reprit-elle.

– Pourquoi tu n'es pas partie il y a longtemps, alors ?

– J'espérais sans doute que les choses s'arrangent.

Dino haussa les épaules et lança :

– Eh bien, pars !

Elle déglutit. Elle, partir ? C'était donc elle qui devait partir ?

– Si ça arrive, je ne sais pas où j'irai, mais il y a pour l'instant un problème majeur.

– Lequel ?

– L'argent. Tu sais que nous n'avons pas beaucoup d'argent en ce moment.

– Ça a toujours été le cas.

– Nous ne pouvons nous permettre d'avoir deux logements. C'est aussi simple que ça. Mais puisque cette affaire a éclaté au grand jour, la vie risque désormais de devenir hautement insupportable.

– Donc on va tous rester ensemble.

– Sans doute.

– Donc il va falloir que tu arranges la situation.

– Sans doute.

Dino sentit un poids le quitter. Tout allait s'arranger. Il n'était responsable de rien. Il n'avait plus aucun pouvoir sur la situation. Il sourit sans comprendre pourquoi sa mère le regardait d'un air furieux.

– Je peux aller au lycée, maintenant ? demanda-t-il.

– Sans doute.

Il avait son sac sur l'épaule et il était dans la rue avant qu'elle ait le temps de prononcer un mot de plus.

23

C'est moi qui...

Une semaine après la fête de Dino, les classes de seconde et de première organisaient un bal. Dino, Ben, Jonathon et les autres n'allaient pas souvent à ce genre de soirée, mais, pour une fois, ils s'y retrouvèrent tous.

Le lycée de Wood End se dressait entre deux artères, l'une menant au centre ville, l'autre une nationale très fréquentée conduisant aux villes voisines et à l'autoroute. Crab Lane reliait ces deux axes et l'école. C'était une petite rue calme en impasse pour éviter que les automobilistes l'utilisent comme raccourci. Elle était bordée de rhododendrons derrière lesquels se dissimulaient quelques belles demeures. Là, dans les nombreuses cachettes, des générations d'élèves avaient fumé cigarettes et joints, bu des bières, embrassé et caressé leurs petits amis ou amies. C'était là que Dino avait échangé son premier véritable baiser, que Ben et lui avaient vu leur première foufoune. Laquelle appartenait à Julie Samuel, d'un an plus jeune qu'eux. C'était par une nuit noire. Dino avait allumé son Zippo, l'approchant si près qu'un instant, Ben crut qu'il allait y mettre le feu.

Au bout de l'allée, la chute de deux cyprès avait formé un recoin. Une longue branche de rhododendron dissimulait l'endroit, fournissant aussi un siège à deux places. Les souches des cyprès faisaient deux sièges supplémentaires. Dino, Ben et Jonathon s'y étaient réfugiés pour fumer un peu d'herbe avec Fasil avant la soirée. Dino et Fasil étaient assis sur la branche, Ben et Jonathon sur les souches. C'était presque l'été, il faisait encore jour, mais les rhododendrons filtraient largement la lumière. Les garçons se taisaient dans la pénombre pendant que Fasil roulait. Il alluma son briquet, et le bout incandescent du joint rougeoya comme du charbon.

– C'est du bon matos, souffla Ben après avoir pris une taffe.

– C'est de la bonne, confirma Fasil.

Ben le tendit à Dino, qui en avait déjà un et le passa à Jonathon.

– C'est de la bonne, siffla Jonathon.

– C'est de la bonne, apprécia Ben.

– C'est de la bonne, fit Dino.

– C'est de la bonne, répéta Fasil.

Tous les quatre rirent doucement. Jonathon passa à nouveau le joint à Fasil. Puis il eut l'impression que la souche décollait comme un tapis volant, et il partit à cent mille à l'heure dans l'espace.

– Tu vois Deborah ce soir ? lui chuchota Dino.

– Ouais.

– T'en es où ?

– Sais pas.

– Bonne chance, mec.

– Merci.

Le joint s'embrasa dans l'obscurité. Les garçons distinguaient à peine leurs silhouettes.

– Et toi, tu vois Jackie ?

– Ouais.

– T'en es où ?

– Génial.

– Génial.

– Hé, fit Jonathon un instant plus tard en désignant Fas et Ben. Dis-moi, mais ces deux-là ne baisent pas!

– C'est vrai, Fas et Ben ne baisent pas.

– Moi si, fit Ben.

– Et tu baises qui?

– Miss Young.

Des ricanements s'élevèrent dans le noir.

– Moi aussi, je baise, fit Fasil. Je vous nique tous!

Il se leva et se mit à danser comme un rappeur. Les trois autres éclatèrent de rire tout en essayant de ne pas signaler leur présence. Il chantait en donnant des grands coups de reins dans toutes les directions:

– Yeah man, moi je vous nique tous/Je nique la reine, je me nique la reine et la meuf du Premier ministre/Yeah qu'est-ce que tu dis de ça, mec?

Tous les quatre s'étouffaient de rire.

– Yeah man, je les nique toutes/Je me les nique/Je me nique vos sœurs et vos mères, mec!

Dino, Jonathon et Ben se tordaient de rire en essayant malgré tout de rester discrets.

– Hé, regardez ça! lança Jonathon en se levant d'un coup.

Il courba le dos et laissa retomber les bras comme s'il était couché en travers d'un éléphant puis se mit à bouger le bassin.

– Qu'est-ce que c'est? questionna-t-il.

– Aucune idée.

– C'est moi qui baise Deborah!

Dino faillit s'étrangler de rire.

– Chut!

– Chut! On va nous entendre!

– Putain, trop drôle!

– Hé, ça c'est quoi? lança Dino, une main derrière la tête, agitant le pelvis.

177

– Sais pas.

– C'est moi qui baise Jackie debout!

Hurlements de rire.

– Et ça? lança Ben en se couchant, les mains le long du corps. C'est moi qui regarde le cul de Miss Young en train de me sucer!

– Salopard! C'est dégueulasse!

– Et ça? lança Dino.

Il leur avoua ensuite imiter Jonathon qui cherchait la sortie de la foufoune de Deborah. Jonathon protesta:

– Tu n'as le droit d'imiter que toi!

Alors Dino se mit à genoux en essayant de ne pas salir son jean et donna des coups de rein.

– C'est moi qui baise Jackie par-derrière pendant qu'elle essaie de s'échapper! Reviens! Mais reviens! Reviens!

Puis Jonathon s'imita en train de prendre Deborah par-devant puis par-derrière, décrivant un grand cercle pour la contourner. Ben s'imita attaché au lit pendant que Miss Young le chevauchait. Dino prit Jackie adossé à un arbre en mangeant une barre de chocolat. C'était méchant mais drôle.

– Vous êtes dégueulasses, fit Fasil. Vous êtes des misogynes, voilà ce que vous êtes!

– C'est toi qui as commencé! protesta Jonathon.

– Mais pas avec ma petite amie! Vous pourriez avoir plus de respect pour elles! Regardez! Je les baise toutes les trois en même temps!

– Tu n'as le droit d'imiter que la tienne! lança Dino.

– C'est pas juste, il n'en a pas!

– Ben non plus...

– Je ne fais qu'imaginer baiser Miss Young, expliqua Fasil. Mais les deux autres, je les nique vraiment!

– Laisse Jackie en dehors de tout ça, lâcha Dino, et tous le scrutèrent dans l'obscurité pour voir s'il parlait sérieusement.

– Et vous savez quoi, je vais le leur dire, aussi ! insista Fasil. Je vais leur dire que vous m'avez regardé les baiser, et que vous n'en aviez rien à foutre !

– On ne ferait pas ça si elles étaient là ! Putain, imaginez qu'elles soient là !

Et à cette pensée, tous les quatre se tordirent de rire.

– En tout cas, fit Ben, vous êtes vraiment salauds. Je suis d'accord avec Fasil. Vous devriez avoir plus de respect pour elles !

– Ouais, bien sûr, fit Dino.

– Allez, on se casse, dit l'un d'eux, et ils réapparurent à la lumière en clignant des yeux, saluant quelques copains sans avoir vraiment repris leurs esprits.

Jonathon fit lentement le tour de la piste de danse. Deborah n'était pas encore arrivée. Il but une gorgée de sa bière dissimulée dans une canette de Coca et respira un grand coup. Il avait décéléré de cent mille kilomètres heure à cinq cents.

« Du calme », se dit-il.

La piste de danse était une mer azur où nageaient des poissons multicolores. Sur son bord, les profs montaient la garde comme des barracudas. Le lycée était en folie. « Incroyable ! pensa Jonathon. Mais d'où viennent toutes ces filles ? » Il avait l'impression que des milliers de papillons exotiques venaient de jaillir de leur chrysalide d'écolières. Plus de pull ni de jean, ce n'étaient que débardeurs, minijupes, maquillage et paillettes. Tout était beau et original. Et cette peau nue... Il y en avait partout ! Il n'aurait jamais imaginé que les filles de sa classe avaient autant de peau ! Ce soir-là, la plus grande partie de leur corps était pratiquement à nu.

Il ne s'en était pas rendu compte jusqu'à présent, mais toutes les filles du lycée ou presque étaient hautement désirables. À quel moment étaient-elles devenues si excitantes ? Et comment avaient-elles fait ? Était-ce un piège ? Accepteraient-elles qu'un boutonneux — peut-être même un boutonneux comme lui — les invite à danser ? Les embrasse ? Les touche, les caresse, les...

Jonathon traversa la piste et se retrouva face à Susan Mallary. Elle avait les épaules larges et un profond décolleté. Jonathon se figea sur place.

— Ouah ! s'exclama-t-il. Susan ! Tu es... magnifique. D'habitude, tu n'es pas aussi excitante ! Mais qu'est-ce que tu as fait ?

Susan éclata de rire en écartant les bras, et agita le buste. Avant de comprendre ce qui se passait, Jonathon était blotti entre ses seins. Il craignit tout à coup d'être allé un peu trop loin.

— Tu danses ? croassa-t-il.

— D'accord.

Par chance, c'était un slow. Tous deux se mirent à tournoyer avec maladresse. Jonathon n'en revenait pas d'être aussi près de ces beaux et gros seins.

« Incroyable, j'ai réussi à inviter une fille à danser », se dit-il. C'était la première fois qu'il en avait le courage. Il la serra fort en faisant attention à ne pas lui marcher sur les pieds.

Deux slows plus tard, Jonathon n'avait toujours pas trouvé un seul mot à dire à sa cavalière. Elle s'extirpa de ses bras en demandant :

– Est-ce qu'on peut danser séparément, maintenant ?

Il gloussa, mais toute attirance avait disparu. Il s'éclipsa en essayant de comprendre comment il avait fait, au cas où il aurait le courage d'inviter une autre fille à danser. Il alla se réfugier dans un coin et soupira profondément. Les slows avaient été délicieux, mais il était très gêné de n'avoir rien eu à dire.

Deborah apparut devant lui avec un petit sourire.

– Oh, salut, fit-il.

– J'ai entendu dire que tu m'avais fait une infidélité.

Il la dévisagea avec attention, incapable de savoir si elle était vraiment en colère.

– C'était juste un slow.

Elle observa la piste de danse avec lui une minute ou deux, puis demanda, cette fois avec beaucoup de sérieux :

– Tu viens marcher avec moi ?

– D'accord.

– Je vais chercher ma veste et je te retrouve à l'entrée.

Jonathon essaya de partir en douce. Mais au moment où il allait réussir, il croisa Ben près de la porte.

– Qu'est-ce que tu fais ici ? lui demanda Jon.

– Je prends l'air. Et toi ?

Jonathon n'eut pas le temps de répondre. Deborah s'était matérialisée à ses côtés.

– Oh, vous partez ? lança Ben.

– Ouais.

– Alors amusez-vous bien.

Deborah ouvrit la voie et Jonathon adressa à son ami un regard si anxieux que Ben dut le rassurer d'un geste de la main. Jonathon jeta un dernier coup d'œil à la fête. Dans la salle, il faisait chaud et sombre. Il aurait pu aller d'une fille à l'autre dans une fièvre intense, si seulement...

– Tu voulais rester ?

– Non, non, bien sûr que non...

Dehors, ils furent engloutis par la pénombre. Ben s'avança prudemment jusqu'à la piste de danse. Il aurait aimé inviter une fille à danser, mais c'était impossible. Miss était debout dans un coin, toutes antennes dehors, ses yeux de fouine braqués sur lui.

Deborah et Jonathon partirent en direction de l'allée de rhododendrons sans dire un mot. C'était affreux. Jonathon essaya de lancer la conversation sur le lycée ou leurs amis, mais tout retombait à plat. Pour finir, Deborah s'arrêta et lui demanda s'il avait pris sa décision.

– Presque, répondit-il.

Elle le regarda tristement.

– C'est trop long, dit-elle.

– Je sais.

– Je préfère qu'on reste amis plutôt que ça. Si tu ne veux pas, il suffit de dire non.

– Je sais.

– Alors où est le problème ?

Pour l'empêcher de parler, Jonathon l'embrassa. Deborah se pressa contre lui. Mr Zobut se mit aussitôt au garde-à-vous.

– Il a l'air de bien m'aimer, lui, dit-elle.

– Ça, Mr Zobut dit oui, sans problème.

Ils avancèrent jusqu'à un coin isolé. Jonathon plaqua avec douceur Deborah contre un tronc d'arbre et l'embrassa à nouveau. Et fut submergé par un raz-de-marée d'hormones. C'était comme recevoir un coup de poêle derrière la tête. Il jeta un coup d'œil par terre.

– C'est humide, constata-t-il d'un air de regret.

Deborah retira sa petite veste et l'étala par terre.

– On ferait mieux de prendre la mienne, protesta Jonathon.

– Je m'en fous, fit-elle en lui attrapant les mains.

Une fois assis, ils recommencèrent à s'embrasser. Jonathon chercha à défaire son soutien-gorge d'une main, mais elle s'en chargea. Puis les deux amants s'allongèrent dans un soupir, blottis sur la veste de Deborah, et s'embrassèrent longuement.

– Tu es magnifique, dit-il.

– Dans le noir...

– Mes mains te trouvent magnifique.

– C'est une jolie expression, reconnut-elle.

Elle lui prit la main et la fit descendre vers ses cuisses.

– Là aussi je suis magnifique, murmura-t-elle.

– Tu veux bien ? demanda Jonathon.

– Avec toi, oui. Mais pas ici.

– Non, pas ici.

– Dans un endroit plus... confortable. Sauf que tu ne m'as toujours pas donné ta réponse.

– J'imagine que c'est oui, qu'est-ce que tu en penses ?

Ils s'embrassèrent lentement et délicieusement, et tout à coup, Jonathon se sentit plus détendu.

– Tu es sûr ? chuchota-t-elle.

– Ouais.

– Sûr sûr ?

– Sûr, sûr, sûr.

– Tu en as mis du temps pour prendre ta décision.

– C'est juste que... je ne savais pas si j'avais envie d'avoir une petite amie. Maintenant, j'en ai une, et je suis content que ce soit toi.

Ils s'embrassèrent à nouveau. Il voulait glisser sa langue partout, mais elle lui prit la tête et pressa ses lèvres contre les siennes.

– Quand ça, alors ? gémit-il.

– Du calme, mon tigre, plaisanta-t-elle. Bientôt.

– Embrasse-moi encore comme ça, supplia-t-il.

– Comment ?

– Comme ça. Lentement...

C'était tellement génial que Jonathon aurait aimé que ce moment ne finisse jamais. À cet instant, ils entendirent des voix et s'immobilisèrent, serrés l'un contre l'autre dans l'obscurité.

– Allez, insistait le garçon.

– J'ai dit non, répondit la fille.

À l'abri des feuilles, Debs et Jon sourirent d'un air de conspirateur. C'était Dino et Jackie.

– Et pourquoi ?

- Dino, je croyais que c'était clair entre nous.

– On parlait de baiser. Je ne te parle pas de baiser, là. Je veux juste...

– Pas ce soir, fit sèchement Jackie.

Dino rit. On ne pouvait savoir s'il plaisantait ou s'il était sérieux. Sans doute les deux.

– Tu ne veux vraiment pas ?

· J'ai dit non.

Même un seul doigt ?

– Ne sois pas vulgaire.

– D'habitude, tu aimes ça.

– Je n'ai pas dit que je n'aimais pas, j'ai dit que je ne voulais pas ce soir.

– Allez...

Il y eut un silence pendant lequel ils s'embrassèrent. Puis la conversation reprit.

– J'ai dit non.

– Allez, je veux juste caresser tes seins.

– Non.

– Un doigt.

– Non !

– Un seul.

– Non ! protesta Jackie en riant. Salaud !

– Et ça ? fit Dino.

Jackie gloussa. Deborah et Jonathon furent obligés de deviner dans l'obscurité.

– Ça suffit. Retournons dans l'allée. Je voulais juste être avec toi.

Le couple s'éloigna. Quand Jon et Deborah n'entendirent plus leurs pas, ils s'embrassèrent à nouveau. Mais Deborah n'était plus très à l'aise.

– Le sol est humide, protesta-t-elle.

Ils se levèrent, elle défroissa sa jupe et remit sa veste pendant que Jonathon la regardait tristement.

– C'était si bon. On peut pas continuer ?

– C'est humide.

– On peut mettre ma veste, cette fois.

Deborah sourit.

– D'accord. Puisqu'on sort ensemble.

Il retira son blouson et l'étendit par terre dans un grand geste. Elle s'allongea, il se pressa contre elle et passa ses jambes sur elle.

– Ça va ?

– Tu m'écrases, gloussa-t-elle.

Il se déplaça un peu.

– Comme ça ?

– Parfait.

– Défais ton soutien-gorge comme tout à l'heure, supplia-t-il.

– Comme ça ?

– Comme ça. Et ce bouton-là...
– Celui-là ?
– Génial, génial, génial...

24

Si c'est pas cool...

Ce week-end-là, Dino avait rendez-vous avec Zoë. Il était inquiet. Il n'avait parlé d'elle à personne, et il craignait d'être vu en sa compagnie. Cette double vie le rendait très nerveux. Il comptait bien la baiser, mais les choses ne se passèrent pas de cette manière et bizarrement, ça ne le dérangea pas.

Certes, Zoë prenait du plaisir sans se soucier des autres, mais elle n'en avait pas moins sa fierté. Dino devrait faire ses preuves avant de pouvoir recommencer. Ils se rejoignirent en ville, et Dino proposa qu'ils aillent se promener près de la rivière. Ils marchèrent main dans la main en s'embrassant sous Caversham Bridge. Le sang de Dino pétillait comme du champagne.

– Trouvons un endroit tranquille. Allons nous cacher quelque part, proposa-t-il.

– Non, on est allés un peu trop vite l'autre jour.

Dino lui sourit quand même. Elle accepta qu'il glisse la main sous son T-shirt, mais pas dans son jean. Un moment, elle le laissa ouvrir le bouton de sa braguette, puis elle lui retira la main, furieuse. Dino fit néanmoins un sourire satisfait. Il s'amusait bien. Il pouvait attendre. Un peu, en tout cas.

– Tu es trop top, lui souffla-t-il dans l'oreille. Tu n'imagines pas l'effet que tu me fais!

Zoë se suspendit à son cou. S'il avait à nouveau glissé ses mains dans son jean à cet instant, elle ne l'en aurait pas empêché. Il la faisait craquer malgré elle. Or, elle n'avait pas l'habitude de craquer.

Après la promenade au bord de la rivière, ils revinrent en ville, où il lui offrit un café et un gâteau. Il transpirait sous son gros manteau. Elle lui demanda d'un air moqueur pourquoi il avait mis un vêtement aussi chaud, sans pouvoir imaginer qu'il l'avait pris pour servir de couverture. Ils passèrent quand même un bon après-midi. Il la quitta à cinq heures à l'arrêt de bus avec un baiser et alla rejoindre Jackie.

Deux petites amies. Si c'était pas cool, ça... Incroyable... Magique... Tout roulait. Il flottait dans les airs. L'essence même du cool.

«Je devrais avoir plus confiance en moi», se dit-il.

Et puis, comme il baisait ailleurs, il pouvait relâcher la pression sur Jackie. Elle traversait une passe difficile, eh bien, il se montrerait compréhensif le temps qu'elle se remette. Ce qui permettait entre-temps à Zoë de goûter à un truc inespéré.

Cette pensée le fit rougir, mais il fallait avoir le courage de ses opinions : Dino était canonissime. S'il avait existé quelque chose de mieux que le numéro Un, ça aurait été le numéro Dino. Zoë, c'était pratique, mais en temps normal, ils ne joueraient pas dans la même cour.

Même quand il pétait les plombs, il avait raison. Cette histoire avec sa mère, par exemple. Balancer ces trucs à son père lui avait d'abord paru une monstrueuse erreur, mais regardez, au final. L'affaire avait été révélée au grand jour. Du coup, ça allait s'arranger, sa mère le lui avait dit. Il avait sauvé le mariage de ses parents.

En ce dimanche soir où, dans son lit, Dino se félicitait d'avoir sauvé le mariage de ses parents, ceux-ci étaient en bas en train de faire leurs comptes. La situation n'était pas aussi dramatique que Kath l'aurait cru. Il n'y avait pas énormément d'argent, mais avec un budget serré, ils pouvaient louer un petit appartement.

Elle fut enchantée de cette découverte. Mike lui décocha un regard glacial.

– À moins que ça s'arrange entre nous, avança-t-il.

– Nous sommes allés trop loin pour ça, lui assena-t-elle. Ça n'est pas si abominable.

– Ben voyons, lâcha Mike. Abominable pour qui? Celui qui reste ou celui qui doit aller vivre dans le petit appartement avec droit de visite le week-end?

– Mais tu étais d'accord! Mat est trop jeune, je dois rester avec lui.

Mike détourna les yeux et insista:

– Il va falloir des mois pour mettre ça en place.

– Des mois? Ça peut très bien être réglé en quelques semaines.

– Sauf que je n'ai pas encore accepté.

– Si, tu as accepté! Tu ne vas pas revenir sur ta décision maintenant!

Il la regarda d'un œil noir.

– Pour toi, ça ne pose aucun problème, n'est-ce pas? À quoi renonces-tu? À ta maison? Même pas. Et ne me réponds pas: à ton mariage, puisque tu n'en voulais plus depuis des années.

– Toi si.

– En effet.

Kath le dévisagea. Pourtant, son mari avait déjà eu des aventures. En tout cas, au moins une dont elle était au courant.

– Je n'aurais jamais cru, dit-elle.

Il fit la grimace et lança :

– C'est quoi pour toi l'amour ? Un compte joint ? Tout le monde fait des bêtises au fil des années, toi comme moi. Mais les gens s'en remettent.

– Eh bien, pas nous.

– Il n'y a pas que cette solution. Nous pourrions essayer d'arranger les choses.

– Non, Mike.

– Il y a les enfants, aussi.

– On peut se débrouiller pour qu'ils n'en souffrent pas. C'est mieux que le compromis.

– Quel compromis ?

– Des parents qui vivent ensemble sans s'aimer, déclara Kath en le regardant droit dans les yeux pour prononcer cette phrase rituelle des parents qui se séparent.

– Mais moi, je t'aime encore.

– Moi je ne t'aime plus. Désolée.

Il détourna les yeux.

– Les enfants s'en sont plutôt bien sortis jusqu'à présent, même si apparemment, tu ne m'aimes plus depuis des années. Alors arrête de raconter que tu fais ça pour eux. C'est pour toi, Kath, juste pour toi, et personne d'autre.

Tous deux regardèrent vers l'étage où, comme des bombes dans leur cœur de parents, dormaient Dino et Mat.

Dino se trompait aussi sur ses rapports avec Jackie. En quoi avait-il relâché la pression ? Il montait sans cesse à l'assaut ! Bien sûr, il ne voyait pas les choses de cette manière. Pour lui, ce n'étaient que des taquineries. Mais il était incapable de passer une demi-heure sans vanter ses mérites sexuels, faisant sans arrêt des blagues sur le sexe, lui proposant quelques doigts, la traitant de frigide, etc. Jackie était à bout.

Quant à Zoë/Siobhan, Dino ne se doutait de rien. Zoë était une bête sauvage qui ne restait pas long-temps en place. Dino était en sécurité tant qu'il l'amusait, ce qui n'irait certainement pas au-delà de quelques semaines. Au mieux, il pouvait espérer qu'elle se désintéresse de lui et le laisse tomber. Mais au moindre faux pas, elle le dévorerait tout cru.

Ce week-end-là, Zoë avait vu le bon côté de Dino. Pendant quelques heures, il l'avait mise au centre de son univers. Que ce soit dans l'espoir de la baiser, de lui tenir la main, de la faire rire ou de la calmer, il s'était entièrement consacré à elle. Il lui avait fait croire qu'il avait besoin d'elle. Après la fête, elle ne voyait en lui qu'un abuseur. Cet après-midi-là, elle avait eu l'impression d'être importante à ses yeux. Et elle avait été conquise. Elle se dit : « J'ai eu raison. C'est un type bien. Et il me vénère. Peut-être que je pourrais en faire mon petit copain, après tout ? »

Pourtant, Zoë la joua cool. Elle ne précipita pas les choses. Elle eut envie de l'appeler dans la semaine mais se retint, attendant leur rendez-vous du week-end. C'était par une chaude journée de mai. Comme Dino ne voulait pas aller en ville, elle lui proposa un pique-nique au bord de la rivière. C'était une activité on ne peut moins zoesque, pourtant elle était aux anges. Elle avait même préparé des sandwichs, acheté des œufs durs panés — il lui avait dit qu'il aimait ça — et volé une bouteille de vin. Ils passèrent un excellent moment. Il la dévora des yeux toute la journée. Ils se promenèrent main dans la main au soleil et trouvèrent un coin pour se baigner. Ils se mirent en sous-vêtements. L'eau était glacée. Le soleil se cacha dès qu'ils sortirent de la rivière, et ils durent courir pour se réchauffer. Puis ils s'allongèrent dans l'herbe, leurs sous-vêtements encore humides. Quand le soleil réapparut, Dino lui retira son soutien-gorge et lui descendit sa culotte au milieu des cuisses. Elle le caressa jusqu'à ce qu'il jouisse sur sa hanche. Ils éclatèrent de rire et s'essuyèrent avec des feuilles d'arbre. Dino eut l'air de regretter que vienne l'heure de rentrer.

Ils allèrent au cinéma dans la semaine et ne virent presque rien du film. Le week-end, Zoë avait complètement oublié le chantage que Dino lui avait fait subir. Elle était fière d'elle, aussi. Elle le faisait languir alors qu'elle-même mourait d'envie de passer à l'acte. Elle avait respecté sa politique — qui remontait à deux ans plus tôt — consistant à ne donner ni son adresse, ni son numéro de téléphone, ni son vrai nom. Mais ce week-end-là, si tout se passait comme prévu, elle le ramènerait chez elle et lui ferait l'amour sur le canapé du salon en l'absence de ses parents.

Ça aurait pu se dérouler comme ça si son amie Sam n'avait pas sorti les griffes. Zoë n'avait parlé à personne du chantage — d'habitude, elle ne se faisait pas avoir si facilement —, en revanche son amie était au courant de tout le reste. C'était une copine de Sam qui les avait amenées à la fête. Or cette amie connaissait Jackie. Et ce qui devait arriver arriva.

– Ce salopard a une meuf, lui annonça Sam au collège un matin.

– Quoi ?

– Une meuf qui était à la fête. Ça fait des siècles qu'ils sortent ensemble, même s'ils n'arrêtent pas de s'engueuler et de se réconcilier.

– Tu es sûre ? Et en ce moment, ils sont ensemble ?

– Oui. Et à la fête aussi. Apparemment, ils ont failli casser juste après, tu sais pourquoi ? Parce qu'elle ne veut pas coucher avec lui ! Elle lui fait tout le temps des promesses et puis au dernier moment, elle se débine.

– Comment tu sais tout ça ?

Sam lui expliqua d'où elle tenait ses informations. Imparable.

– Tu peux aller te renseigner, si tu ne me crois pas. Appelle Jackie. J'ai son numéro de téléphone.

Zoë déclina la proposition. Sam disait la vérité, mais elle aurait peut-être annoncé la nouvelle avec davantage de tact si elle avait su que Zoë était amoureuse.

– Tu as compris ? Il a une petite amie, mais elle ne couche pas, contrairement à toi. Il se sert de toi.

Zoë pâlit.

– Tu vas le larguer ?

– Le larguer ? Putain, je vais le torpiller, oui !

25

Ben

Cette fois, c'est trop. Vraiment trop. En fait, c'est trop depuis le début, mais ça faisait aussi le charme de l'affaire, j'imagine. Là, ce n'est plus possible.

192

Mardi dernier, je descends prendre mon petit déjeuner. Mon père avait une lettre à la main.

– Qu'est-ce que c'est que cette histoire? il m'a demandé en agitant la lettre. Ces problèmes en maths.

– Quels problèmes en maths?

Il m'a tendu la lettre. Écrite par mon prof de maths, Mr McGrath. Où il expliquait que je ne travaillais pas assez, qu'il se faisait du souci pour moi et proposait de me donner des cours au lycée le jeudi pour rattraper mon retard.

Depuis quand j'avais des problèmes en maths? C'était nouveau, ça! Pourtant, c'était une véritable lettre. Avec papier à en-tête du lycée et tout.

– Mais tu as eu A en maths à ton brevet, a fait remarquer ma mère. Comment peux-tu avoir tout à coup autant de problèmes?

– Je ne sais pas, Mr McGrath ne m'en a pas parlé. Et là, j'ai compris.

– C'est... (Et je me suis tu. Qu'est-ce que je pouvais leur dire? Que c'était une fausse lettre?) C'est... sans doute une erreur. En fait, c'est une lettre destinée à tout le monde. Toute la classe a des problèmes, et il veut qu'on fasse des heures de soutien. Vous savez, à cause du classement des lycées, j'ai dit en haussant les épaules.

– Wood End est très bon en maths, a déclaré mon père.

– Oui, et ils ne veulent pas que le niveau baisse. Je vais lui en parler. Cette lettre ne me concerne sans doute pas.

C'était débile. Pourquoi avait-elle choisi les maths, alors qu'elle sait que c'est ma matière forte? C'est grâce aux maths que j'aurai mon bac!

Je l'ai chopée dans le couloir à l'heure du déjeuner.

– Des heures de soutien en maths! j'ai lâché.

– Malin, non? elle a gloussé. J'aurais aimé voir ta tête!

– Et si mes parents vérifient?

– Je suis sûr que tu trouveras une astuce, Ben. Tu es un excellent menteur. (Elle a haussé les sourcils et m'a souri.) A tout à l'heure, mon cœur.

Et avant que j'ajoute quelque chose, elle avait filé.

La menteuse, c'est elle. Elle me fait tout le temps des coups en douce. Je déteste ça. Mais je crois que, elle, ça l'excite. Vu les risques qu'elle prend, en fait, elle aimerait sans doute se faire coincer. Elle avait choisi les maths précisément parce que c'est ma matière forte : le risque était plus grand.

Et les trucs qu'elle me faisait faire derrière les rideaux, si ce n'était pas risqué, ça... Elle cherche sans cesse les situations limites. Elle n'a pas peur, mais moi ça me gonfle. La semaine dernière, elle m'a obligé à la baiser dans la réserve des accessoires. Vous trouvez ça génial? Moi, j'avais l'impression que le lycée entier était derrière la porte. Et si j'essaie de refuser, elle devient méchante.

– Qu'est-ce qui t'arrive? elle m'a demandé.

– Je n'ai pas envie.

– Mais si, t'es aussi dur qu'un rouleau à pâtisserie. Allez...

– Non!

– Pourquoi?

– Quelqu'un pourrait entrer.

– Il n'y a aucune raison que quelqu'un entre ici.

– Pas besoin d'une raison particulière pour passer dans les parages.

Alors elle a coincé un balai sous la poignée de la porte. Du coup, elle a eu ce qu'elle voulait, comme d'habitude. Je devrais refuser, mais d'un autre côté... C'est Miss, si vous voyez ce que je veux dire.

– Je me ferais exclure du lycée, j'ai protesté.

– Et moi, donc. Personne ne voudra jamais plus me donner un poste de prof. Carrière ruinée, plus de salaire... Et je passerais pour une pédophile, en plus! Alors tu n'as vraiment pas à te plaindre.

Ce n'est pas tout. Elle m'a aussi donné quatre heures de colle en quinze jours. Les autres trouvent ça bizarre, ils plaisantent en disant que je la saute. S'ils savaient! Pendant une heure, elle m'a fait faire des lignes. Des lignes! Non mais vous vous rendez compte!

Ça... Doit... Cesser.

Ce n'est pas la seule raison. Il y a les filles de mon âge, aussi. J'aimerais bien être avec une fille de mon âge, tomber amoureux. Parce que le sexe avec Ali, c'est génial, mais ce n'est pas la vraie vie, non? C'est du porno avec un peu d'émotions. Moi, j'aimerais tomber réellement amoureux.

Ça vous paraît idiot? Peut-être que c'est trop demander. Mais avec Ali, je ne peux pas être moi-même. C'est un jeu, pas la réalité.

Il y a une fille qui me fait craquer, ce qui est idiot parce que je ne lui ai presque jamais parlé. Elle s'appelle Marianne, et je crois que je suis tombé amoureux d'elle. C'est vieux, cette histoire. Avant, elle sortait avec Toby, un type de ma classe. Un gros type costaud. Je ne suis pas très grand, et je les trouvais mal assortis parce qu'elle est petite, elle aussi. Il avait l'air gigantesque à ses côtés.

Bref, on discutait, quelques types, deux filles et moi, et puis Toby et Marianne. Elle parlait à quelqu'un en face d'elle. Et elle avait cette incroyable façon d'être auprès de Toby tout en écoutant quelqu'un d'autre. Elle serrait ses livres contre sa poitrine, la tête penchée. J'ai dû la regarder longtemps, parce qu'au bout d'un moment, elle s'est tournée vers moi. Je lui ai souri, et elle m'a rendu mon sourire.

C'était tout. Peut-être que j'avais tout imaginé, mais elle me plaisait vraiment. Elle est gentille. Et jolie. Ce n'est pas un canon comme Jackie par exemple, mais elle est mignonne comme tout.

Après ça, je ne savais pas comment lui parler, mais dès que je la voyais, je la suivais des yeux. Elle avait l'air bavarde et pleine de vie, mais elle était capable d'écouter, aussi. Souvent, je la regardais écouter des gens. Moi aussi, je sais écouter. C'est une qualité assez rare, non ?

Pourtant, elle est plutôt ordinaire. Peut-être qu'il me faut ça, après Ali. En fait, je l'avais déjà vue il y a longtemps à une compétition de gymnastique. Bien ringard comme truc, non ? Elle faisait des exercices au sol. Vous savez, c'est une des épreuves. Elle avait fini deuxième ou troisième, pas mal. Moi, je lui aurais donné la meilleure note. Elle sautait et courait partout mais elle paraissait sereine, comme si elle ne faisait pas d'efforts. Juste après, en revanche, elle était toute rouge et en sueur. Comme si elle était capable de contenir ça, ce que j'ai trouvé génial. C'est une fille saine.

Pour finir, j'en ai parlé à Dino et Jon l'année dernière.

– Demande-lui de sortir avec toi, m'a conseillé Dino.

– Et si elle ne veut pas ?

– Ce sera mieux qu'une vie d'incertitude, a lancé Jonathon, comme si c'était un enjeu vital.

C'était un peu gonflé de me pousser comme ça, parce que Jonathon n'oserait jamais demander à une fille de sortir avec lui, mais ça m'a fait réfléchir. Et au bout d'un moment, je suis allé la voir. J'ai emmené Jon et Dino jusqu'à sa classe pour me donner du courage, et je suis entré lui poser la question. Elle a été très sympa. Elle m'a dit que j'étais gentil, qu'elle était très flattée, mais qu'elle sortait déjà avec Toby. Je ne sais pas si c'était une excuse ou non. Et vous savez quoi ? Ça m'a brisé le cœur. Mais pas beaucoup, donc je ne devais pas être très amoureux.

Je ne l'ai pas souvent revue depuis, même si on fréquente le même lycée. Sans doute que j'étais un peu échaudé. Toby est parti en terminale ailleurs, mais je croyais qu'elle sortait toujours avec lui. Et l'autre jour, dans le couloir, je l'ai vue parler à des amies. Quand je suis passé, elle m'a fait un grand sourire. Je lui ai souri sans m'arrêter, mais ça signifiait sans doute quelque chose. Alors je me suis renseigné, et apparemment, elle ne sort plus avec Toby. Peut-être que je vais à nouveau tenter ma chance.

Mes potes parlent sans arrêt des filles, et ils ne comprennent pas pourquoi je ne sors avec personne. L'autre jour, Dino m'a demandé si je pensais toujours à Marianne, et j'ai été obligé de lui répondre non.

Mais je n'ose pas. Si Ali l'apprenait, je suis sûr qu'elle transformerait la vie de Marianne en un enfer. Surtout que Marianne a pris option théâtre. Ça montre combien j'ai peu d'estime pour Miss, parce que ça serait vraiment dégueulasse de sa part. Vous voulez connaître mon opinion ? Je crois qu'elle ferait n'importe quoi pour parvenir à ses fins. Il y a un an, j'aurais presque tout donné pour faire ce que j'ai fait avec Miss Young. Et ça a été génial, mais uniquement parce que j'avais envie d'essayer tout ça, peu importe avec qui. Maintenant, certains trucs, je n'ai pas envie de les recommencer. Par exemple, prendre des risques, ça ne m'intéresse pas. Je crois que je suis moins tordu qu'elle.

Si j'arrivais à me débarrasser de Miss et à sortir avec Marianne, je ne lui mettrais aucune pression. Je n'essayerais pas de coucher avec elle tout de suite. Je l'embrasserais, je passerais la main sous son pull, et si elle ne veut pas, aucun problème. Et je serais discret aussi, mais pas comme avec Ali. Ali, c'est un secret parce que c'est dangereux. Là, ça serait privé. Certains potes sont vraiment atroces avec leur copine. Dino, c'est le pire. Il raconte tout sur Jackie. J'ai l'impression de connaître le corps de Jackie aussi bien que lui. Je sais quelle est la forme et la taille de ses seins, de quelle couleur sont ses mamelons, comment elle s'arrache les poils tout autour avec une pince à épiler et pousse un petit cri quand elle tire. Je sais qu'elle souffle fort et qu'elle gémit au moment où elle jouit. Je sais même que Dino peut mettre trois doigts dans sa foufoune, mais qu'elle n'aime pas trop ça. Mec, c'est personnel, ces trucs-là ! On ne devrait raconter ça à personne, même pas à son meilleur ami ! Je suis sûr que Jackie serait furieuse si elle l'apprenait. Elle n'imagine pas que ça fait le tour du lycée. Mais peut-être qu'elle sait. Après tout, elle n'est pas idiote.

Jonathon, c'est différent. Il est dégueulasse, il l'a toujours été, mais c'est juste de la frime. Parce qu'il ne dit jamais un mot sur Debs et lui. Rien du tout. Il est très discret. Ils sont bien différents l'un de l'autre, mes deux potes, mais je les envie tous les deux parce qu'au final, je préférerais embrasser une fille qui m'interdit de lui mettre la main dans la culotte plutôt que de passer des heures à me rouler par terre avec Miss pendant qu'elle cherche déjà une nouvelle manière de faire encore une fois la même chose. En uniforme. Sous la table. Sur le canapé. J'ai l'impression d'être prisonnier d'un film porno. Je devrais me laisser pousser la moustache. Je devrais me débarrasser d'elle. Mais je ne sais pas comment m'y prendre.

26

Jonathon

Répétition générale. On avance, on descend, on remonte, et c'est bon. Deborah A Une Occasion. Dans quinze jours, ses parents partent en week-end. Je vais enfin perdre mon pucelage.

Il ne demande que ça. Il est là, dans ma main. Mr Zob Zobut.

– Chic chic chic, il fait.

– C'est ce que tu voulais depuis longtemps, espèce de bout de viande plein de sang.

– Ouaip.

Mr Zob Zobut est heureux. Il pense qu'il va se repaître de chair fraîche jusqu'à plus soif. Qu'il va passer un bon moment. Alors ne lui dites pas, mais il y a un truc que Mr Zob Zobut ignore. Il y a des secrets qu'une bite ne doit pas connaître. Je ne veux pas qu'il s'inquiète, vous comprenez. Exactement. Une bite inquiète est une bite molle.

Mr Zob Zobut m'a dit :
– Tu merdes sur ce coup-là, je ne te le pardonnerai jamais.

J'ai des raisons de croire que Mr Zob Zobut va être très, très doué en matière de sexe. Il aime tellement ça. Dès qu'il a une minute, il lui faut un coup de main. Et comme c'est mon meilleur ami, je m'empresse de le lui donner. Dans la baignoire, au lit. Devant l'écran d'ordinateur. Je vis dans la terreur que l'ordinateur tombe en panne et qu'il parte à l'atelier de réparation.

« Mr Green ? Votre ordinateur. En inspectant votre disque dur, nous avons trouvé des images cochonnes qui, toute morale mise à part, sont illégales. J'ignorais que des femmes s'exhibaient de la sorte. Nous avons l'intention de les poursuivre en justice, elles aussi. Votre fils, dites-vous ? Vous ne vous servez presque jamais de l'ordinateur ? Je vous l'apprends ? Maintenant, vous comprenez pourquoi il a fait toute une histoire quand vous avez voulu faire réparer la machine ? Nous sommes bien d'accord, il faut que cela se sache le plus tôt possible. »

Ça va arriver. Je le sais.

Pour ma défense, je voudrais dire qu'une bonne partie des images porno que je regarde, c'est uniquement par curiosité. La vue d'un type enchaîné avec des pinces aux seins en compagnie d'une chienne engrossée, ça ne m'excite pas. Mais je suis étonné que ça soit visible par des types comme moi qui cherchent juste des filles normales pour baver devant.

Chut !

Mr Zob Zobut dort. Approchez. Je peux vous le dire, mais...

Non, pas maintenant.

Des secrets ? Ils tourbillonnent par milliers dans le trou noir de ma psyché, mais aucun n'est aussi horrible que celui de Mr Zob Zobut. J'en ai un autre, j'imagine que c'est arrivé à des tonnes de types qui n'ont jamais osé l'admettre. A quatorze ans, j'ai eu ma première copine, mais je n'ai pas trouvé sa foufoune. Comment est-ce possible ? Comment peut-on rater un truc pareil ? Ça fait au moins trente centimètres de long quand on a le nez dessus ! Inratable, me direz-vous. Et pourtant. Elle s'appelait Lucy Small, elle était dans la même classe que moi, et elle m'a choisi — moi, je n'ai jamais choisi personne — pendant un voyage de géologie au pays de Galles. On est allés poster des lettres, puis on s'est cachés dans les buissons près de la route pour se peloter. Ça faisait un moment qu'elle me courait après, mais j'étais trop timide. Elle était sortie avec Alan Noble la veille, après il était venu dans notre chambre et il nous avait fait renifler ses doigts pour nous montrer qu'il l'avait touchée. Elle avait fait ça uniquement pour me rendre jaloux. Je lui ai caressé les seins parce que quand même, je ne suis pas un crétin absolu, puis elle a défait le bouton de son jean, j'ai glissé ma main et… rien. Il n'y avait rien. Je ne comprenais pas ! Qu'est-ce qui se passait ? était-elle difforme ? Aurais-je la malchance d'avoir une copine sans foufoune ? Devais-je me montrer compatissant ? «Pas de foufoune, c'est vraiment pas de chance.» Ou n'étais-je tout simplement pas au bon endroit ? Comme ça me semblait le plus probable, j'ai inspecté son petit buisson de haut en bas, sur les côtés, mais rien. Pas de foufoune. Incroyable.

Ce n'était pas possible, même moi je le savais. Et le doigt d'Alan Noble, alors ? Peut-être que je l'avais trouvée mais que c'était très différent de ce que j'imaginais. Peut-être qu'il y avait une ouverture secrète. Un «Sésame, ouvre-toi!», un truc comme ça. Un bouton, un rabat, je ne sais pas, moi. En tout cas, il devait y avoir une explication.

En revenant, j'ai fait renifler mon doigt à tout le monde dans le vague espoir d'y être quand même arrivé, mais ils ont été unanimes. Rien.

Je n'étais pas très inquiet, pour tout vous avouer. Ça devait être un truc évident auquel je n'avais pas pensé. Un truc que j'ignorais. Ça arrive souvent. Il suffit d'attendre un peu. Et quand on a la réponse, c'est si simple qu'on ne comprend pas comment on a pu passer à côté, même si la veille, c'était impossible à trouver. Ça devait être une histoire comme ça.

Alors le lendemain soir, Lucy et moi on est allés se promener, on s'est cachés dans les buissons et... pareil. Pas de foufoune. J'ai fouillé pendant des siècles. Je n'allais quand même pas lui demander, non? «Excuse-moi, où est ta foufoune? Je sais que tu en as une, Alan Noble a été très clair à ce sujet, j'ai besoin de savoir où elle est.» Impossible.

Alors j'ai fait mon gros dégueulasse et je me suis aventuré, au hasard, plus bas. À ma grande surprise, elle n'a rien dit. Quand même, c'était le cul par là, pour ce que j'en savais. Je savais aussi que les filles aiment en général qu'on leur touche la foufoune, même si ça m'étonnait quand même un peu. Je me suis dit que si elle n'avait pas de foufoune, son cul ferait une bonne solution de rechange. Bref, j'ai fini par sentir de la chair. J'ai exploré, j'ai tâté, et tout à coup, tout en bas, presque à son cul... j'y étais. Je me suis introduit et elle a poussé un petit soupir. Bingo! C'était donc là... Ça doit quand même être gênant pour ces pauvres filles d'avoir leur parties intimes à un centimètre de la caisse à merde. Quelle idée ! Qui aurait cru ça ? Ce n'est pas hygiénique, en plus !

Pendant tous ces cours de biologie, jamais on ne m'avait dit que les femmes ont leur foufoune à côté du cul. Moi qui croyais que c'était devant ! Parce que quand même, c'est là où est notre bite ! On ne l'a pas entre les jambes, elle part de devant ! Quand un type baise une fille, son cul monte et descend, il ne va pas d'avant en arrière. C'était donc logique de penser que la foufoune serait devant, elle aussi.

Bien sûr, maintenant, ça me paraît évident. Dans ces schémas de biologie, tout est en dessous. Mais ce ne sont que des schémas. On ne peut pas les prendre au sérieux. Si on s'en tenait à ça, on n'aurait aucune idée de ce qu'est une foufoune. Tout ce rouge. Et cette chair. Et puis, ce genre de schéma, ça va du derrière au nombril, ça ne donne aucune idée de la réalité.

Mais ça explique beaucoup de choses. Par exemple, pourquoi ma bite remonte. Réfléchissez. Si les foufounes étaient sur le devant, la bite serait toute droite. Ça aussi, ça m'inquiétait. J'essayais de pousser vers le bas pour la redresser, mais elle remontait toujours. Ce jour-là, avec Lucy Small, j'ai découvert les bases de la physiologie du sexe féminin, et je n'ai jamais eu besoin d'y revenir.

Maintenant, je sais ce que c'est, et où c'est. Il me suffit d'y glisser Mr Zobut.

Il y a un autre truc, un truc tragique mais aussi tellement stupide... Il n'y a que moi pour faire toute une histoire d'un truc aussi... Heu... Voilà. Vous m'écoutez ? Eh bien...

Mais attention ! C'est un secret. Mr Zobut ne doit pas le savoir. S'il l'apprend, ça sera la catastrophe. La catastrophe absolue. Plus de sexe, plus jamais. Parce que... Oh mon Dieu, c'est tellement bête et embarrassant.

Voilà. Bon. Mr Zobut a... J'ai... un cancer.

Si, si. Regardez. En fait, vous ne pouvez pas voir ça maintenant, pendant que Mr Zobut dort, mais quand j'ai une érection, c'est là, à la moitié du sexe. Il y a une grosse bosse molle. C'est un cancer, aucun doute. Quoi ? Non, ne riez pas si fort, il se réveille. Ne prononcez pas ce mot, s'il l'entend, ça va le tuer. Quoi que vous fassiez, ne prononcez pas le mot CANCER !

– Quoi ?

– Rien !

– Quoi ?

– Rien !

– Vraiment rien ?

– Non, rien !

– C'était quoi, cette histoire de cancer ?

– Bon... Je ne peux plus te le cacher. Là, cette bosse !

– Argh !

– Eh oui !

– Je croyais que c'était une veine ! Emmène-moi chez un médecin ! Vite !

– Non !

– Non ? Et pourquoi ?

– Parce que si on va chez un médecin et que c'est un cancer, tu vas...

– Oh mon Dieu !

– Eh oui...

– Tu veux dire...

– Qu'on va devoir te couper !!!

Voilà. J'ai un cancer de la bite. Par chance, il ne s'est pas encore déclaré, mais si je fais un truc stupide comme le rentrer et le sortir plein de fois dans Deborah, par exemple, la friction va sans doute tout déclencher. Et là... je devrai faire le pire choix qu'un homme puisse faire : les bourses ou la vie.

Vous croyez sans doute que je plaisante. Vous trouvez ça idiot ? Oui, je sais. C'est évident. Ce n'est pas un cancer, c'est une veine. Les bites sont bourrées de veines. Du coup, la bosse gonfle quand je bande. Logique. Un cancer, ça ne ferait pas ça. Mais comment savoir ? Vous le savez, vous ? Vraiment ? Vous savez ça ? Vous êtes un expert en bites ? Comment vous pouvez en être sûr ? Parce que, peut-être que c'est une veine, mais peut-être pas. On ne peut pas savoir.

Le plus simple, ce serait d'emmener Mr Zobut chez le médecin. Et on sait ce que dirait le médecin. « Ne t'inquiète pas, Jonathon, c'est juste une veine, il n'y a aucun problème, tout va bien. » Il dirait sans doute ça, mais peut-être que non. Il y a une chance sur un million qu'il l'examine longuement et qu'il dise : « Hum. Oui. Une tumeur, rien de grave, elle n'est sans doute pas encore maligne, mais pour nous en assurer, nous allons faire quelques examens... »

Et puis...

« Je suis désolé, Mr Green, mais je crains que vous ayez un cancer de la bite. Il n'y a qu'une solution : l'amputation. »

C'est peut-être stupide, mais ça ne me quitte pas. Et puis, c'est tellement gênant. Vous feriez ça, vous ? Montrer votre bite à un homme pour qu'il l'examine ? En plus, je connais ce médecin depuis des années.

C'est vrai, je pourrais aussi aller aux urgences. Mais ça serait pire : ça risquerait d'être une femme.

Les filles ont de la chance. Les médecins examinent les foufounes. Dès qu'on a une foufoune, la première chose qu'on fait, c'est de la montrer au médecin, même si on va le voir pour une entorse ou un truc comme ça. Le médecin vous examine le pied et dit : « Pommade et bandage », puis il ajoute : « Puisque vous êtes ici, voulez-vous me montrer votre foufoune ? » Et la fille répond : « Oui, bien sûr, tant qu'à faire », et voilà. Ça se passe comme ça. Les filles ont l'habitude. Mais les bites, c'est différent. Personne ne montre jamais sa bite à un médecin. Citez-moi un seul homme qui fait ça. Alors que vous connaissez certainement des tas de filles qui se font examiner la foufoune. Les frottis et tous ces trucs, c'est presque une fois par semaine. Mais donnez-moi un seul type qui montre sa queue à un médecin. Impossible, non ? Il y a même des médecins qui s'occupent uniquement des foufounes : les gynécologues. En revanche, vous avez déjà entendu parler d'un médecin spécialisé dans les bites, vous ? Un bitologue ? Ça n'existe pas. Si un homme allait chez le médecin pour se faire examiner la queue, il se ferait foutre à la porte du cabinet. Qu'est-ce que vous me dites, espèce de pervers, vous voulez me montrer votre queue ? Infirmière, appelez la police ! Et j'inscris ça dans votre dossier médical. « À essayé de me montrer sa queue. » Et ça vous suivra partout, avec tous les médecins que vous verrez ensuite. « Essaie de montrer sa queue. Ne pas le mettre en présence de femmes et d'enfants. » Et si c'était une femme médecin, ça serait encore pire. Vous seriez arrêté pour exhibitionnisme. Elle hurlerait : « Au secours ! Rangez ça tout de suite ! » Et vous passeriez les dix années suivantes en prison, à vous mourir d'un cancer de la queue.

C'est mon gros problème. Je suis timide.

C'est dans ma tête que je suis en prison. Ce qui me stupéfie, c'est que j'ai plus peur de la honte que du reste. Je préférerais mourir plutôt que de montrer ma queue à un médecin. Incroyable, non ? Mais imaginez ce que serait ma vie sans queue. Je ne pourrais pas avoir d'amis, ils passeraient leur temps à m'observer. Vous voyez ce gars là-bas ? C'est celui qui n'a pas de queue. Je l'ai vu dans le vestiaire. C'est affreux. Même avec ma famille, ça serait insupportable. Ma mère en tomberait malade, mon père ne saurait pas quoi dire, je deviendrais un monstre.

Ça fait des années que ça m'inquiète plus ou moins. J'ai développé une technique pour éviter de toucher la région cancéreuse, j'ai essayé de ne pas y penser, je me suis convaincu que ce n'était rien. À certains moments, j'oublie. Mais de temps en temps, ça me revient, je me fais du souci et puis ça passe. Sauf que là, maintenant que je vais baiser, ça me zobsède.

« Par pitié, par pitié, faites que je n'aie pas un cancer de la queue. » Non, on dirait un miracle, ça ne marchera pas. Alors : « Faites que je ne m'inquiète plus pour cette veine débile. » Ou alors : « Faites que le cancer, si c'en est un, parte ». Ou alors : « Faites que ma veine rétrécisse. » Mais pour finir, le vœu dont j'ai le plus besoin, c'est : « Par pitié, faites que j'aie le courage d'aller voir un docteur pour un réel avis médical sur la question. »

Plutôt crever.

27

Dino

Et voilà, quand tout roule, ça ne dure jamais longtemps. La veille, zéro plus zéro, ça faisait la tête à Dino. Le lendemain, zéro plus zéro, ça ne faisait plus qu'un gros tas de merde. Pour commencer, mes parents. Pourtant, tout avait l'air de s'être arrangé. Tout semblait normal : les chaussettes étaient dans les tiroirs, le petit déjeuner sur la table. La routine, quoi. Par exemple, si je parlais mal à ma mère, mon père m'engueulait. Normal. Ils allaient boire des verres ensemble, s'embrassaient le soir, se souriaient, plaisantaient et se taquinaient, vous voyez le genre ?

Mais à bien y regarder, il s'était aussi passé des petits trucs. Une fois, je m'étais réveillé en pleine nuit, dans l'obscurité totale, à cause de sanglots hystériques sur le palier. C'était atroce. Je me suis dit : « Pauvre maman. » J'ai écouté un moment, et je me suis rendormi. Mais le pire, ça a été le lendemain matin quand Mat m'a glissé :

– Tu as entendu papa pleurer cette nuit ?

J'ai senti tous les poils de mon dos se hérisser. J'ignorais que j'avais des poils au milieu du dos, mais ils sont devenus tout raides.

– Papa ? Mais non, c'était maman, j'ai dit.

– Vraiment ? il m'a demandé, plein d'espoir.

– Mais oui.

Alors qu'en fait, il avait raison. C'était papa.

– Ouf, j'ai cru que c'était papa, il a dit, soulagé, ce petit con.

Parce que c'est déjà dur d'avoir sa mère qui sanglote comme une folle devant votre porte, mais si en plus il s'agit de votre père... qui pleure comme votre mère... Argh! Dès que j'ai compris, toute la tristesse de Mat m'est tombée dessus. J'étais tellement en colère que je lui ai flanqué un coup de pied, il s'est mis à hurler et maman est arrivée.

– Qu'est-ce qui se passe? elle a râlé.

– Il a ce qu'il mérite, ce petit salaud, j'ai dit, et j'ai décampé alors que tous les deux me hurlaient dessus.

Vous voyez le truc? Et puis papa descend prendre son petit déjeuner, tout bien habillé, comme un papa, il boit son thé et il plaisante, comme un papa, et puis il part travailler, comme un papa, comme si de rien n'était. Comme d'habitude. Le lendemain et le surlendemain, ils étaient normaux. Du coup moi aussi, je me sentais normal.

Bien sûr, ils ont choisi le plus mauvais samedi pour moi. C'est ça qui m'a vraiment énervé. Que tout arrive en même temps. Ils m'ont chopé après le petit déjeuner. Mat était au foot. Ils ont surgi devant moi comme deux flics et ils m'ont fait asseoir au salon.

– Tu sais que les choses ne sont pas faciles entre ton père et moi, a commencé maman.

« Ah ouais, j'ai pensé. Et c'est la faute à qui? »

– Et alors?

Elle a jeté un coup d'œil à papa, et il m'a annoncé:

– Nous avons donc décidé qu'il fallait que je prenne un peu de distance et que... j'aille vivre ailleurs. Un moment.

– Combien de temps? j'ai aussitôt demandé.

J'avais le cœur qui battait la chamade.

– Le temps qu'il faudra pour que les choses s'arrangent, elle a dit.

– Pas trop longtemps, j'espère, a ajouté papa en me faisant un petit sourire de crétin.

Et j'ai pensé : « Espèce de gros nul. » Pourquoi c'était lui qui partait ? Qui est-ce qui en baisait un autre dans le salon ?

J'ai lâché sans réfléchir :

– Pourquoi c'est toi qui pars ? C'est elle qui t'a trompé !

J'ai vu qu'elle me lançait un regard furieux. Mais c'était vrai, non ?

– Pourquoi c'est toi qui restes et lui qui part ? j'ai demandé à ma mère, et j'ai vu qu'il lui jetait un regard de détresse.

Elle lui a donné un coup de coude. Vous savez, comme pour dire : « On fait bloc. »

– C'est notre décision. Un peu de distance... le temps de réfléchir, d'assainir l'atmosphère, il a marmonné.

– Parce que c'est toi qui veux partir ?

– Bien sûr que non.

– Dans ce cas, je ne vois pas pourquoi il devrait partir, j'ai dit à maman.

J'étais vraiment en rogne. C'était trop injuste.

– C'est notre décision, elle a fait sèchement.

– C'est ta décision, j'ai rétorqué. Pourquoi c'est lui qui devrait partir ? C'est toi qui étais avec Dave Short...

– Dino !

– Ne parle pas comme ça à ta mère, a dit mon père.

– Mais c'est vrai ! C'est ça le problème, non ? Elle fricote avec un autre type, et c'est toi qui t'en vas ? Ce n'est pas juste. Et j'ai lancé à ma mère : Si tu veux prendre tes distances, tu n'as qu'à partir, pas l'obliger à s'en aller contre sa volonté !

– Dino, je dois partir, a dit papa.

– Dans ce cas, je pars avec toi.

– Impossible, a répliqué ma mère.

– Tu ne peux pas m'en empêcher, j'ai protesté.

– Dis-lui, elle a dit à papa, mais il a répondu :

– Nous n'avons pas discuté de ça.

– C'était inutile, nous savions que les enfants resteraient ici.

– Pourquoi c'est lui qui doit partir ? Pourquoi ce n'est pas toi ? C'est toi qui as… tout foutu en l'air, j'ai insisté.

– Dino, ton père travaille à plein temps…

– Pourquoi c'est toi qui récupérerais la maison, les enfants et tout le reste ?

– Parce que c'est ta mère qui s'occupe de tout, a dit papa. Elle fait tout ce que fait une maman.

– Et toi, tout ce que fait un papa.

– Oui mais…

Et le pauvre con l'a laissée m'expliquer pourquoi il était un pauvre con.

– Dino, la question n'est pas là, elle a dit. Nous te prévenons de ce qui va se passer, c'est tout. Nous avons discuté et nous avons pris la meilleure décision possible. Tu es assez grand pour comprendre. Ce genre de choses arrive, même si ce n'est pas facile. Notre relation… a besoin d'une pause…

– Et ma relation avec papa ? Et Mat ? Pourquoi ta relation avec lui est tellement plus importante que la nôtre ?

– C'est ce que nous avons décidé. Nous voulions te parler avant Mat parce que tu es plus grand et que

nous pensions que tu comprendrais plus facilement...

– Si c'est une pause, combien de temps elle va
durer ?

– Pas longtemps, a dit papa.

– On ne sait pas, a dit maman.

– Dans ce cas, mettons une limite dans le temps,
j'ai proposé.

– On ne peut pas mettre de limite à ce genre de
choses, a commencé maman, mais je l'ai coupée :

– Comme ça, on saura que ça ne va pas s'éterniser.
On saura où on en est. On pourra faire des projets,
j'ai ajouté, parce que c'est toujours ce que dit
maman : « Il faut faire des projets. » Sauf quand ils ne
lui conviennent pas, bien sûr.

Elle a jeté un coup d'œil à papa.

– Pourquoi pas ? il a lancé. On pourrait fixer le
délai à trois mois. C'est assez long pour que tu...
prennes tes distances. C'est ce que tu as dit.

Maman était folle de rage. Je l'avais bien eue.

– Six mois, elle a dit sèchement.

– Quatre, j'ai dit en même temps que papa.

Elle a pincé les lèvres, elle a acquiescé et j'ai pensé :
« C'est bien elle, ça. » Elle en baise un autre, puis elle
essaie de convaincre papa de quitter la maison. Et il
est assez bête pour accepter.

J'étais furieux contre papa, aussi. Se laisser foutre à
la porte comme ça. C'est quand même pathétique
d'être défendu contre sa femme par son fils, non ?
Mais j'étais quand même content d'avoir fixé une
limite. Si ça n'avait tenu qu'à lui, il serait parti en
acceptant tout.

– Vous voulez que ça se passe comme ça, mais je
ne suis pas d'accord, j'ai repris.

Je sentais les regards furieux de maman. Elle pensait : « Mais quelle importance que ça lui plaise ou non ? » J'ai déclaré :

– Je veux aller vivre avec papa.

Mon père a eu l'air vraiment content, et ma mère a eu l'air vraiment en colère.

– On peut en discuter, il a dit.

– Nous n'avons pas assez d'argent, a répondu maman. Tu n'aurais pas de place pour lui. Un appartement avec deux chambres, c'est impossible.

– Parce que tu me réserves quoi ? Une chambre meublée, c'est ça ?

Et comme elle gardait le silence, il a dit :

– Mais c'est vrai en plus ! Tu veux que j'aille vivre dans un trou à rat ! Et qu'est-ce que je vais manger dans mon taudis ? Du pain et de la margarine ?

– On n'en a pas parlé.

– Et qu'est-ce que tu en dis, alors ?

– Il n'y a aucune raison de... (elle s'est interrompue) ... de dépenser trop d'argent, elle a conclu en faisant la grimace.

– Aucune raison de dépenser trop d'argent ? Pour que tu ne te prives de rien, c'est ça ? Pour que les gosses n'aient pas à souffrir d'une paire de baskets neuves en moins ? Pour que...

– Arrête, Mike !

– Et maintenant, tu veux que je me taise ! il a continué.

Et elle a dit, et il a dit...

Je me suis levé et je suis parti.

C'était un putain de mauvais début de journée. Les abrutis. Ils auraient pu attendre que j'aille à la fac, ce n'était plus que dans un an. Ils faisaient tout ce cirque pour Mat, en fait. S'il n'y avait eu que moi, elle

213

serait partie, mais Mat devait garder sa maman. Elle a donc pris en compte ses besoins et ceux de Mat. Papa et moi, on n'avait qu'à suivre. Et pourquoi acceptait-il ? Parce qu'il était trop faible. Je ne voulais plus y penser. C'était la merde, mais j'avais ma vie. J'avais rendez-vous avec Siobhan.

28

La main dans le sac

Ils se retrouvèrent au centre commercial Arndale, le centre Arnaque, comme le surnommaient Siobhan et Violet. Dino se sentait nerveux. Il avait beaucoup entendu parler de Violet. Apparemment, Siobhan adorait cette amie.

Ils traînèrent un moment au pied des escalators, ce qui mit Dino mal à l'aise, déjà parce qu'il avait peur d'être vu en compagnie de Siobhan, ensuite parce qu'il avait peur d'être vu au pied des escalators tout court. C'étaient les pauvres qui erraient comme ça. Siobhan transportait un vieux sac en plastique contenant des livres et des vêtements. Ses parents lui donnaient de l'argent pour s'habiller, et elle en avait déjà dépensé une partie avant l'arrivée de Dino.

– Et les livres ? demanda-t-il.

– Oh, ils aiment bien que je lise. Ils aiment tellement ça que si je dépense tout l'argent des fringues pour des livres, ils me remboursent.

Dino y jeta un coup d'œil. Des ouvrages lourds et épais. Pour commencer, *Picasso, biographie visuelle*.

– Je ne savais pas que tu t'intéressais à l'art, dit-il.

– Je ne m'y intéresse pas. Mais comme c'est gratuit...

Dino retourna l'ouvrage.

– Trente-deux livres ! Eh bien, ils sont généreux tes parents !

– Les vétos gagnent bien leur vie, surtout quand ils font des trucs dangereux dans les zoos, expliqua-t-elle. Papa est allé y bosser l'autre jour. Il devait opérer un hippo des amygdales. Ce n'est pas simple, il faut mettre la tête dans la gueule de l'hippo, et s'il bâille, on peut y rester.

– On ne l'anesthésie pas d'abord ?

– Juste localement, les hippos ne supportent pas les anesthésies générales.

Dino attrapa un autre livre.

– *Stalingrad*. Tu lis ce genre de trucs !

– J'adore tout ce qui concerne la guerre. Hitler, ces choses-là. Tu vois ?

– Putain ! s'exclama Dino en roulant des yeux.

Il ne s'était pas rendu compte qu'elle était cultivée. Siobhan et Violet éclatèrent de rire.

– Espèce de crétin ! C'est un cadeau pour mon père ! C'est son anniversaire la semaine prochaine.

– Ah bon, fit Dino, essayant de rire lui aussi, mais d'un rire qui sonna creux.

Il plongea à nouveau la main dans le sac et en sortit un CD.

– C'est un cadeau.

– Pour qui ?

– Pour toi.

– Vraiment ? Ouah, merci, c'est vraiment gentil.

Dino se sentit coupable d'être venu, en fin de compte, uniquement pour la baiser. Il passa son bras autour de ses épaules, et elle se frotta contre lui de façon indécente pour un centre commercial.

– Qu'est-ce qu'on fait aujourd'hui ? lui chuchotat-il.

– Plus tard, répondit-elle en se dégageant. D'abord, on a des courses à faire.

Ils prirent l'escalator et entrèrent dans le grand magasin. Dino était consterné. Il espérait passer un bon moment, et voilà qu'il allait s'ennuyer à mourir.

– On doit vraiment faire ça maintenant ? Tu ne peux pas revenir plus tard ? Je croyais qu'on allait se promener, tenta-t-il, mais Violet lui lança un regard si noir qu'il poussa un soupir et se tut.

– Elle veut faire des courses, souffla-t-elle.

– On n'en a pas pour longtemps, le rassura Siobhan.

Les filles commencèrent à fouiner parmi les vêtements pendant que Dino essayait de se cacher. Il se sentait mal. Ça dura des heures. Violet et Siobhan papotaient, essayaient un truc, discutaient, demandaient à Dino ce qu'il en pensait, retournaient à la cabine, essayaient de nouveau. Dino n'en pouvait plus. Enfin, il crut que c'était fini. En tout cas, il l'espéra. Ils quittèrent le rayon des vêtements pour se diriger vers la parfumerie, où les filles lui expliquèrent ce qui se passait.

– Il y a un petit T-shirt génial, je le veux, mais il est trop cher.

– Combien ?

– Quatre-vingts livres.

– Putain ! fit Dino. Désolé.

Pourtant il eut l'impression, à leurs regards, qu'elles attendaient quelque chose de lui. Mais il ne pouvait rien faire à hauteur de quatre-vingts livres.

– On ne va pas l'acheter, tu vas le piquer.

– Quoi? Pas question! (Dino éclata de rire, mais les filles ne riaient pas.) C'est une blague?

Il recula, mais elles le suivirent pas à pas, des éclairs dans les yeux.

– Allez, c'est quoi ton problème?

– Fais pas ta mauviette.

– Je refuse de piquer.

– Pourquoi? T'as peur?

– Non. Si. C'est débile. Et si je me fais prendre?

– Tu ne te feras pas prendre. Tu n'as qu'à suivre exactement nos instructions.

– Puisque vous êtes si fortes pour piquer dans les magasins, allez-y!

– Bon... O.K. Mais je ne trouve pas ça sympa de ta part, fit remarquer Siobhan.

– Tu vas le faire?

– Bien sûr. Tu peux regarder si tu veux. Pour voir comment on fait.

– Euh...

– Peut-être qu'il vaut mieux qu'il attende dehors, suggéra Violet. Il n'a pas l'air très doué.

– Bon d'accord. Tiens, fit Siobhan en lui tendant le sac en plastique. Prends ça et rejoins-nous à la sortie. On te retrouve devant Marks & Spencer, d'accord?

– D'accord.

Soulagé, Dino prit le sac en plastique et s'éloigna à grands pas. Ces filles étaient vraiment dingues! Quand on piquait dans les magasins, tôt ou tard on se faisait prendre. Et imaginez l'humiliation: les menottes, la police, le procès, les parents! Tout mais pas ça!

Il se pressa parmi les rares clients. Ce n'était pas encore l'heure du déjeuner, et le magasin était presque désert. La parfumerie se trouvait à côté de l'entrée. Dino ne voulait surtout pas se trouver aux abords du magasin quand Siobhan et Violet franchiraient les portes, que l'alarme se déclencherait, et que les surveillants en civil se pointeraient.

Il passa les portes, et la sonnerie se déclencha. Il se figea sur place. Avaient-ils déjà compris qu'il était complice ? Il sentit qu'on l'attrapait par le bras.

– Excusez-moi, monsieur.

– ?

– Pourrais-je jeter un œil à votre sac, s'il vous plaît ?

La sécurité. Un gros type. Il prit le sac des mains de Dino, qui n'opposa aucune résistance. Un autre type s'approcha. Le premier inspecta le sac. Dino regarda autour de lui. Les deux types avaient reçu du renfort.

– Nous allons vous demander de rentrer dans le magasin, monsieur.

Aucune main ne le tenait, mais Dino se sentait quand même cerné. Le type de la sécurité s'écarta pour qu'il puisse revenir dans le magasin. Alors qu'il franchissait la porte, il entendit une voix — Siobhan, Violet ou les deux, il ne savait pas — crier : « Dino, tu es tellement mignon comme ça ! »

Il se rendit compte qu'il était tombé dans un piège.

– On m'a tendu un piège, annonça-t-il aux gars.

– C'est ce qu'ils disent tous, mon garçon.

Ensuite, l'humiliation sans fin. Escorté à travers tout le magasin. Regardez ! Un voleur ! Ils s'éloignèrent des portes, et les alarmes se turent. Il fut conduit au bureau du chef de la sécurité et fouillé. Les types sortirent un par un les articles du sac.

– Tu es raffiné, dis-moi, lança l'un d'eux en exhibant un soutien-gorge noir en dentelle. Et des porte-jarretelles. Mais t'es porté sur la chose, dis-moi !

Il y avait aussi une culotte fendue à l'entrejambe. Puis ce fut le CD. Et les livres.

– Picasso, Stalingrad. Cultivé, en plus ! À moins que ce soit pour ton père ?

– Ils ne sont pas volés, ils sont...

Mais il s'interrompit, parce qu'en fait, ils étaient volés, n'est-ce pas ? À coup sûr.

– Je crois qu'on ferait bien d'appeler la librairie ainsi que le magasin de lingerie.

L'humiliation d'attendre la police, les sous-vêtements exposés comme des parties intimes (les siennes) sur le bureau. Et puis les flics. Leur incrédulité moqueuse quand il leur raconta son histoire. Nouvelle inspection des sous-vêtements, le policier lui jetant des regards curieux, comme s'il voyait en Dino un vrai pervers.

– Ce genre de truc, c'est pour les vieux, mon gars.

L'humiliation encore quand ils appelèrent ses parents pour qu'ils viennent chercher leur brebis égarée. La longue attente dans la peur. L'arrivée dans la salle du commissariat de ses parents, pâles et inquiets comme s'ils avaient eux-mêmes commis un crime. Le retour en voiture, sous le choc, puis l'inévitable et abominable interrogatoire.

– Dino, est-ce à cause de ton père et de moi ? C'est ça ?

– Je te l'ai dit, je ne suis pas coupable.

– Dino...

– Je ne suis pas coupable !

– Je sais que tout ça est très stressant. Mais ce genre de choses... ça ne mène à rien.

– Je ne suis pas coupable !

– Ce n'est pas en niant que tu vas faire avancer les choses.

– Va te faire foutre !

– Dino !

– Comment oses-tu ?

– Écoutez, je suis désolé, mais je ne suis pas coupable ! Je ne suis pas triste à cause de papa et toi. Ou plutôt, bien sûr que je le suis, mais pour ce truc, je ne suis pas coupable, c'est clair ?

Long silence.

– D'accord, dit sa mère.

– Quoi ? s'exclama son père.

– Si Dino insiste, il faut le croire. C'est notre fils. Il est assez grand pour savoir différencier le bien du mal, assena sa mère.

– Non, il n'est pas assez grand, et on l'a pris la main dans le sac ! Il est triste ! Il est stressé ! Il est perturbé !

– Je ne suis pas perturbé !

– Pourtant c'est la première fois que tu fais une chose pareille.

– Nous devons lui faire confiance. Nous devons lui montrer que nous pouvons avoir confiance en lui, insista sa mère.

– Avoir confiance en lui ?

– Oui, avoir confiance en lui. Je sais, ce n'est pas ton fort, lança Kath.

– Quoi ? fit le père de Dino. Tu es sûre que ce n'est pas de toi que tu parles ?

– Ne sois pas ridicule !

– Je le suis ?

– Oui !

– Et dans ce cas, en quoi ne saurais-je pas faire confiance ?

Incrédule, Dino les écoutait se disputer. Il venait de subir la pire épreuve de sa vie, et ses parents ne s'intéressaient déjà plus à lui.

– Tu crois toujours que je fais allusion à mon cas ! Or, on ne parle pas de moi, ici ! On parle de Dino !

– Tu es prise la main dans le sac, mais tu veux qu'on te fasse confiance, il est pris la main dans le sac, mais tu veux qu'on lui fasse confiance. Il me semble qu'un peu d'honnêteté nous ferait du bien à tous !

– Pour l'amour du ciel, tout ce que je fais n'est pas lié à Dave Short et à moi !

– C'est bon ! hurla Dino en se levant. Je suis coupable ! Je le reconnais, d'accord ? Vous êtes contents maintenant ? Ça fait des mois que je pique dans les magasins ! Maintenant, foutez-moi la paix !

À sa grande horreur, Dino fondit en larmes et fila à l'étage, sa mère sur ses talons. Elle se heurta à la porte de sa chambre fermée, et ne parvint pas à le convaincre d'ouvrir. Puis elle retourna à la cuisine. Et peu après, les cris s'élevèrent dans la cage d'escalier.

Mais Siobhan n'en avait pas encore fini avec lui.

Une fois le choc passé, il voulut téléphoner à Jackie pour se faire plaindre, mais il se rendit compte que c'était impossible. Un autre cataclysme l'attendait. Qu'allait-il lui raconter ? « Jacks, je te trompais avec une fille qui a fait croire que je piquais dans les magasins. » Impossible. Il ne fallait surtout pas qu'elle le sache. Son seul espoir, c'était que cette affaire reste secrète. Déjà, son père et sa mère n'iraient pas s'en vanter. Et si on l'avait vu dans le magasin avec les types de la sécurité ? Dans ce cas, il était foutu. Mais peut-être que personne ne l'avait vu... Au moins, l'affaire ne passerait pas dans les journaux. Si Dino n'en parlait jamais, si son père et sa mère ne disaient rien... alors peut-être que personne ne saurait. C'était même probable. Il fallait juste serrer les fesses en attendant que ça passe.

Ce soir-là, il devait retrouver Jackie chez elle. Il faisait sans doute une drôle de tête, parce qu'elle ne cessa de lui demander s'il allait bien. Même si ce ne fut pas facile, il réussit à éviter le pire. Mais le dimanche matin, il y avait un petit mot pour lui sur le paillasson.

« Ça t'apprendra à me tromper, espèce de trou du cul. Et n'espère pas que Miss Jackie Atkins, 17 Canton Road, l'ignore longtemps. Va te faire foutre. Siobhan (ce n'est pas mon vrai nom). »

Dino eut l'impression que le ciel lui tombait sur la tête. Jackie, Jackie, Jackie. Par pitié, non, pas Jackie.

Il fonça dans sa chambre l'appeler avec son portable.

– Oh, salut Dino.

– Comment tu vas ?

– Bien. Mais toi, tu as l'air bizarre.

– Tu as regardé ton courrier aujourd'hui ?

– Mes mails ? Non, pourquoi ?

– Non, ton vrai courrier.

– On n'est pas dimanche ?

– Ah oui, c'est vrai !

L'espace d'un instant, il fut soulagé, puis il se dit qu'il avait pourtant reçu du courrier. Non timbré. Livré à domicile. Siobhan avait glissé le mot sous la porte. Un mot similaire pouvait à l'instant se trouver sur le paillasson de Jackie.

– Dino ? Tu vas bien ?

– Mouais.

Il y eut un silence. Il cherchait quelque chose à dire. Au moment où il allait lui demander quel travail elle avait à faire ce jour-là, elle le questionna :

– Et pourquoi devrais-je regarder mon courrier ? Tu m'as envoyé quelque chose ?

– Non, non !

– Une minute.

– N'y va pas, n'y va pas, j'ai un truc important à te dire !

– Dino, qu'est-ce qui se passe ?

À tous les coups, le mot était là, gisant sur son paillasson comme une merde de chien. Autant en prendre son parti...

– Je... je me suis fait choper en train de piquer dans un magasin hier.

– Piquer dans un magasin ? Toi ?

– J'ai été piégé.

– Par qui ?

– Une fille.

– Quelle fille ?

– Une fille. Que j'ai rencontrée à Arndale.

– Tu l'as rencontrée comme ça ?

– Euh, non, pas tout à fait...

– Et alors ? Pourquoi tu ne m'as rien dit hier ?

– J'ai été arrêté pour vol, mais je ne suis pas coupable. Qu'est-ce que je vais faire ?

– Mais qui est cette fille ?

– Ça n'a aucune importance, bafouilla-t-il.

Il essaya de rire, mais son rire sonnait faux. Il y eut un nouveau silence.

– Dino, explique-moi ce qui se passe.

Elle se moquait totalement de cette histoire de vol et du futur casier judiciaire de Dino. Tout ce qui intéressait Jackie, c'était la fille. Qui était-elle, pourquoi était-il avec elle, la connaissait-il ? Et puis...

– Une minute.

– NON ! hurla-t-il.

Trop tard. Il entendit ses pas dans l'escalier. Il y eut un long silence. « Non, non, non », psalmodiait Dino. Il n'entendit pas Jackie monter les marches, mais il reconnut un bruit de papier quand elle reprit le téléphone.

– Jackie, écoute, ce n'est pas ce que tu crois. Cette fille est une salope. Elle...

– Espèce de connard ! Tu m'a trompée ! Depuis le début ! C'est pour ça que tu étais si compréhensif ! Va te faire foutre, va te faire foutre, va te faire foutre !

– Jackie !

– Merde !

– Pourquoi tu crois ces conneries, Jackie ? Pourquoi tu la crois elle, et pas moi ?

– Va te faire foutre !

– Je t'en supplie, fais-moi confiance !

– Va te faire foutre !

– Toi aussi, va te faire foutre ! hurla-t-il tout à coup.

Il n'en pouvait plus. Tout le monde était contre lui. Il hurla :

– Allez vous faire foutre ! Allez tous vous faire foutre !

Mais elle avait déjà raccroché.

Il reposa le téléphone et le regarda fixement, cherchant le courage de la rappeler. Mais pour dire quoi ? La vérité à propos de Siobhan était aussi absurde qu'un mensonge. Même si cette histoire semblait incroyable, elle était scellée du sceau de la vérité. Tout se goupillait parfaitement. Il n'avait aucun moyen de se disculper.

Il resta assis près du téléphone dans l'espoir qu'il se passe quelque chose. Il était là depuis longtemps, presque immobile. Il était là depuis si longtemps que sa famille avait oublié sa présence. Sa mère entra, mais ne le vit pas. Elle s'arrêta dans l'embrasure sans se rendre compte qu'il la regardait. Il observa longuement son visage. Elle réfléchissait. Elle mit un doigt dans sa bouche puis mordilla la peau autour de l'ongle, les yeux dans le vague. Ce n'est pas souvent qu'on a l'occasion de regarder quelqu'un en train de réfléchir. Dino ne la reconnaissait presque pas. Que se passait-il donc ? Qu'allait-elle faire ? Qu'allait-elle changer ?

Puis elle le vit et fit un bond.

– Dino ! Qu'est-ce que tu fais là ?

– Je suis là, c'est tout.

– Tu vas bien ?

– Oui.

Et il partit.

29

Ben

– C'est un connard, a déclaré Sue.

– Oui, mais c'est aussi un pote, j'ai protesté.

– Tu ferais bien de mieux choisir tes potes.

Dino, je le connais depuis des années. Je ne l'ai pas choisi. Ça s'est passé comme ça, c'est tout. Et puis, Jonathon a dit qu'il ne fallait pas le laisser tomber, que s'il n'était pas entouré, il ne changerait jamais, etc.

– Il ne changera pas, a persiflé Sue. Pourquoi changerait-il ? Il a tout ce qu'il veut en se comportant comme un salaud.

Deux jours plus tôt, j'aurais été d'accord. D'habitude, Dino est en acier inoxydable. Même quand il fait des trucs idiots, il n'a pas l'air idiot. On n'arrive jamais à le charrier, non plus. Même Jon, qui est maître dans cet art, n'y arrive pas. C'est lui qui passe pour un idiot. Mais là, quelque chose avait changé. Dino semblait pathétique. Avant, il pouvait être pathétique tout en paraissant cool, mais sur ce coup-là, il avait l'air d'un connard, point final.

Personne ne savait exactement ce qui se passait. Des rumeurs couraient sur une fille, Siobhan, Violet ou Zoë. Dino prétendait qu'elle avait dix-sept ans, les autres disaient quatorze. Allez savoir. On ne peut pas faire confiance à Dino. Il l'aurait baisée à la fête ? Je n'y crois pas. Mais il y a aussi cette lettre que Jackie a reçue. Et cette histoire de vol. Dino, piquer dans un magasin ? Je ne peux pas l'imaginer faire un truc pareil. Et puis ses parents qui se séparent. Et tout le monde qui est au courant.

La plupart des filles refusent de lui adresser la parole. Jackie ne le regarde même pas. Elle a ses raisons, mais je ne comprends pas pourquoi les autres sont tellement remontées contre lui. Ce n'est pas le premier à tromper quelqu'un d'autre ! Mais ceux qui m'énervent vraiment, ce sont ses potes. Comme on dit, c'est dans les coups durs qu'on reconnaît ses amis. Et là, aux yeux de tous, Dino est devenu un branleur. Il a toujours été un branleur, tout le monde le savait, mais maintenant, on le dit.

C'est vrai que Dino est un branleur. Il faut être un peu branleur pour avoir l'air aussi cool. Pour lui, ça compte tellement d'être admiré. Tous les efforts qu'il a pu faire... Pour devenir, en une nuit, un crétin de base qui croule sous les ennuis en essayant envers et contre tout de faire bonne figure. Une semaine plus tôt, c'était le type le plus en vue du lycée et là, il n'a plus que Jon et moi. Les autres ? Envolés.

– Ça lui pendait au nez depuis longtemps, a fait Stu. Il se croyait le meilleur, hein ?

– Que de la frime, a lâché Snoops.

Fasil s'est jeté sur l'occasion pour lui donner une bonne leçon. «Tu ne sais pas te tenir», il n'arrêtait pas de lui répéter.

Même Jonathon s'est énervé. Mais pas devant lui, bien sûr.

– Quand les dieux veulent détruire un humain, ils lui offrent un ego gros comme un camion, il a déclaré.

J'ai eu une petite discussion avec lui à ce sujet.

– Il ne pouvait pas m'entendre, il s'est justifié.

– Et si quelqu'un le lui raconte ?

Il a eu l'air horrifié.

– Tu crois qu'ils feraient ça ?

– Tu le ferais, toi ?

Ça a fini par pénétrer son cerveau.

– Les salauds.

– Ce bon vieux Dino a besoin qu'on s'occupe de lui, j'ai dit.

Alors Jonathon et moi, on l'a pris en charge. On lui rend visite plusieurs fois par semaine, on le raccompagne chez lui, on lui tient compagnie au lycée quand il en a besoin, sinon on lui fout la paix. Si une fille ou un type veut lui tomber dessus, on accourt.

Nous sommes ses gardes du corps sentimentaux. Le pauvre Dino! Ça ne change pas grand-chose à sa situation, mais ça fait du bien d'avoir des potes. Il nous en est reconnaissant. Ça se voit: on lit en Dino comme dans un livre. Du coup, on a l'impression que... qu'il nous aime vraiment. Et vous savez quoi? Il est dans la merde jusqu'au cou, mais malgré tout, je l'envie. Parce que de mon côté non plus, ce n'est pas génial. C'est le bordel dans ma vie, et j'aimerais bien partager un peu mes soucis, moi aussi.

À propos de secrets... La parole, c'est la seule chose qui reste à Dino maintenant qu'il a tout perdu. Il nous raconte ce qu'il a fait, ce qu'elle a fait, ce qu'il ressent, ce qu'elle doit ressentir, le tout jusqu'à plus soif. Le plus souvent, ça tourne autour de lui, c'est vrai. Il raconte des tonnes de mensonges, j'en suis sûr. Il est gêné, il rougit tout le temps. Mais il parle. Moi, j'en suis incapable, Jonathon pareil. Cette histoire avec Deborah. Peut-être qu'il passe de bons moments avec elle. Mais pourquoi il a l'air d'avoir un tison dans le cul dès qu'on prononce son nom? Posez-lui la question, il part en courant.

Il s'est passé un truc très touchant avec Dino l'autre jour. Il était au fond du trou. Les ragots fusaient de toutes parts, on le traitait comme un paria. On racontait que la fille avait treize ans, qu'il l'avait presque violée à la fête, l'obligeant à coucher avec lui en échange d'un lit. C'était trois jours après que Jackie l'avait jeté, et elle refusait de lui adresser la parole. Mais il avait décidé qu'ils devaient se parler, et il essayait de la coincer. Elle est partie comme d'habitude, alors cette fois il l'a suivie, elle s'est retournée et lui a hurlé d'aller se faire foutre. C'était affreux. Devant tout le monde. J'ai cru qu'il allait fondre en larmes. Il a fait semblant d'encaisser, haussant les épaules ou un truc comme ça, mais il avait le visage gris cendre. Il ne pouvait même pas parler. J'ai voulu le consoler, en vain. Il est parti se réfugier aux chiottes.

Il avait vraiment une sale tête, alors après le déjeuner, Jon et moi on lui a dit qu'on l'emmenait. Il a failli nous frapper.

– Mais putain qu'est-ce que vous voulez ?

– Cool, on est tes potes.

– Des potes... Foutez-moi la paix.

– Dino, t'as besoin de boire un coup. On te paie un verre ou un truc comme ça. On est tes potes, tu te souviens ?

Il nous a décoché un regard rageur.

– T'en as besoin, mon gars, a dit Jonathon.

Il a fini par accepter et il nous a suivis.

Comme il n'avait pas envie d'aller au pub, on a erré sur Crab Lane et on a atterri chez moi. On s'est assis à la table de la cuisine, j'ai ouvert des bières... et il a lâché le morceau. Déjà, ses parents. Il y avait des rumeurs, sans doute à cause de Jackie, mais il ne nous en avait jamais parlé. Ça expliquait beaucoup de choses. Il nous a aussi raconté Siobhan, Jackie, la totale. C'était affreux. Et en plein milieu, il s'est mis à pleurer. De vraies larmes, avec de gros sanglots. Ça n'arrive pas souvent de voir un truc pareil. On s'est rapprochés. Il nous brisait le cœur.

– C'est le Déluge ou quoi ? a lancé Jon.

J'ai eu envie de le frapper car d'habitude, Dino ne supporte pas ce genre de réflexion, mais là, il a rigolé et il s'est mouché. Ouf. Ça a duré des heures, il racontait un pan de son histoire, puis il rougissait et pleurait à nouveau.

Il est rentré seul chez lui. On voulait le raccompagner, mais il n'en avait pas envie. Alors je suis resté avec Jonathon. On a échangé un regard.

– Qu'est-ce que tu dis de ça ? j'ai fait.

– Quel privilège... a répondu Jon.

C'était vrai.

On lui était tous les deux reconnaissants de cette confiance. Ce type qui faisait toujours son Mr Cool, son frimeur, se révélait touchant. S'il avait su... combien j'aurais aimé faire comme lui. Tout raconter, craquer, me débarrasser de cette merde. Au lieu de garder ce putain de secret.

Les secrets. A quoi bon ? Celui-là, je ne le supporte plus. Mais si je l'avouais, je la trahirais, non ? Elle insiste toujours là-dessus.

« Ben, quand je pense que tu n'en as jamais parlé à personne, que tu ne t'en es jamais vanté. C'est une attitude tellement mature. »

Qu'est-ce qu'il y a de mature à se couper des autres ? On ne fait rien d'illégal, j'ai plus de seize ans. J'ai juste envie d'un conseil. D'un conseil de Jon, de Dino, de quelqu'un. D'un ami. Mais elle prendrait ça pour de la haute trahison.

C'est bien ce qu'on fait avaler aux enfants, non ? « C'est notre secret, tu ne dois pas le dire sinon il t'arrivera des choses affreuses. » Elle me fait le même chantage, non ?

Les secrets, c'est dangereux. Ça vous bouffe. Au début, le « c'est juste un truc entre toi et moi », vous trouvez ça joli, et tout à coup, vous ne savez plus comment faire pour vous en dépêtrer.

Vous connaissez la dernière ? Elle m'aime. Qu'est-ce que vous dites de ça ? C'est fou ce que j'ai comme chance...

Après s'être offert une longue séance bien agréable, on somnolait et là, elle me dit :

– J'adore te faire l'amour, Ben.

J'ai trouvé ça bizarre comme expression, parce que pour moi, ce n'est pas faire l'amour, ce qu'on fait. C'est baiser. Il y a une différence, non ? Quand j'y pense, ces derniers temps on se faisait moins de baise torride et plus de séances tranquilles au lit. Ça m'allait bien, je préfère. Peut-être que c'était de ma faute, c'est moi qui l'avais suggéré. En tout cas, elle a fait une pause, puis elle m'a dit :

– Je t'aime, tu sais ?

Il y a eu un grand silence entre nous. Ou plus exactement, c'est moi qui suis devenu silencieux. Sans doute pour lui cacher à quel point j'étais choqué. Et à quel point j'avais peur. J'ai eu cette tentation idiote de lui répondre « moi aussi ». J'ai vraiment failli le dire, mais ça aurait été catastrophique parce que c'est archifaux. Ça aurait été par pure politesse. Vous croyez que ça arrive ? Qu'il y a des gens qui font semblant d'être amoureux toute leur vie, juste par politesse ?

Comme je ne disais rien, elle a fini par lancer :

– Tu as entendu ? J'ai dit, je t'aime.

J'ai rétorqué :

– Depuis quand il y a de l'amour là-dedans ?

Elle s'est assise avec un petit sourire au coin des lèvres.

– Ce n'est pas la réaction que j'espérais.

– C'est-à-dire ?

– J'espérais que tu sois flatté. Ou même heureux.

Et elle a croisé les bras d'un air furieux.

– Tu ne m'avais jamais dit que tu m'aimais.

– Eh bien, maintenant je te le dis. Ce n'est pas parce que je suis une prof et toi un élève que ça change la nature de mes sentiments.

– Ce n'est pas ça, c'est que... (Et là, j'ai pris mon courage à deux mains.) C'est que... je ne crois pas que je t'aime.

Elle m'a regardé comme si je l'avais giflée. J'ai cru qu'elle allait me frapper, mais elle s'est contentée de tourner la tête en se recroquevillant dans le lit.

– C'est un coup dur pour moi, elle a dit.

Il y a eu un mauvais silence. C'est horrible de faire mal à quelqu'un. Et je n'avais pas envie de lui faire mal. Je me suis rallongé.

– Ça n'aurait pas dû aller si loin, j'ai dit. Puis j'ai ajouté : Je crois que je vais y aller.

J'ai repoussé le drap et je me suis levé. Ali est restée couchée. Elle me tournait le dos.

– On ne choisit pas de tomber amoureux, Ben. J'espérais juste que ça te soit arrivé en même temps que moi.

– Je suis désolé, vraiment.

Je me suis habillé en pensant : « C'est allé trop loin. On va devoir arrêter. » C'était évident, surtout pour moi. Et vous savez quoi ? J'étais content. Mon cœur battait la chamade, mais j'étais content. C'était fini. J'allais enfin être libre.

– Tu n'es pas obligé de partir, tu sais, elle a dit en se tournant vers moi.

– Je crois qu'il vaut mieux.

Elle s'est retournée face au mur. Au moment où je franchissais la porte, elle a dit :

– À mardi, alors.

Je me suis arrêté net, horrifié. Mais je ne voulais pas la revoir le mardi suivant, moi ! Je n'ai rien dit. Déjà que je venais de lui faire mal, je n'allais pas en rajouter une couche !

– D'accord, j'ai lancé.

J'ai attendu quelques instants, et je suis parti. Je me sentais vraiment mal. Le lendemain, je ne l'ai pas vue au lycée, et le mardi, je l'ai à peine aperçue jusqu'à ce qu'elle surgisse dans un couloir.

– À tout à l'heure, elle a mimé avec sa bouche.

Elle avait l'air plutôt heureuse, ce que j'ai trouvé bizarre. N'était-elle pas censée avoir le cœur brisé ou un truc comme ça? Peut-être que j'étais trop romantique, en fait. Ça m'a soulagé, de la voir gaie. Je n'aime pas lui faire du mal. Je suis allé chez elle, et ça s'est bien passé. On a parlé à cœur ouvert. Elle m'a dit qu'elle comprenait. Qu'elle ne me mettrait pas la pression, que j'étais encore très jeune. Elle voulait quand même continuer à me voir. Le problème, c'est que j'y étais allé avec l'intention de dire: «Bon, on en reste là», et que je n'ai pas réussi. Pourtant, je me croyais quelqu'un de direct. Mais j'étais déjà très soulagé qu'elle ne m'en veuille pas.

– Je veux continuer à te voir, elle a dit.

– Même si je ne t'aime pas?

– Ça viendra. Un jour, tu comprendras.

Comme si c'était une leçon que je n'avais pas encore assimilée.

Elle a défroissé sa jupe.

– N'en parle à personne, d'accord? elle m'a demandé.

– Qu'est-ce que j'ai fait jusqu'à présent?

– J'ai confiance en toi.

Et elle m'a embrassé.

J'ai trouvé des conseils l'autre jour. Dans un endroit très inattendu. Ça me gêne tellement c'est bête. Voilà ce qui arrive quand on n'a personne à qui parler. Vous vous souvenez de ce qu'elle m'avait dit:

«On ne choisit pas de tomber amoureux»? Pour elle, c'est un truc qui arrive, comme un caillou qui tombe d'une falaise, un accident de voiture ou un coup de tonnerre. Eh bien, c'est faux. Elle raconte tout le temps des trucs comme ça. Comme la fois où elle s'est fait avorter. Pourquoi? Eh bien, elle ne voulait pas de cet enfant, son petit ami non plus, alors elle a avorté. Comme si elle n'avait jamais eu le choix.

– Si tu avais vraiment voulu, tu aurais pu avoir cet enfant, je lui avais dit à l'époque.

– Personne n'en voulait, c'est terrible de faire naître un enfant que personne ne désire.

C'est vrai, mais le problème n'était pas là. Le truc, c'est que si elle avait voulu, elle aurait pu garder cet enfant. Si elle avait voulu le vouloir... Vous comprenez? En fait, on a toujours le choix. Mais elle, elle fait du théâtre parce qu'elle aimait son prof de théâtre, elle est sortie avec moi parce que l'occasion s'est présentée... À croire que tout lui arrive sans qu'elle ne décide rien. Ce qui me semble bizarre, parce que selon moi, elle n'en fait qu'à sa tête. Essayez de la faire changer d'avis, vous verrez. Alors pourquoi elle se sent à ce point impuissante?

C'est là que mon histoire devient gênante. Je ne suis pas fier, mais c'est comme ça, alors je me jette à l'eau. J'étais en train d'acheter une carte d'anniversaire pour mon frère dans une grande carterie où ils vendent aussi des gadgets, des tasses, des trucs comme ça. Il y avait un coin avec des pancartes du genre: «Il ne faut pas forcément être fou pour travailler ici, mais ça aide» ou encore: «Ce n'est pas parce que vous êtes paranoïaque que les gens ne vous veulent pas du mal.» C'est souvent débile, mais il y en a quelques-unes d'intéressantes. J'imagine que ça coûte le même prix d'imprimer un truc intelligent qu'un truc débile, même si le marché est sans doute plus réduit. Bref, une pancarte disait :

L'amour, ça n'arrive pas par hasard.
C'est une décision à prendre.

Qu'est-ce que vous dites de ça ? Je n'en croyais pas mes yeux. Je ne pouvais plus partir. Ça paraissait tellement... que ça soit vrai ou pas, c'était exactement l'impression que j'avais par rapport à Miss.

«C'est comme ça», disait-elle. Pourtant, là, c'était écrit noir sur blanc. En fait, on a toujours notre mot à dire. Mais il était hors de question que je tombe amoureux d'elle. Ça m'aurait rendu malade. En fait, elle avait son mot à dire. Et elle avait décidé qu'elle voulait être amoureuse de moi. Pas consciemment. Mais elle l'avait décidé. Elle m'avait fait ce coup-là.

Peut-être que ça vous paraît évident, mais pour moi, c'était une révélation. Tout à coup, j'ai vu dans quelle situation je m'étais mis. Je n'avais pas compris que j'avais le droit de refuser.

Je vous avais prévenu. Je vous avais dit que c'était débile. Quand on n'a personne à qui parler, on prend conseil dans les carteries. Vous parlez d'une déchéance...

Mais c'était génial. Je suis rentré chez moi en me répétant : «L'amour est une décision à prendre.» Non, Miss Young. Non, Alison. Oh non, merci bien, mais non. C'était génial.

Elle ne m'avait jamais demandé si ça me plaisait. Jamais. Tous les endroits où on l'avait fait, la réserve, les coulisses, les classes vides. Pas une fois elle ne m'avait demandé mon avis.

«Non», j'ai répété.

Puis je me suis vu en train de lui dire ça, et vous savez quoi? Tout de suite, je me suis senti beaucoup moins convaincant.

30

Jonathon

C'est la veille du grand jour. Mr Zobut est en pleine forme, la tête tellement polie qu'il brille, le col de chemise négligemment ouvert.

«J'ai de la chance, j'ai de la chance», chantonnait-il en s'observant sous divers angles dans le miroir.

En tant qu'entraîneur personnel et kinésithérapeute de Mr Zobut, je lui fais de nombreux massages, je lui fais faire de l'exercice, aussi — non pour l'épuiser, bien sûr, juste pour le garder en forme, si j'ose dire.

Mais évidemment.

Ça a commencé à me faire mal. Peut-être que c'est la preuve ultime, peut-être que ça ne veut rien dire. Ça peut très bien être une douleur psychosomatique. J'ai passé des heures à examiner la région lésée pour voir si la douleur était réelle ou non, mais c'est très mauvais, ça. Vous saviez que le cancer est le stade terminal de la névrose? J'ai lu ça quelque part. Le corps et l'esprit ne font qu'un. Si vous vous sentez bien, alors vous êtes en pleine forme. Si vous êtes déprimé, vous attrapez des boutons, des grippes, des rhumes, tout ça. Et si vous vous inquiétez trop, ça finit par donner des maladies : crises cardiaques, ulcères — et cancer.

Vous voyez ? L'angoisse névrotique ciblée pendant si longtemps sur mon truc va le rendre cancéreux, même s'il ne l'était pas au départ ! C'est un cercle vicieux. Chaque minute que je passe à m'inquiéter me rapproche de la tumeur maligne.

J'ose à peine y penser. Quand ça m'envahit, j'essaie de me concentrer sur un truc positif, mais c'est dur. J'ai tenté la suggestion visuelle. Certains font ça : ils imaginent que la partie blessée est attaquée par des flèches, des missiles, ou des rayons d'énergie calmante. Mais ça ne marche pas. Ça ne marche pas parce que je suis névrosé, et qu'en tant que névrosé, mon attention est aussi apaisante qu'un baril de plutonium radioactif.

Vous voyez ? Je m'inquiète tout le temps, même quand j'essaie de ne pas y penser. Et j'imagine que mes inquiétudes des dernières semaines ont aggravé la situation. D'ici peu, la tumeur sera si grosse que je ne pourrai plus passer Mr Zobut par ma braguette. Et là, ça sera parti pour la bitamputation, la chimio… Et tous me diront : « Mais pourquoi n'as-tu rien dit ? Le cancer de la bite est un cancer aisément guérissable avec un diagnostic précoce. Tu l'aurais dit quelques semaines plus tôt, on t'aurait sauvé l'honneur, la queue et la vie. »

Je suis tellement inquiet que tout le reste n'a plus d'importance. Je me laisse porter par les événements. Deborah me demande tout le temps ce qui se passe, et je suis incapable de le lui avouer. En fait, j'envie Dino. Vous vous rendez compte, envier 007 ! Je suis vraiment tombé bien bas. En essayant de lui remonter le moral, je me disais : « Être pris en flagrant délit de vol? Cool. Imagine devoir te faire amputer de la queue, mec. Ça c'est une vraie souffrance. Tes parents qui se séparent? Une partie de rigolade. Tu as perdu ta copine? Pas marrant. Mais imagine que tu perds ta queue, et tu verras.»

Il a de la chance, lui. Au moins, ses problèmes sont réels. Sa copine l'a vraiment jeté, ses parents se séparent vraiment. Il a vraiment été pris en flagrant délit de vol. Alors que moi, tout est dans la tête. D'autant que je connais le remède, mais que je n'arrive pas à m'y résoudre. Je suis mort de honte. Pourtant, j'ai de la veine, c'est tout! Ça se voit, non? J'ai la plus grosse petite veine du monde...

Et cette pauvre Debs? Il va falloir que je la largue. C'est dégueulasse. Je pourrais essayer de lui raconter qu'en fait, je suis pédé ou un truc comme ça. Je suis prêt à tout pour ne plus y penser. Parce qu'en y pensant, j'augmente mes risques que ça devienne cancéreux. Peut-être même qu'elle va finir par me quitter. Je l'énerve vraiment, ces derniers temps. Juste au moment où je commençais à prendre plaisir à l'avoir comme petite amie! En fait, il faudrait que je la largue pour son bien. Parce que si le cancer est contagieux, elle risque de l'attraper au contact de mon sperme. Mon sperme doit être terriblement cancérigène! Et la bouche? Si elle attrape un cancer de la bouche, ça sera ma faute. Et si j'arrive à bander, ce sera un cancer du vagin. Vous comprenez? Je fais semblant d'écouter Dino, alors que ça ne m'intéresse pas du tout, ses histoires. Je cache à Debs qu'elle en est aux premiers stades du cancer. Parce que ça, pas de doute, elle m'a touché ces dernières semaines! En plus, je ne suis même pas inquiet pour elle. C'est pour moi que je suis inquiet!

Il ne risquait pas d'oublier le grand jour. Cette pensée le hanta toute la matinée jusqu'à ce que Deborah l'appelle à midi pour lui annoncer que la voie était libre.

Il n'avait pas perdu espoir. Mais c'était gênant de monter l'escalier, de se déshabiller et de rester côte à côte dans le grand lit en tremblant de froid. Il avait envie de la regarder nue, mais il n'osait pas. Mr Zobut était parti se cacher. Sous les couvertures, Jonathon l'embrassa et la serra contre lui en essayant de se rappeler ce dont il rêvait depuis si longtemps. Il avait envie de l'allonger, de la caresser, de la baiser et d'engloutir d'un coup ce magnifique plat de résistance. Mais rien à faire. Mr Zobut était dans le coma. Il pendouillait comme un bout de viande inutilisable, même pour en faire de la pâtée pour chien. Jonathon s'accrochait à ses seins comme un marin échoué. Au bout d'un moment, elle alla chercher un radiateur électrique pour qu'il se réchauffe et se détende. Puis elle lui massa le dos, et le ventre. Jonathon ne pensait qu'à son membre microscopique. Il avait envie de la contempler, mais dès qu'elle croisait son regard, il détournait la tête, gêné.

– Tu peux me regarder, tu sais, lui dit-elle, mais il n'avait qu'une envie, se cacher la tête entre les mains.

Ils finirent par renoncer. Deborah s'éclipsa dans la cuisine et remonta en peignoir avec du thé et des toasts. Jonathon eut l'impression que ces derniers étaient en carton dans sa bouche. Puis il s'excusa et partit alors qu'ils avaient prévu de passer la nuit ensemble.

– Ne t'inquiète pas, ce n'est pas la fin du monde, ça arrive à plein de garçons, ça va revenir, le réconforta-t-elle.

Jonathon fit un petit sourire forcé. Elle le raccompagna à la porte, gentille mais déçue qu'il ne reste pas. Il était incapable de lui parler de son problème.

31

Dégel

Dino passa les semaines post-désastre dans un brouillard de tristesse et d'incompréhension. Jusqu'à présent, il avait toujours eu de la chance. Ce genre de choses n'arrivait qu'aux autres, et même si ça lui arrivait à lui, ce n'était jamais grave. Il s'en sortait toujours par une pirouette. Mais cette fois-ci, il avait perdu dans la même journée sa copine, ses parents et l'estime de soi. Il avait le cœur brisé — à sa manière, il aimait vraiment Jackie —, il se sentait impuissant quant aux événements chez lui, et il avait l'impression d'avoir été le jouet de Siobhan. S'il parvenait à oublier un malheur, un autre venait aussitôt le piquer au vif. Mais le plus insupportable, c'était l'impression d'être un minable, un gosse mal dans sa peau qui ne fait que des conneries, qui n'arrive à rien. Affreux.

Il mit du temps à comprendre que tout était vraiment fini entre Jackie et lui. Il avait cru qu'elle reviendrait, comme toujours. Pendant deux jours, il cuva sa tristesse. Il trouvait quand même un peu gros qu'elle le largue après ce qu'il venait de subir. Mais puisqu'elle ne montrait pas le moindre signe de contrition, il voulut lui parler et se fit rembarrer comme un gros nul.

En revanche, Ben et Jon étaient tous les deux géniaux. Ce fut le seul point positif de cette période : il découvrit à quel point il avait de bons amis. Quand il leur demanda quelle attitude adopter face à Jackie, il s'entendit dire de laisser tomber. Ça le rendit furieux, il insista, alors ils lui suggérèrent du bout des lèvres d'implorer son pardon et de déclarer son amour à Jackie. Il la bombarda donc de mails, mais elle répondit dès le premier qu'elle détruirait les suivants, et ce fut tout. Il tenta de lui téléphoner. Elle ne décrochait pas son portable, et après deux réponses très sèches de sa mère chez elle, il renonça. Il n'avait plus le courage de subir une humiliation supplémentaire.

Il commença à s'y résoudre : elle ne voulait plus le voir. Et elle n'était pas la seule. Tout le lycée était contre lui. Il avait perdu son pouvoir magique. À croire qu'il était tout à coup devenu un paria. Même de parfaits étrangers avaient l'air de ne voir en lui qu'un connard. Dans les magasins, les vendeuses ne faisaient plus attention à lui. Il avait tellement l'habitude qu'elles lui sourient, rient, virevoltent et bavardent que c'en était devenu normal. Désormais, elles le servaient sans un sourire puis se tournaient vers le client suivant comme si Dino était quelqu'un de banal.

C'était vraiment la merde. Mais de tous ses problèmes, ce n'était pas l'affaire Jackie qui le touchait le plus. C'étaient ses parents. Leur couple était en réalité un géant endormi sous terre. Ce que Dino croyait être des collines, des vallées et des plaines n'étaient que le corps du géant. Lequel se réveillait peu à peu, et en remuant, détruisait toutes les petites maisons et les routes construites au fil des années. Dino n'avait plus de point de repère. Il avait toujours cru pouvoir se reposer sur ses parents comme sur la terre ferme, laquelle s'était mise à trembler.

Sa mère avait eu beau prétendre lui faire confiance, ni elle ni son père ne croyaient son histoire. Alors au bout de quelques jours, il se déclara coupable. C'était plus facile. Entre voleur et crétin, il préférait encore être voleur. Il espérait qu'après ça, ses parents repousseraient le départ de son père, voire y renonceraient, mais en rentrant du lycée quelques jours plus tard, il trouva sa mère plongée dans les annonces immobilières. Elle eut même le culot de lui demander de l'aide. Il sortit de la pièce comme une furie. Désormais, il ne supportait plus d'être en présence de l'un d'eux. Il en voulait à sa mère d'avoir fait exploser son univers, à son père de ne pas l'en empêcher et à lui-même d'être à ce point touché par leur histoire.

Ça ne pouvait pas continuer comme ça. Dès qu'ils entraient dans une pièce, Dino la quittait. Sa mère essaya de lui parler, mais il resta muré dans son silence. Elle finit par perdre patience et se mit à hurler, jetant des tasses contre le mur, tapant du poing sur la table. Dino était stupéfait : il n'avait jamais soupçonné que sa mère puisse avoir en elle autre chose que des sentiments de mère, même si ce triste coup d'œil par la fenêtre quelques semaines plus tôt avait mis à mal cette conviction. Par la suite, elle se confondit en excuses. Elle ignorait totalement avoir une telle violence en elle, encore moins être capable de l'exprimer. Il écouta froidement ses excuses et partit. Mais cet incident acheva de le convaincre qu'elle était irrécupérable.

Le mercredi suivant, Dino rentra de bonne heure, n'ayant pas cours en fin de journée, et trouva son père à la maison. Mike prépara pour son fils une tasse de thé et un sandwich, les posa sur la table et lui annonça : « Discutons un peu. »

Quelques années plus tôt, quand sa mère était en stage longue durée, son père lui faisait souvent des sandwichs. Il mettait plein de moutarde et de mayonnaise sur le jambon puis recouvrait le tout de laitue. Dino se souvint qu'il adorait ça.

– Miam ! fit-il.

– Si j'avais fait plus de sandwichs et moins travaillé, peut-être que c'est moi qui resterais, lança son père avec un sourire triste en croisant les bras sur la table.

– Discuter de quoi ? demanda Dino la bouche pleine.

– De plein de choses. De toi et moi. De ta mère et moi. De ta mère et toi…

– Tu te fais avoir, l'accusa Dino.

– Non, nous prenons les décisions ensemble. Mais j'ai décidé tout seul de ne pas travailler cet après-midi.

Même si Dino rêvait depuis longtemps d'une discussion comme celle-là, il était tout à coup très gêné. Il posa son sandwich.

– On en a pour longtemps ? J'ai du boulot à terminer, protesta-t-il.

– Je ne sais pas.

– Alors autant attaquer tout de suite.

Dino attrapa son sandwich pour ne pas rester les mains vides.

– Bon, pour commencer, comme tu le sais, je ne suis pas pour cette séparation.

– Alors pourquoi tu acceptes ?

– Parce que…

– Tu n'es pas obligé !

– Elle ne m'aime plus...

– Et toi, tu l'aimes ?

– Oui.

– Et tu ne trouves pas ça injuste ?

– Dino, tu veux bien m'écouter ?

Dino respira un grand coup.

– D'accord, dit-il, plus calme.

– Bon, ou en étais-je ? Notre mariage est fini, c'est aussi simple que ça. Elle ne m'aime plus, et je ne peux pas l'y obliger. Elle a le droit de vouloir divorcer. Mais je pense vraiment... (Il haussa la voix pour éviter que Dino l'interrompe.) ... que le moment est mal venu. Mal venu pour nous tous.

– Pour moi en particulier.

– Toi y compris, dit prudemment Mike. Je trouve qu'elle aurait dû attendre, qu'elle devrait nous donner une chance. Mais... (il faillit dire : « elle refuse ») ... elle ne s'en sent pas la force. Ce que je t'ai dit sur les sandwichs tout à l'heure, ce n'était pas seulement une plaisanterie. C'est surtout votre mère qui vous a élevés. Moi j'ai fait ma part, j'en ai fait beaucoup, même. Mais c'est elle la mère, et quand tout s'écroule, les mères restent et les pères s'en vont. Si je m'étais davantage occupé de vous, ce serait différent.

– J'espère bien, fit Dino.

– On pense d'abord aux enfants. Et c'est elle qui s'occupe de vous, conclut son père en haussant les épaules.

– Donc c'est toi qui te retrouves dans la merde.

– C'est moi qui me retrouve dans la merde, reconnut son père. Elle garde la maison, les enfants, une bonne partie de mon salaire, et je vais vivre dans un petit appartement.

– Ce n'est pas juste. C'est... pathétique. C'est faible.

– Peut-être. À moins que ce soit fort, au contraire. C'est peut-être injuste, mais les enfants passent en premier. (Son père haussa les épaules avec un sourire amer.) Je n'ai pas dit que ça me plaisait. Je n'ai pas dit que j'étais d'accord avec cette façon de faire. Mais je n'ai pas le choix.

Dino n'en croyait pas ses oreilles :

– Mais c'est dégueulasse ! Elle n'a pas le droit !

Mike haussa à nouveau les épaules :

– Ça, il faudra que tu le lui dises.

Dino se tut. Son père soupira.

– Comme elle est persuadée qu'il n'y a pas d'autre issue, elle veut tout régler tout de suite.

– Donc tu dois faire comme elle dit.

– Il n'y a guère d'autre choix.

– Tu pourrais refuser de partir.

– Dino, cela dure depuis trop longtemps. Depuis des années.

Mike se tut à nouveau. Déjà, il pensait que sa femme avait tort. En plus, il la trouvait salope. Elle aurait pu attendre un an. Mat n'avait que neuf ans, il lui restait des années à vivre à la maison, mais il était solide, il s'en sortirait. En revanche, Mike connaissait son aîné : Dino était bien plus vulnérable qu'il ne le paraissait. Puisque Kath clamait haut et fort qu'elle se mourait à petit feu depuis des années, elle n'en était plus à une année près.

« Vous les hommes ! Vous en voulez toujours davantage ! » s'était-elle exclamée.

– On va voir, reprit Mike. Peut-être que quand elle se retrouvera seule avec vous, elle se rendra compte qu'elle s'est trompée, je n'en sais rien. Mais vu la tournure des événements, quelqu'un doit partir, et ça ne sera pas elle. Tu peux venir avec moi si tu veux.

– Vraiment?

– Tu as dix-sept ans. Tu as le droit de choisir. Cela me ferait très plaisir. Mais ce n'est peut-être pas le mieux pour toi.

– Pourquoi?

– Si tu restes ici, cela implique moins de changement. Cependant, cela me ferait plaisir que tu viennes. Cela me donnerait du courage. Mais à ta place, je resterais ici.

Dino promit d'y réfléchir, mais sa décision était déjà prise. Il vivait dans une confortable et grande maison. Il n'irait nulle part.

Dino ne savait plus si son père était fort, faible ou stupide, mais au moins, il avait l'air de savoir ce qu'il faisait. Dino devrait accepter la situation, même si ça ne lui plaisait pas. Il allait rester avec sa mère, mais il avait la ferme intention de transformer sa vie en enfer. Au moins, les choses étaient plus claires.

Une semaine plus tard, un premier événement lui remonta le moral. À son réveil, sa mère agita depuis le bas de l'escalier une lettre avec un sourire jusqu'aux oreilles.

– Descends vite, dit-elle, tout excitée.

L'affaire du vol avait suivi son cours, malgré les tentatives de sa mère, qui était allée au magasin avec les bulletins scolaires de Dino, et leur avait expliqué ses problèmes familiaux. Le gérant avait été gentil, mais ferme. L'affaire ne dépendait plus de lui, la clémence ne pouvait venir que de la police. Kath avait insisté. À quoi bon poursuivre son fils pour une histoire stupide où il n'était peut-être même pas coupable, alors que tant de gens gagnaient leur vie en volant dans les boutiques? Le gérant ne trouvait-il pas bizarre que Dino ait tenté de sortir comme ça du magasin? Elle lui avait assuré que ça ne se reproduirait pas. Dino avait eu la peur de sa vie, et il avait beaucoup changé.

Le gérant l'avait écouté poliment, disant qu'il allait y réfléchir. Et juste au moment où elle avait perdu espoir… Il annonçait dans cette lettre qu'il était d'accord pour renoncer aux poursuites en échange d'un travail d'intérêt général.

Dino bondit et prit sa mère dans ses bras. Sauvé! Pas de procès, pas de casier judiciaire, pas de culottes exhibées au tribunal. Génial!

– Je croyais qu'ils avaient pour politique de ne jamais abandonner les poursuites, dit-il une fois calmé.

– En effet. Mais tu vois, tu es un bon garçon, et ça paie. Ils ont dû être sensibles à mes arguments.

Et un souci de moins… Sur le chemin du lycée, pour la première fois depuis des semaines, Dino se sentit en forme. Il avait eu une discussion avec son père, et il ne passerait pas en justice. La vie reprenait peu à peu ses droits.

32

La belle et la bête

Il fallait que Ben lui parle au lycée. C'était lâche, mais plus sûr. Il craignait vraiment qu'elle se transforme en tigresse, or la probabilité d'être dévoré tout cru devant mille cinq cents élèves était tout de même extrêmement réduite.

Néanmoins, ça n'allait pas être facile. Les adieux ne sont jamais faciles, et Ben était un tendre. Il lui fallait juste dix minutes en tête à tête avec elle, ça devrait suffire pour prononcer le mot « non ». Depuis des mois, ils s'arrangeaient — elle, surtout — pour se croiser chaque jour, mais Ali avait un tel instinct, c'en devenait de la télépathie : comme par hasard, le lundi matin, elle fut constamment occupée.

– Désolée, Ben, j'ai un problème avec les cinquièmes.

– Quand ça, alors ?

– Ne sois pas impatient. Je ne sais pas. Pas maintenant.

Le lundi passa. Le mardi, il devait la rejoindre chez elle après les cours. Pourtant, impossible de lui parler là-bas : autant vouloir voler un os à une hyène sur son propre territoire. Il devait la coincer au lycée.

Le mardi matin, il ne la vit pas. L'après-midi arriva. Il était de plus en plus inquiet. Des images d'hyène, de dragon, d'hydre, de monstre lui venaient à l'esprit à mesure que le soir approchait. Il était injuste, il le savait. Ali avait plein de qualités. Ils avaient passé des moments délicieux ensemble. Il fit une dernière tentative, lui proposant de le rejoindre dans une classe déserte, ce qu'elle adorait. C'était tout de même risqué : après les cours, il n'y avait plus personne dans le lycée. Elle serait furieuse, mais c'était toujours mieux que chez elle.

Il la coinça entre le cours de maths et une heure de perm, mais ne fut pas outre mesure surpris quand, avec son infaillible instinct, elle se débrouilla pour être occupée.

– Soucis avec les quatrièmes.

– Hier, c'était avec les cinquièmes.

– Je dois voir un parent d'élève. Je te retrouve chez moi. Voilà la clé, je serai peut-être en retard.

248

Elle lui mit un trousseau dans la main et fila. Ben observa les petits morceaux de métal dans sa paume.

«Non, non, non.»

Mais ce mot semblait avoir perdu son sens.

Après les cours, il erra dans les champs autour de chez Ali dans l'espoir de trouver une solution. Valait-il mieux arriver avant ou après elle? Devait-il partir et lui annoncer ça par téléphone? Lui laisser une lettre? Bonne idée! Mais c'était lâche. Et alors?

«Non», se dit Ben en essayant, tel un héros de jeu vidéo, de chasser les spectres, les démons et les dragons cachés dans les champs, derrière les maisons. Le Dragon Non contre la Bête Oui. Pourquoi ne triompherait-il pas?

«Donnez-moi du courage», murmura Ben tandis qu'un dragon à écailles vertes et ailes rouges ondulait au-dessus des immeubles. La bête déploya ses grandes ailes. Ben prit la direction de l'appartement.

Elle était déjà là.

– Où étais-tu passé? demanda-t-elle en ouvrant la porte dès qu'elle entendit la clé dans la serrure.

– … suis allé marcher un peu…

– Bon sang! Quelle journée! Moi qui espérais que tu aies préparé du thé… Les élèves qui perdent leurs dents. Les élèves qui partent voir leur famille trois mois au Pakistan en plein milieu des répétitions. Les élèves qui se foutent sur la gueule. Je hais les élèves!

Ben la regardait tristement.

– Mets la bouilloire en route, j'ai besoin d'une tasse de thé. Tu veux boire quelque chose? Il y a de la bière au frigo. Mon Dieu! Quelle affreuse journée! J'espère que tu vas bien, parce que la dernière chose dont j'ai besoin, c'est d'un souci supplémentaire!

Elle lui décocha un regard furtif et s'affala sur le canapé comme un énorme scarabée carnivore. Ben tituba jusqu'à la cuisine.

«Des offrandes à la bête», marmonna-t-il.

Le thé ne lui suffirait sans doute pas. Il lui faudrait de la chair fraîche. Un puceau, peut-être. Ça lui ferait un os à ronger pendant qu'il prendrait ses jambes à son cou.

– Et toi, comment tu vas? Tu as l'air un peu pâlot, se moqua-t-elle depuis sa tanière sur le canapé.

– Ça va, mentit Ben avec une grimace à l'idée qu'il était déjà aux antipodes de ses projets.

L'eau bouillait. Il mit les sachets de thé dans les tasses.

«Non, se répéta-t-il. Non. J'ai mon mot à dire.»

À cet instant s'éleva du salon un terrible rugissement. On aurait dit l'expression réunie de la souffrance, de la colère et du désir. Il n'avait jamais entendu ça. C'était digne d'un coléoptère découvrant tout à coup le langage et donnant voix aux besoins et appétits accumulés par son espèce en trois cents millions années. Ben poussa un cri, lâcha le thé et accourut. Alison s'étirait.

– Qu'est-ce qu'il y a? demanda-t-elle, étonnée de voir sa tête.

– Ce bruit...

– Quel bruit?

– Ce... bruit. Tu n'as pas entendu?

– Je m'étirais. Tu es un peu stressé, aujourd'hui, on dirait.

Ben l'observa quelques instants avec stupéfaction puis retourna dans la cuisine. Que se passait-il? Serait-il nerveux? Quel rapport entre sa nervosité et l'expression de cette souffrance primale? En soulevant les tasses, il remarqua que la surface du thé bougeait, comme si un dinosaure approchait. En fait, le dinosaure était son cœur qui battait la chamade. Il posa les tasses et fit trois fois le tour de la table. Puis il se dirigea vers le salon. Posa les tasses. Mit les mains dans ses poches et dit :

– Écoute...

– Tu veux bien aller me chercher une part de gâteau ?

– Une part de gâteau ?

– Oui, il y a du gâteau aux amandes dans la boîte en fer. Mon Dieu ! J'ai l'impression d'avoir passé une journée en enfer ! En enfer ! répéta-t-elle en le regardant essayer vainement de prendre la parole.

Ben retourna à la cuisine. De seconde en seconde, il se sentait plus faible. Il découpa deux parts de gâteau et les apporta au monstre tapi dans le salon.

– Miam ! J'ai faim. Assieds-toi, tu me rends nerveuse à rester debout comme ça, lâcha-t-elle.

Ben s'assit sur le canapé pour manger son gâteau. Comment lui annoncer ça la bouche pleine ? Manger : encore une erreur. Il attendit d'avoir fini sa part de gâteau.

– Mâche bien ! lui recommanda-t-elle.

Avec un éclat de rire. Elle adorait le traiter comme un enfant. Ben déglutit et se mit debout.

– Écoute, tu sais, j'ai réfléchi à nous deux, et...

Mais elle lui coupa la parole :

– Mon Dieu, quelle journée ! Ces gosses ont besoin d'un dompteur, pas d'un professeur ! J'aurais dû choisir un autre métier, même un chien n'a pas à subir ça ! Que JE ME SENS MAL...

Elle avait presque hurlé ces derniers mots parce que cette fois, Ben ne s'était pas interrompu, il avait continué à parler en haussant le ton :

– Je veux arrêter. Ça. Nous. Je pense qu'on devrait CESSER DE SE VOIR !

Mais elle fit comme si de rien n'était, comme s'il n'avait pas parlé.

– Ce gâteau est délicieux, j'adore le gâteau aux amandes. Tu vas voir ce que je vais te faire une fois rassasiée, ça n'était que l'entrée, le plat principal est encore à venir...

Il attendit qu'elle se taise. Était-elle devenue sourde? Elle reprit son souffle, et dans l'intermède, Ben déclara:

– Je ne veux plus te voir.

Il y eut un abominable silence. Cette fois, impossible de l'ignorer. Elle resta immobile. Ben recula d'un pas.

– Tu... quoi? fit-elle.

– J'ai dit...

– J'ai entendu! Elle prit une longue inspiration et annonça avec un calme relatif: C'est maintenant que tu me dis ça, après la journée que j'ai eue? Tu veux vraiment m'annoncer ça maintenant, putain?

Et tout à coup, elle lui jeta sa part de gâteau à la figure. Heureusement que c'était mou. Ben se dirigea vers la porte. Il avait réussi, enfin.

– Ben, ne me quitte pas, ne me quitte pas! supplia-t-elle, mais il était déjà parti.

Elle se leva d'un bond, faisant tomber son assiette, et lui courut après. Elle s'agrippa à ses vêtements alors qu'il essayait d'ouvrir la porte, et il la repoussa de toutes ses forces. Il craignait qu'elle lui fasse mal. Il s'arracha à son emprise et se précipita hors de l'appartement. Il eut juste le temps de voir une vieille femme qui remontait chez elle avec ses courses. Surprise, elle lâcha les sacs. Le lait se renversa et les poireaux roulèrent par terre. Ben fit un bond jusqu'à l'escalier et dévala les marches quatre à quatre. D'en haut, Alison lui cria:

– Il faut qu'on parle!

Mais il était déjà parti se réfugier comme un rat dans son terrier.

– Tu aurais au moins pu aider cette vieille dame à ramasser ses sacs ! l'entendit-il hurler alors qu'il ouvrait la porte de l'immeuble et s'enfuyait.

Les maisons, les gens et les voitures défilaient à la périphérie de son champ de vision. Il n'avait jamais couru aussi vite.

Une fois chez lui, il regretta son attitude. Il n'avait pas voulu se compliquer la vie, alors qu'il aurait d'abord dû penser à elle. Elle devait être si triste. À la réflexion, n'avait-elle pas les larmes aux yeux quand elle s'était jetée sur lui ? Il avait eu peur, mais peut-être voulait-elle juste discuter. Prendre ses jambes à son cou, ça n'avait pas été très malin.

Il se sentait trop énervé pour l'appeler ce jour-là. Il la verrait au lycée le lendemain et s'excuserait de son comportement.

Mais le lendemain, il ne la vit pas. Étrange. D'habitude, il la croisait toujours dans les couloirs. Le jeudi midi, il y avait une répétition pour le spectacle de fin d'année. Il donnait un coup de main à l'éclairage. Il se sentait coupable de ne pas l'avoir appelée, il craignait la confrontation, mais on leur annonça à la pause qu'elle était absente.

Ben sut aussitôt que c'était à cause de lui. Il était responsable. Qu'avait-elle ? Migraine, chagrin d'amour ou plus grave encore, il n'avait aucun moyen de le savoir. Les idées noires tourbillonnaient dans sa tête. La bête avait été massacrée dans son terrier. Sauf qu'Ali n'était pas une bête. C'était une personne, quelqu'un qui l'aimait et qu'il avait un jour vénéré. Or, il l'avait fait souffrir.

Il était trop terrorisé pour l'appeler le soir. Le lende-main, elle était toujours absente. Il se sentait terrible-ment lâche et faible. Il se promit de l'appeler le jour sui-vant, mais quand il rentra chez lui, il avait un message. Elle n'était plus en colère, on le percevait à sa voix. Elle était calme et triste. Désolée, aussi. Elle venait de passer une mauvaise journée, il lui avait vraiment annoncé ça au mauvais moment. Bien sûr, si tels étaient ses sentiments, il avait eu raison. Mais ne pouvait-elle pas le voir juste une fois? Elle n'avait pas envie que ça se termine comme ça, par une bagarre sur le paillasson. Sois gentil, que ça ne se termine pas comme ça entre nous.

Elle n'était ni en larmes ni menaçante, pourtant Ben eut à nouveau le cœur qui battait en faisant autant de bruit que des pas de dinosaure. Il observa d'un air soupçonneux le téléphone dans sa main. Il ne pouvait lui refuser ça. C'était la moindre des choses, même s'il était persuadé qu'il s'agissait d'un piège.

33

Ben

La porte était entrouverte. J'ai frappé et elle a répondu d'une petite voix: «Entre.» Elle était assise dans un fauteuil, les mains posées sur les accoudoirs, très pâle.

– Salut, j'ai dit.

Elle m'a répondu avec un petit sourire bizarre.

Elle n'avait pas l'air bien. Quelque chose clochait, sans que je sache quoi. Elle a baissé les yeux un instant, comme par réflexe, puis elle a tourné la tête. Alors moi aussi j'ai baissé les yeux. Le fauteuil était recouvert d'un tissu marron. Quand je me suis approché, elle a rejeté la tête en arrière comme si j'allais la frapper. Puis j'ai remarqué que les accoudoirs du fauteuil étaient tout rouges.

– Ça va ? j'ai demandé, et elle a fait une drôle de tête, comme si ça n'avait pas d'importance.

Je me suis approché et j'ai tâté le tissu. Il était humide. J'ai mis quelques instants pour comprendre d'où venait ce rouge. Puis j'ai vu. Ça venait de ses poignets.

Elle s'était ouvert les veines.

J'ai sans doute hurlé : « Mon Dieu ! », et je me suis jeté sur le téléphone. Elle m'a appelé, mais je n'avais qu'une idée en tête : faire venir les secours avant qu'elle se vide de son sang. Il y avait des gouttes par terre, et le téléphone était taché. J'étais en train de composer le numéro quand elle a surgi derrière moi pour couper la communication.

– Mais qu'est-ce que tu fais ? j'ai bafouillé.

– Je n'ai pas besoin d'une ambulance. Tu peux m'emmener.

– T'emmener ?

– Ça ira plus vite.

– Tu crois ?

– Oui. (Elle a secoué la tête. Elle riait presque.) Ne t'inquiète pas, Ben, je ne vais pas mourir.

– Comment tu le sais ? j'ai demandé, mais la réponse m'est venue à l'instant où je prononçais ces mots. Ce n'est pas la première fois ! je lui ai lancé d'un ton accusateur.

Elle ne m'en avait jamais parlé, mais j'avais vu les fines cicatrices blanches à ses poignets. Je suis resté planté avec le téléphone à la main, sans savoir quoi faire. J'aurais vraiment préféré appeler une ambulance et qu'on l'emmène loin de moi.

– Je n'ai pas mon permis, je lui ai fait remarquer.

– Tu fais de la conduite accompagnée. Je serai à côté de toi. (Elle s'est dirigée vers la porte.) Allez, ça ne sera pas long.

Elle a fait un signe de la main, puis une grimace. J'ai vu le sang couler goutte à goutte.

J'étais tellement paniqué que je savais plus ce que je faisais. J'étais paniqué à cause d'elle, de l'hôpital, de la police, de... parce que vous avez compris qui était responsable, non ? Moi, évidemment.

On a rejoint sa voiture et j'ai mis le contact. J'étais dans tous mes états. Mes mains tremblaient sur le volant.

– Pourquoi tu as fait ça ? je lui ai demandé.

– Parce que je suis bête.

Très calme, elle contemplait ses poignets sur ses genoux avec un air de petite fille sage. Elle les avait enveloppés dans des serviettes à carreaux bleus qui s'imbibaient peu à peu de sang. Au bout d'un moment, elle s'est mise à regarder par la vitre. Je freinais tout le temps, je calais puis j'accélérais trop vite. À chaque fois, elle se raidissait et faisait la grimace. Elle n'a pas dit un mot de tout le trajet.

À l'hôpital, on nous a fait attendre des heures. Une infirmière est venue l'examiner rapidement, mais n'a pas jugé son cas urgent. J'essayais de parler à Ali, mais elle secouait la tête en disant : « Non. » Au bout d'un long moment, ils l'ont emmenée et je me suis retrouvé seul.

«Je ne vais pas mourir», elle m'avait dit. À quoi bon s'ouvrir les veines si ce n'est pas pour mourir? J'espérais que quelqu'un comprenne la situation, parce que moi, j'étais vraiment paumé.

Je regardais les gens aller et venir. Il y avait plein d'accidents bizarres, et ça me donnait envie de rire. Un moment, la porte s'est brusquement ouverte et un gros et vieil Indien est entré en se tenant les couilles et en criant: «Infirmière! Infirmière! Au secours! Au secours!» Puis trois types plus jeunes, sans doute ses fils, sont arrivés et se sont mis à rôder dans la salle. Le pauvre type devait avoir atrocement mal, mais ça a été plus fort que moi, j'ai éclaté de rire. J'ai dû courir me cacher dehors et j'ai mis long-temps à me calmer. Puis un gosse est arrivé avec sa mère. Il avait les deux mains bandées. Elle était minuscule: il devait avoir huit ans mais il était presque aussi grand qu'elle. Ils avaient tous les deux une démarche chaloupée, on aurait dit deux pin-gouins. J'avais l'impression d'être shooté. Puis je me suis ennuyé. J'ai attendu plusieurs heures avant qu'on m'emmène la voir.

Elle était couchée dans un lit, les poignets bandés. Elle m'a fait un petit sourire.

– Salut, elle a dit.

– Tu vas bien?

Elle a hoché la tête et haussé les épaules.

– C'était vraiment idiot.

– Je ne voulais pas te faire du mal...

– Ce n'est pas ta faute. Tu ne pouvais pas savoir à quel point j'étais une grosse vache stupide, hein?

– Qu'est-ce que disent les médecins?

257

– Que la prochaine fois que je veux me tuer, j'ai intérêt à prendre des somnifères. Comme ça, j'aurai plus de chances de parvenir à mes fins.

– Ils ont dit ça?

– C'est très difficile de se suicider en se sectionnant les poignets, les artères sont trop profondes.

J'étais choqué. Comment pouvaient-ils raconter des choses pareilles? Ils auraient dû se montrer compréhensifs!

– Il faut aller se plaindre! j'ai protesté, mais elle a secoué la tête.

– Ils étaient furieux parce qu'ils avaient des accidents bien plus graves à gérer, elle a dit avec un petit sourire. Plus graves que des faux suicides comme le mien.

Ils nous ont apporté une tasse de thé, puis je l'ai raccompagnée chez elle.

À l'appartement, elle lui demanda de rester. Il téléphona à ses parents pour les prévenir qu'il passait la nuit chez un ami. Ils furent étonnés, mais ne firent pas d'histoires. Pour le dîner, il réchauffa une boîte de spaghettis puis ils se couchèrent de bonne heure. Elle s'allongea près de lui, et ils restèrent longtemps sans dormir. Puis elle voulut qu'il lui fasse l'amour... une dernière fois, tout doucement.

Il s'allongea sur elle et bougea lentement, sans à-coups. Elle enfouit sa tête dans son cou en produisant de petits couinements. La vue de ses poignets bandés gênait Ben. Au bout d'un moment, il se lassa et accéléra le rythme. Elle se mit à haleter.

– C'est trop fort? demanda-t-il.

– Non, vas-y.

Il continua jusqu'à ce que le lit grince sous eux, et il jouit en silence. Puis il s'écarta d'elle. Elle vint contre lui si gentiment qu'il se sentit coupable de sa violence. Elle se mit à pleurer sans un bruit.

– Je suis là, non ? souffla Ben.

Et il lui caressa la tête pendant qu'elle pleurait.

34

Le chant de l'homme sirène

Jackie ne s'en rendit pas tout de suite compte. Depuis des semaines, tout le lycée la soutenait. Dino était un vrai connard, Jackie son innocente victime. C'était clair. Sauf que le vent changeait peu à peu de direction.

Bien sûr, Dino avait mal agi. Mais Jackie n'était pas non plus toute blanche, n'est-ce pas ? Toutes ces promesses... Et puis, l'abandonner le soir de sa fête parce que quelqu'un avait vomi dans le lit ! Il aurait pu la larguer pour un truc comme ça ! En plus, il était vraiment dans une sale situation : cette histoire de vol à l'étalage, ses parents qui se séparaient... Et pour couronner le tout, Jackie qui le jetait. C'était dur. Il avait l'air désespéré.

Personne ne lui dit rien, mais Jackie s'aperçut qu'on n'acquiesçait plus comme avant à ses protestations quant à la culpabilité et à la méchanceté de Dino.

– N'oublie pas que tu es furieuse, lui souffla Sue quand elle vit un sourire d'espoir chez Dino alors qu'il regardait Jackie, environ un mois après leur rupture.

Jackie décocha à son ex-petit ami un regard qui aurait fendillé un mur en béton, et lui tourna le dos. Mais Sue, elle, vit la réaction de Dino. Et elle ne décela ni colère, ni mépris, ni arrogance. Il s'était passé quelque chose. Dino n'avait plus l'air insupportable. Il avait les yeux rouges, les lèvres tristes. Sue reconnut un cœur blessé. Dino souffrait. Elle en eut un pincement au cœur.

« Serait-ce de la pitié ? » pensa-t-elle, stupéfaite.

D'instinct, elle se plaça entre Dino et son amie, comme pour protéger Jackie du chant de cette sirène faite homme, pour contrer la douleur que diffusait Dino.

Sue ne s'en était jamais rendu compte, mais Dino était vulnérable.

« Jackie aussi, et c'est mon amie », se dit Sue en accompagnant Jackie qui s'éloignait du garçon tombé en disgrâce. Cela faisait des semaines que Dino était non seulement pathétique, mais triste. Qu'est-ce qui avait changé ? Sue ne put s'empêcher de regarder par-dessus son épaule ce visage en détresse. Il était tellement touchant ! Et il ne savait tellement pas le cacher ! Il essuya ses yeux humides du revers de la main. Rien de tout ça n'était du cinéma. Le regard de Jackie croisa celui de Sue.

– Qu'est-ce que tu regardes ? souffla Jackie.

– Je vérifie que ce connard ne nous suit pas, répondit aussitôt Sue.

Peu convaincue, Jackie regarda à son tour par-dessus son épaule. Sue voulut lui faire accélérer le pas, mais trop tard.

– Qu'est-ce qui se passait ? demanda Jackie quand elles furent un peu plus loin.

– Rien !

– Il pleurait, non ?

– T'as vu ça ?

– C'est ce qui m'a semblé. Il pleurait vraiment ?

– Des larmes sans signification, affirma Sue.

– N'empêche que tu t'es arrêtée.

– J'étais surprise.

– Il pleurait. À cause de moi, dit Jackie en lançant un regard appuyé en direction de Dino.

– Arrête ! Souviens-toi, il ne te mérite pas.

Mais Jackie ne put chasser l'idée que ces larmes lui étaient destinées. Elle n'avait qu'une envie, le prendre dans ses bras, le réconforter, lui dire qu'elle comprenait, que tout allait s'arranger. Dino souffrait. À cause d'elle.

Le problème, c'est que ces dernières semaines, elle avait renoué avec une vie oubliée. Elle avait redécouvert tout ce qu'on a tendance à laisser tomber quand on est en couple : sortir avec des amies, aller danser, bavarder jusqu'à plus soif. Elle avait repris l'escrime. Dino ne manquait guère à Jackie, pourtant sa peine lui était allée droit au cœur. Le chant de la sirène retentissait à ses oreilles : « J'ai besoin de toi, j'ai besoin de toi, il n'y a que toi. » Irrésistible.

Certes, elle n'avait pas envie de le voir. Mais peu à peu, il occupa son esprit. Dans la journée, elle se surprit à lui expliquer mentalement la raison de leur séparation. La nuit, elle rêvait qu'il lui parlait, lui faisait l'amour, qu'il se promenait ou dansait avec elle. Qu'il était là pour elle. Dans un autre rêve, elle prenait le thé pendant qu'on dépeçait Dino avec un couteau de boucher dans la pièce voisine. Personne ne disait rien, alors que tout le monde savait. Elle voyait les regards que les gens s'échangeaient. Dino souffrait en silence. Seule Jackie pouvait le sauver. Il lui suffisait de poser sa tasse et de se lever, mais elle était incapable de quitter sa chaise.

Sue était exaspérée, mais guère surprise. Cette histoire n'avait de toute façon pas de sens. Jackie n'était même pas réellement triste. Sue était bien plus triste que ça plusieurs fois par an, même pour des garçons qu'elle quittait uniquement par lassitude. Mais à chaque fois, ça l'anéantissait. Et c'était encore pire quand elle se faisait larguer. En revanche, l'obsession de Jackie pour un garçon qui ne lui apportait rien de bon, pour un garçon qu'elle ne semblait même pas vraiment aimer dépassait l'entendement. L'important, c'était de s'amuser, non? Et peut-être un jour de tomber amoureuse. Or, dans ce cas précis, ce n'était ni l'un ni l'autre.

Elle tenta d'aider son amie, mais en eut vite assez. En quelques jours, Dino était passé de paria à pitoyable à très séduisant. D'accord, peut-être que c'était un branleur, mais — même si personne ne le disait — Jackie aussi.

En d'autres termes, ils se méritaient l'un l'autre.

«Elle a changé», fit d'ailleurs remarquer Deborah.

Sue n'était pas très patiente. Or, cette histoire commençait à bien faire. De toute évidence, Jackie devait vivre l'expérience Dino jusqu'au bout. La science médicale ne pouvant rien pour elle, la seule issue consistait à ce qu'elle souffre. Tant qu'à être obsédée par Dino, autant que ce soit avec lui. Sue changea de cap.

– Tu devrais aller lui parler, dit-elle un jour, excédée d'aborder une fois de plus le sujet.

– Lui parler? Tu le penses vraiment?

– Tout à fait.

– C'est nouveau! Qu'est-ce qui t'a fait changer d'avis?

«La lassitude!» hurla Sue en silence. Mais elle répondit:

— Je crois que tu n'en as pas fini avec lui.

— Pas fini avec lui? (Jackie rougit d'excitation et lâcha même un soupir de plaisir.) Tu crois ça?

— Oui. Tu as besoin de lui parler, il a besoin de te parler. Vous avez besoin de vous parler, lui martela Sue en hochant vigoureusement la tête.

— Vraiment? Je crois que tu as raison.

Les yeux de Jackie pétillaient. Sue était stupéfaite que son amie ne voit pas l'ironie de ce conseil. Elle avait l'impression d'avoir enclenché un appareil ménager: il suffisait d'appuyer sur un bouton, et ça démarrait.

— C'est évident, insista-t-elle.

— Tu veux bien lui parler pour moi?

— Ah non, trouve-toi quelqu'un d'autre.

— D'accord. J'espère que Deborah acceptera, fit Jackie, pas du tout gênée. À tous les coups, il va croire que je veux ressortir avec lui. Il va tomber des nues, non?

— Ça c'est sûr, conclut Sue.

35

Un plus un, ça ne fait pas toujours deux

Ben allait lui rendre visite chaque soir. Ali était assise dans son fauteuil, le regard fixe, comme si elle n'avait plus la force d'accommoder. Ben se sentait pris au piège. Il était persuadé qu'elle l'avait fait exprès. Mais que ce soit un acte volontaire, un accident, la volonté de Dieu ou sans raison, au final, ça ne changeait rien. Elle était parvenue à ses fins. Il était son prisonnier. La simple idée de la quitter le faisait frémir de culpabilité. Elle lui avait jeté un sort, elle l'avait attrapé dans ses rets. Il n'irait nulle part.

Au milieu de la semaine, la rumeur se propagea au lycée. Miss Young était déprimée, elle avait un chagrin d'amour, tentative de suicide, médicaments, poignets sectionnés. Les ragots allaient bon train. Ben craignait d'être soupçonné. Il était sûr qu'on allait rapidement remonter la piste jusqu'à lui.

– Je ne savais pas, dirait-il au principal. Je ne me suis rendu compte de rien, comment aurais-je su?

– Ce n'est pas une mince affaire. Vous avez abusé d'elle. Vous l'avez quasiment agressée, heureusement que vous ne teniez pas le couteau, sinon ça aurait été un homicide volontaire. Cette jeune femme est vulnérable et profondément amoureuse de vous. Vous vous êtes joué de ses sentiments, monsieur!

Quand Ben arrivait, Ali l'attrapait par le bras, le faisait asseoir à côté d'elle et embrasser son visage impassible. Il lui préparait du thé, des sandwichs, lui tendait des mouchoirs. Elle voulait toujours qu'il lui fasse l'amour. Quand il partait, elle s'accrochait à lui et enfouissait son visage dans son cou. Il n'était plus question de séparation.

Elle avait expliqué au lycée qu'elle faisait une dépression et à ses amis qu'elle avait pété les plombs à cause d'une rupture amoureuse. Au cours des derniers mois, elle leur avait effectivement parlé d'une histoire compliquée, une aventure avec un homme n'habitant pas la même ville, qui faisait de nombreux kilomètres pour venir la voir, un homme marié à qui elle ne pouvait jamais rendre visite. Elle prenait un air éploré, pourtant tous furent surpris de la voir à ce point affectée : elle n'avait jamais laissé entendre qu'elle était amoureuse. Ses amis venaient les uns après les autres consoler la femme au cœur brisé. Ben vivait dans la peur d'être démasqué.

Ils téléphonaient souvent quand Ben était là, parfois même sonnaient à la porte. Ali avait un interphone. Elle répondait aux coups de sonnette, mais jusqu'à présent n'avait jamais laissé entrer personne. Combien de temps cela durerait-il ? Elle était folle, non ? Ben la suppliait de ne pas répondre, mais dans ce cas, elle faisait un esclandre. Aurait-il honte d'elle ? (Réponse : oui.) Aurait-il quelque chose à cacher ? (Réponse : oui.) Était-il égoïste au point d'être plus inquiet pour lui que pour elle ? (Réponse : oui.) Quelle importance qu'on le voie chez elle ? Cette idée avait même l'air de plaire à Ali. Alors il se taisait et vivait un cauchemar chaque fois que le téléphone ou la sonnette retentissait.

Vers la fin de la semaine, elle reprit du poil de la bête. Elle commença à parler et à rire, à faire des blagues, un peu de cuisine, de petites surprises. Le week-end suivant, elle eut envie de sortir au pub ou au restaurant. En amoureux.

– On n'a jamais fait ça, on n'est jamais sortis en amoureux, protesta Ben avec un sourire, même s'il tremblait intérieurement.

Et s'ils étaient vus ensemble ! Quelle horreur ! Mais c'était exactement ce qu'elle recherchait. Qu'est-ce que ça signifierait ? Qu'ils sortaient ensemble, bien sûr. Elle voulait que ça se sache.

Le vendredi soir, ils allèrent dîner et boire quelques verres dans un pub à l'écart du centre ville, puis ils rentrèrent chez elle. Il avait l'impression d'être son animal domestique. Ils n'avaient rencontré personne, mais il s'était senti très mal à l'aise. Plus tard dans la soirée, il le lui avoua, et elle se mit en colère.

– C'est quoi ton problème, Ben ?

– Si ça se sait, tu perds ton boulot, non ? lui demanda-t-il stupidement.

Ali haussa les épaules.

– De toute façon, j'en ai marre de ce boulot. Je ne suis pas faite pour l'enseignement. J'ai envie d'arrêter. Dès que je m'en sentirai capable, j'irai faire un bilan de compétences.

– Quand ça ?

– Pas d'urgence. Je suis en arrêt maladie, non ? La semaine prochaine, peut-être.

Un bilan de compétences ? La semaine suivante ? Ben ne dit rien, mais son cerveau était en ébullition. Si elle changeait de boulot, quelle raison pourrait-il invoquer pour cesser de la voir ? Mis à part qu'il ne l'aimait pas et qu'il avait des envies de meurtre à son égard, ce qu'il n'admettrait jamais. Elle préparait le terrain pour leur couple. Sauf qu'il n'était pas amoureux. Mais quelle importance ? Pour elle, ça ne changeait rien. De toute façon, il ne savait plus trop ce que ça signifiait, « être amoureux ».

Ben comprit qu'il était cuit. Il était démuni. Il ne savait ni à qui demander conseil, ni comment réagir. En revanche, il savait une chose : il était dans la merde. Il ne lui restait plus qu'à faire avec, comme quand on doit élever un enfant atteint de la lèpre, ou s'occuper de son mari en fauteuil roulant.

« Non », le mot magique, n'avait aucune efficacité contre cette sorcière. Il s'était complètement vidé de son sens. Mais pendant le week-end, une idée vint à Ben. Sans doute vaine, mais allez savoir.

Avouer son problème.

Dino l'avait vraiment impressionné en se confiant. Ben ne savait pas dans quelle mesure ça avait pu l'aider. Après tout, Jon et lui ne pouvaient rien changer à son histoire de vol à l'étalage, ses parents, Jackie ou Siobhan/Zoë... Pourtant, Ben eut l'impression que le fait de se confier avait soulagé Dino. Jon ou lui, voire les deux, allaient lui rendre visite au moins trois soirs par semaine. Ils sortaient ensemble le week-end. Comme d'habitude, même dans la merde, Dino avait de la chance. Il lui restait des amis, des gens qui l'aimaient et s'occupaient de lui. Alors pourquoi Ben n'aurait-il pas la même chance ? Lui, il était tout seul : il n'avait ni conseils, ni aide, ni compassion, rien. Ali avait exigé son silence, et ce silence le plombait. Mais peut-être avait-il le droit de parler, après tout.

Mais à qui se confier ? À son père ? À sa mère ? Impossible ! À un adulte du lycée ? Non. Des professionnels ? Un médecin ? Le centre d'aide sociale ? Non. En tout cas, pas pour le moment. Il lui fallait juste une oreille compatissante, autrement dit, Jonathon ou Dino. Mais quels amis ! Dino était vraiment dans la merde. Jon était plus ou moins tout le temps dans la merde, mais il avait ses bons côtés. Son point de vue était intéressant même si, souvent, il ne voyait pas la différence entre un bon point de vue et un bon jeu de mots. Jonathon était une grande gueule, mais il était capable de garder des secrets si nécessaire, et cette fois, c'était plus que nécessaire. Il pouvait faire des blagues cruelles, pourtant il était plus sensible que la plupart des gens.

Quant à Dino, il avait beau aller un peu mieux, il avait trop de problèmes pour s'intéresser à ceux des autres. Ben décida de le laisser en dehors de tout ça. Pour l'instant, on ne devait rien lui demander. Il pourrait toujours lui en parler plus tard. Même si quelque chose le gênait : il avait toujours été plus proche de Dino que de Jon... Mais les choses avaient récemment évolué. Il annonça à Jon qu'il voulait le voir après les cours. Jon eut l'air terrifié.

– Qu'est-ce que j'ai fait ?

– Rien.

– Ah bon ! Je croyais avoir dit quelque chose d'idiot à Dino.

– Non.

– Qu'est-ce qu'il y a, alors ?

– J'ai envie de te parler, c'est tout.

– Mais pourquoi ?

– Peu importe pourquoi !

– Comment tu peux me parler si tu ne veux pas me dire pourquoi ?

– Jonathon, c'est sérieux.

– C'est ?... Oh je vois. Désolé. C'est pour un... conseil ?

– Non ! Ou plutôt, je n'en sais rien. Peut-être.

– Je ne sais pas pourquoi tu m'as choisi, je ne suis pas très fort pour ça, tu sais...

– C'est pas grave.

– Bon... d'accord. Allez, ne fais pas la tête, je ne veux pas rater ça !

C'était mal parti. Ils allèrent chez Ben, et il cracha le morceau. Il raconta tout à Jonathon — une bonne partie, en tout cas. Un moment, Jonathon bondit.

– Alors, l'autre soir, c'était vrai ? Elle t'a vraiment taillé une pipe pendant que tu lui matais la foufoune ?

Ben rougit.

– Aucune importance.

– Mais tu l'as fait, non ? Espèce de veinard, de super archi putain de veinard !

Ben sourit malgré lui.

– Peut-être, mais maintenant, je le paie cher.

– Ça vaut tout l'or du monde, ça, bordel !

Un instant, Ben le crut. Jon faisait les cent pas.

– Putain de merde ! s'exclamait-il. Putain, putain, mais raconte ! Miss Young ! Espèce de putain de veinard ! C'est vrai de vrai ?

– C'est vrai, confirma Ben.

Il savoura malgré lui cet instant de gloire. Jonathon lui jeta tout à coup un regard soupçonneux.

– Pourquoi tu me racontes ça ?

Ben leva les yeux au ciel.

– Parce que… tu vas voir, je n'en suis qu'à la moitié.

À la fin du récit, Jon était horrifié.

– C'est horrible ! Quelle salope ! Quelle grosse salope de grosse vache !

– Non, ce n'est pas une salope…

– Si, c'est une salope !

Jon faisait à nouveau les cent pas, cette fois furieux.

– Ben, ce n'est pas à elle qu'elle a fait ça, c'est à toi.

– Qu'elle a fait quoi ?

– S'ouvrir les veines, mec !

– C'était une tentative de suicide… protesta Ben, mais Jonathon l'interrompit :

– Mais non, c'était une fausse tentative. Elle a juste… essayé. Elle ne voulait pas se tuer. C'était un appel au secours. Pour qu'on s'intéresse à elle.

Ben le savait. Dès que Jonathon prononça ces mots, il se rendit compte qu'il l'avait toujours su. Il avait essayé de s'en convaincre, mais ça lui paraissait une mauvaise excuse. En revanche, dans la bouche de Jon, ça paraissait vrai.

– Putain! Putain de merde! lança Jonathon, tout excité. Elle ne voulait pas vraiment se tuer! C'était un prétexte. Pour t'obliger à rester. Incroyable... Elle qui paraît toujours si tranquille... Putain, c'est dur à croire. Ça me fout des vertiges rien que d'y penser. Putain! Dire que j'aurais tout donné pour faire ça avec elle. Quelle salope! La plus grande salope de tous les temps! Elle est cinglée! S'ouvrir les poignets juste pour que tu reviennes! Elle te veut à n'importe quel prix. Non, en fait elle veut de la compagnie à n'importe quel prix. Incroyable, mec!

À la fois ébahi, jaloux et choqué, Jonathon parlait à toute vitesse. Ben essaya de retirer quelques conseils de ce flot de paroles.

– Tu es pieds et poings liés avec elle.

– Ouaip.

– Depuis le début, tu es pieds et poings liés, insista Jonathon.

– Depuis le début, reconnut Ben.

Malgré son trouble, il se souvint d'une chose. Il n'avait jamais réussi à lui refuser quoi que ce soit en matière de sexe. Et elle ne lui avait jamais demandé son avis.

– J'ai réussi à éviter les faux cours de rattrapage en maths du jeudi, se glorifia Ben.

– C'est dingue, dire qu'elle a l'air si normal... Alors qu'elle est complètement ravagée! On dirait une tigresse. C'est vraiment une tigresse, non? Putain, mon pauvre. Qu'est-ce que tu vas faire?

Ben secoua la tête en essayant de ne pas fondre en larmes. Jonathon ne savait pas s'il devait passer un bras autour de ses épaules. Il s'assit près de lui et lui mit la main dans le dos.

– C'est un monstre, dit-il.

– Je suis foutu, non ? demanda Ben.

– Mais non, ce n'est pas si abominable. Elle n'a pas vraiment voulu se suicider, c'était un piège. Un piège dégueulasse. Le truc, c'est jusqu'où ira-t-elle pour te garder ? S'ouvrir les veines, c'est quand même assez spectaculaire, non ? Mais tu dois la quitter. Maintenant qu'elle va mieux, annonce-lui que tu n'as pas changé d'avis.

– Mais ensuite, qu'est-ce qu'elle va faire ? C'est ça qui m'inquiète, bafouilla Ben, les yeux pleins de larmes.

– C'est son problème, pas le tien. Elle est folle, mais à mon avis, ça n'ira pas très loin. Peut-être qu'elle a déjà tenté le pire. Tu dois essayer. Tu en es capable, non ?

Ben réfléchit. C'était inconcevable.

– Non, avoua-t-il pour finir.

– Dans ce cas, parles-en à un adulte. Tu lui rendrais service, en fait. Elle a besoin d'aide. Et toi aussi.

– Mais à qui ?

– Quelqu'un au lycée ?

Ben secoua la tête :

– Je ne peux pas lui faire ça.

– Tes parents.

– Très malin.

– Putain, tout ce que je sais, c'est que t'as besoin d'aide. C'est trop lourd pour toi. Mais il y a sûrement quelqu'un qui peut t'aider. À moins que tu veuilles rester avec elle jusqu'à ce qu'elle te largue.

– Merci bien.

– C'est sans doute ce qui va finir par arriver. Le problème, c'est que la seule espèce capable de l'anéantir a

271

disparu depuis quatre-vingts millions d'années, dit
Jon pour le distraire un peu. Il nous faudrait une catastrophe géologique. Une éruption volcanique. Un
tremblement de terre. Un raz-de-marée...
  – Une bombe atomique, suggéra Ben en se frottant
les yeux. Une explosion nucléaire.
        – Un monstre mythologique... L'Hydre de Lerne !
Ou Hulk. Superman ! Un hippopotame géant ! Un
dragon plus gros et plus terrible qu'elle... Mais cette
créature existe-t-elle ?

* * *

Ça a été une bonne idée de parler à Jon. Ça m'a
vraiment aidé. Il ne m'a rien appris de nouveau, mais
au moins, ça m'a remis les idées en place. J'étais tellement angoissé que j'avais oublié beaucoup de choses.
Alors les entendre dans la bouche de quelqu'un, ça
m'a permis de voir la réalité en face.
  Sauf que je n'avais toujours pas de solution. Rester
avec elle me semblait le plus simple, mais je n'en avais
pas le courage. Ça pouvait durer des années ! Je devais
réagir, non ? Je n'allais quand même pas attendre
qu'elle se lasse de moi. Mais peut-être que si... Peut-
être que la vie, c'était ça : attendre que les situations
s'imposent d'elles-mêmes en cherchant juste à éviter
les écueils.
  Elle m'avait bien eu, sur ce coup-là. Jusqu'à ce que
je fonde en larmes en parlant avec Jonathon, je n'avais
pas compris à quel point j'étais coincé. J'ai pleuré pendant qu'il faisait des blagues pour me remonter le
moral. Mais ça se voyait que je n'allais pas bien. Mes
parents n'arrêtaient pas de me demander si j'étais
malade, les profs aussi, une fois l'un d'eux m'avait pro-

posé d'aller à l'infirmerie tellement j'étais blanc. Même Dino s'en était aperçu, alors ça devait vraiment sauter aux yeux !

« T'es un peu pâle, je trouve », il m'avait dit.

J'avais la peau couleur papier dévoré, m'avait gentiment fait remarquer Jonathon.

Je l'avais dans le cul, et elle était ravie. Elle était toute gentille avec moi. Toute tendre. Maintenant qu'elle avait ce qu'elle voulait... Et ça me foutait les jetons. Elle était désolée de s'être ouvert les veines, désolée de se comporter comme un tyran. Elle me traitait comme un bébé, ce qui me rendait dingue.

« Et qu'est-ce qu'il veut comme gâteau avec son thé, le gentil petit Bennie ? »

Merde, elle est adulte quand même ! Elle me fout la trouille.

Et au moment où je commençais à me résigner, j'ai eu une idée. On ne sait jamais ce qui va vous être utile. Une parole de Jonathon, une blague m'est revenue en mémoire. C'était vraiment une idée de dingue. Jonathon avait évoqué un dragon encore plus gros et plus terrible qu'Ali. Or, je l'avais trouvé.

Cette pauvre Ali ! Vous allez avoir pitié d'elle. Jonathon l'avait traitée de monstre, et il avait raison, sauf qu'Ali est aussi une victime. La véritable victime, en fait, c'est elle. Et je savais qui pouvait la mater. Moi seul, j'en étais incapable. Mais j'étais prêt à tout pour me débarrasser d'elle. Peut-être que sa vie était foutue, mais pas la mienne. Je voulais me libérer de son emprise avant qu'il soit trop tard.

C'était une excellente idée. Cruelle, égoïste, lâche et terrifiante, mais j'étais prêt à tout. L'idée m'est venue chez elle. Ali était sortie faire une course en me laissant dans l'appartement avec ordre de ne pas répondre si ça sonnait. Le téléphone a retenti. Je n'ai pas décroché, alors le répondeur s'est mis en route.

«Ali? Tu es là? Réponds-moi. Ali? Je viens te voir. Cela fait trop longtemps, tu ne m'appelles jamais, tu pourrais être morte que je ne le saurais pas. Mon train arrive demain à cinq heures. Si tu n'es pas à la gare, je prendrai un taxi. Je sais que je te préviens un peu tard, mais si tu veux éviter ce genre de situation, tu n'as qu'à me téléphoner plus souvent.»

Et elle a raccroché.

Sa mère. Un monstre. Un monstre vivant, rien de mythologique là-dedans. Un dragon. La seule personne qui faisait peur à Ali.

J'ai effacé le message.

36

Jonathon

On m'a raconté un truc l'autre jour. C'est un secret, je n'ai pas le droit de vous le dire. Je sais que j'ai une réputation de grande gueule. C'est pour ça que ce type hésitait à me raconter son histoire. Alors je lui ai juré de ne rien dire, de ne rien écrire, mais c'est un secret hallucinant. Je n'aurais jamais soupçonné que ce gars vivait un cauchemar pareil. Exactement comme moi, sauf que lui, c'est vrai. On a cherché une solution pendant des heures, en vain. La... cette femme le tient par les couilles et elle ne le lâchera pas avant d'avoir trouvé une autre proie. Le pauvre! Le pauvre veinard!

Mais ça fait réfléchir, cette histoire. En fait, on a tous nos problèmes. Et son secret, il est vraiment affreux. L'histoire de Dino aussi. Moi, j'ai très peur, peur de mourir ou de vivre une vie atroce, mais ce n'est rien à côté. Dino, c'est sûr, Jackie ne sortira plus avec lui, ses parents vont vraiment se séparer, il n'y peut rien. Et cet autre copain, il est vraiment dans la merde. Mais moi, je connais la solution à mon problème, même si c'est extrêmement gênant. Il me suffit d'aller chez le médecin, et le médecin me dira: «Tout va bien, tout est normal.» C'est aussi simple que ça. Je dois y aller. Je dois juste me préparer à passer un mauvais moment.

Ce pote. Son problème! Ouah! Si vous saviez. Je n'en croyais pas mes oreilles. Dire que je pensais avoir des soucis... Comparé à lui, un cancer imaginaire de la bite, ce n'est rien. Rien du tout. Cela dit, ça prouve une chose. Le sexe, c'est une source d'ennuis. Ma mère dit toujours d'un air grave: «Dès que le sexe pointe le bout de son nez...» Quand j'étais petit, je croyais qu'elle parlait du décalottage, alors qu'elle voulait juste dire que c'était une source d'ennuis.

Je n'ai pas le droit de vous raconter ça. C'est impossible. Je dois garder le secret, c'est trop grave. Non, je ne vous dirai rien. Mais c'était tellement incroyable que je sautais partout pendant que Ben me suppliait de l'aider. Moi, tout ce qui m'intéressait, c'était de savoir comment leur histoire avait commencé et ce qu'ils avaient fait au lit, vous voyez? En revanche, je n'avais aucune solution à lui proposer. Il faut qu'il trouve un truc. Mais j'ai été flatté qu'il m'en parle. Il a dû se dire que je méritais de

275

savoir ça. Il aurait pu en parler à d'autres. Ce type, tout le monde l'aime bien, les filles comme les mecs. Et c'est à moi, la grande gueule, qu'il raconte ça. Du coup, je me suis senti utile. Peut-être même que je l'ai aidé.

Le plus drôle, c'est que tous les conseils que je lui donnais s'appliquaient aussi à moi. Par exemple : « Tu as besoin d'aide. » « Tu dois en parler à un adulte. » Si j'avais eu le courage de lui confier mon problème, il m'aurait donné les mêmes conseils.

Mais lui, il peut en parler, pas moi. Parce que lui, il a un vrai problème, alors que moi, c'est une blague.

Peut-être que je devrais aller chez le médecin. Peut-être que je devrais en parler à ce pote. Mais j'ai vraiment trop honte. Parce que son problème, il est affreux, mais en même temps, il est génial. Le mien, il est débile.

Mais à qui en parler ? À ma mère ?

« Mère, mon pénis m'inquiète, voyez-vous. Il a comme une excroissance. »

« Oh, mon pauvre chou ! Laisse maman regarder. Là, elle va mettre un pansement. Là. Et voilà, c'est fini. Maintenant, va le glisser dans une jolie foufoune, mon garçon. »

Pas question.

Mon père ? Un silence pèserait entre nous jusqu'à ce que je parte en courant, et le sujet ne serait jamais plus abordé de notre vivant.

Peut-être que je devrais en parler à Debs... Mais je sais ce qu'elle me conseillerait, alors autant le faire tout de suite.

Aller voir un médecin.

J'aurais tellement voulu éviter ça. C'est horrible. Mais ne rien faire est encore pire. Ça sera hautement déplaisant, désagréable, insupportable, mais, au final, ça sera réglé, non ? Bon, d'accord, le médecin peut aussi m'annoncer que c'est un cancer de la bite, mais ça m'étonnerait. En fait, je brandis cette menace pour me rassurer. Pourtant je dois y aller parce que... Sans doute parce que je fais confiance à la médecine.

Après, j'aurai une bite toute neuve et je serai très, très, très heureux.

Je vous raconte tout ça très vite parce que ça a été l'expérience la plus éprouvante de ma vie. J'ose encore à peine y penser. Ça a été atroce, je crains que mon psychisme soit irrémédiablement atteint. J'ai eu la trouille de ma vie.

D'abord, je n'ai pas réussi à obtenir de rendez-vous. Il fallait attendre une semaine. Impossible. Alors je suis allé aux rendez-vous d'urgence à cinq heures. Je suis arrivé tôt pour en finir au plus vite mais j'ai poireauté pendant des heures. En plus, comme un crétin, j'avais peur que le médecin me foute dehors en me disant qu'une névrose de la bite, ce n'est pas une urgence. D'accord, ça ne m'était pas arrivé le jour même. Mais pour moi, c'était vraiment une urgence ! Je risquais une vie sans bite ou la mort assurée, des années de chimio, de chirurgie, de radio...

Ou une bite toute neuve. Si c'était vraiment une veine et si j'étais — seulement — cinglé. Sauf que je ne pensais pas à ça. J'espérais juste que le médecin accepte que je lui montre ma bite sans pour autant aimer ça, si vous voyez ce que je veux dire.

On a fini par appeler mon nom. Je suis entré dans le cabinet, et là, l'horreur. Le médecin était une femme. Une très jolie femme. En jupe courte. Avec de longues jambes. Je me suis arrêté net. Incapable de lui dire un mot. J'avais la tête qui tournait. Elle allait penser que j'étais un pervers. Et si elle acceptait quand même de regarder ma bite, mais que tout à coup, je durcissais ? Elle appellerait les autres cabinets médicaux pour savoir à combien de personnes j'avais montré ma queue. Et la suite, vous la connaissez : prison, cancer non soigné, bitamputation, mort. Ou peut-être directement la mort. J'étais tellement angoissé que je respirais à peine. J'allais mourir étouffé de honte.

– Bonjour Jonathon. Assieds-toi. Quel est ton problème ?

Je suis resté debout, tout tremblant.

– J'ai un problème, ai-je réussi à déglutir en m'asseyant.

– En général, c'est pour cette raison que les gens viennent, sourit-elle. Que puis-je faire pour toi ?

Je l'ai regardée d'un air horrifié. Elle se foutait de moi ou quoi ? Qu'est-ce qu'elle voulait dire par là ? C'était tellement... personnel comme question. Du genre, qu'est-ce que tu détestes ? Qu'est-ce que tu aimes ? Comment aimerais-tu me prendre ? Sur le bureau, par terre ? Je vous en supplie, je vous en supplie, qu'elle n'essaie pas de me séduire !

– Je... j'ai... une bosse. Un truc.

– Où ça ?

– Sur... sur... dans...

Je n'arrivais pas à prononcer le mot. Je me suis levé et j'ai jeté un coup d'œil en direction de la porte.

– Jonathon ?

J'avais envie de partir en courant, mais je ne sentais plus mes jambes. Elle a penché la tête sur le côté d'un air compatissant.

– Les gens viennent ici avec des problèmes de toutes sortes. Je suis presque sûre d'avoir déjà soigné le tien. Si je te donnais des exemples, tu n'en reviendrais pas. (Elle m'a souri en désignant la chaise de la main.) Assieds-toi. Je pourrais te raconter certaines histoires, mais ce qui se dit dans cette pièce est strictement confidentiel. Retiens bien ça. Toute parole prononcée ici ne franchit pas le seuil de cette porte.

J'ai fait un cri de rat écorché vif.

– Ne t'inquiète pas, elle a insisté. Est-ce quelque chose d'embarrassant ?

– Yep, j'ai croassé.

J'ai tenté d'inventer un truc. La vérole ? La gangrène des testicules ? Tout mais pas mon histoire !

– C'est très courageux de venir m'en parler. Certaines personnes souffrent des années tellement elles ont peur de consulter. Mais la honte n'est pas dangereuse en soi. Seuls les problèmes non soignés peuvent l'être.

C'était bien ça ! J'avais un cancer !

– Est-ce dans un endroit intime ?

– Voui.

– Les testicules ?

– Nan.

– Bon. (Elle espérait que je me lance, mais j'en étais incapable.) Ça ne laisse que deux endroits possibles, n'est-ce pas ? Mais de toute façon, c'est dans le slip.

Terrorisé, j'ai hoché la tête. C'était quoi, ce deuxième endroit dont elle parlait ? Au bout d'une minute, j'ai compris : elle pensait à un cancer du trou du cul ! Parce qu'elle allait vouloir examiner cet endroit aussi ? Au secours ! Ça serait encore plus gênant ! Quelques secondes auparavant, sortir ma bite me semblait pire que tout, or elle venait de monter d'un cran dans l'horreur. Et ensuite ?

– Vu ton âge, il y a plus de chances que le problème soit localisé sur ton pénis. Exact ?

– Oui.

Elle a acquiescé.

– Est-ce le long de ton pénis, ou au bout ?

– Le long.

– Très bien, retire ton pantalon et va t'allonger sur la table, je vais t'examiner.

Et voilà. J'étais mortifié ! Je me suis approché de la table pendant qu'elle enfilait des gants en caoutchouc. Mais pourquoi ? Je m'étais lavé ! J'avais la bite propre ! À moins que ce soit pour l'examen du cul ?

J'ai baissé mon jean, mais je n'ai pas pu aller plus loin. Elle s'est plantée devant moi.

– Allez, je ne vais pas le descendre moi-même.

Alors, comme un petit garçon, j'ai baissé mon slip. Et révélé au grand jour ma saucisse entourée de ses deux choux de Bruxelles. Pauvre Mr Zobut !

– Voilà, j'ai dit. C'est cette bosse de ce côté. Elle n'est pas très importante mais elle grossit et elle durcit quand j'ai une nééééééééérection.

– Je vois.

Elle a tâté la chose puis s'est redressée.

– C'est une veine, elle a déclaré. C'est parfaitement normal. Le pénis est une région très veineuse. Celle-ci est plus proche de la surface que les autres, voilà tout. Cela signifie que tu as un bon afflux sanguin.

– Donc tout va bien ? j'ai demandé.

– Tout va parfaitement bien.

Elle a retiré ses gants et elle est allée se laver les mains au lavabo. Mais pourquoi ? Pourquoi avait-elle besoin de se laver les mains alors qu'elle portait des gants? Les germes de la bite étaient-ils si dangereux?

– Tout va bien, c'est sûr? j'ai insisté.

Je ne voulais pas qu'il subsiste le moindre doute. Tout sauf revivre ça.

– Sûr et certain. Le plus important, dans ce genre d'affaire, elle m'a dit en me regardant par-dessus son épaule, c'est de ne surtout pas s'inquiéter.

– Oui, oui. Je sais, mais des fois, c'est plus fort que vous, alors je voulais être sûr. Merci beaucoup. Au revoir.

Je me suis précipité vers la porte. Au moment où j'attrapais la poignée, elle m'a lancé:

– Profites-en bien.

Comme si elle avait compris.

En rentrant chez moi, j'étais halluciné. Comment avais-je pu? Quelle honte... Le moment le plus horrible de ma vie. Mais au milieu du trajet, j'ai pensé: «D'accord, ça a été horrible. Et débile. Il n'empêche, maintenant, j'ai une bite toute neuve. Alors si j'allais l'étrenner?»

37

Deborah

Moi, peur? J'étais terrorisée, vous voulez dire. C'était vraiment flippant. Ah, les garçons et leur machin. Dire qu'on traite les filles de chochottes... Vous parlez d'un truc capricieux. Jonathon ne m'a presque pas adressé la parole de la semaine, tout ça parce que son machin avait refusé de durcir. J'essayais d'être gentille, mais il aurait quand même pu me parler! Moi aussi, j'aime le sexe. Pourtant, je n'avais pas envie de dire à mon petit copain : «Je veux faire l'amour avec toi, alors qu'est-ce que tu fous?» Ça commençait à m'inquiéter. Je craignais que ce soit à cause de mon poids. Sur ce coup-là, Jonathon s'est vraiment comporté comme un crétin. Pas un mot ou presque, je vous dis.

Il a fini par cracher le morceau. Il avait peur d'être impuissant. N'importe quoi! Il n'y arrive pas la première fois, alors il est impuissant. Il y en a plein qui n'y arrivent pas la première fois. J'ai été gentille, mais j'étais aussi furieuse. Je suis sa copine, il peut me parler, non? À qui d'autre, sinon? Ses potes... Au secours! Alors j'ai fait semblant d'être compréhensive, mais il m'avait fait languir si longtemps que je lui en ai presque voulu à mort.

Ah, les garçons.

C'est vrai, je ne comprends pas pourquoi ça les inquiète autant. Jonathon a essayé de m'expliquer. Il m'a dit que les bites étaient très capricieuses.

— Parce tu connais un truc plus capricieux que les filles, toi? je lui ai demandé.

— La différence entre toi et moi, c'est que si tu n'étais pas excitée, je m'en apercevrais à peine, non?

— Bien sûr que si! Je serais toute sèche.

— Oui, mais ça ne saute pas aux yeux. Et si j'essayais de te pénétrer, j'y arriverais quand même, non?

— J'espère bien que tu n'essayerais pas!

— Toi, il te suffit de t'allonger et d'attendre. Tu n'as pas à rendre un machin tout dur, n'est-ce pas?

Si tu n'es pas mouillée, c'est juste parce que tu n'en as pas envie.

– Peut-être que tu n'en avais pas envie, j'ai renchéri.

– J'en aurais eu envie si j'avais pu, il a protesté.

Vous y comprenez quelque chose, vous ?

Ah, les garçons. Mais j'ai peur d'y être pour quelque chose parce que — ne vous moquez pas — ce n'est pas la première fois que ça m'arrive. Même si la dernière fois, ce n'était pas aussi grave que Jonathon. Au moins, mon petit copain de l'époque m'avait expliqué ce qui se passait, ce qu'il ressentait. Il avait l'impression d'être condamné à mort. Il était tellement triste que je me sentais désolée pour lui, mais je n'y pouvais rien. On a tout essayé. Je ne vous raconterai pas quoi, ça ne vous regarde pas. Vous n'avez qu'à imaginer. Mais rien ne marchait. Il était dur comme un roc, et dès qu'il m'approchait, il devenait tout mou. Désespérant. Alors il a voulu regarder une revue porno pendant qu'il me pénétrait ! Je vous jure ! J'ai refusé net. Et puis quoi encore ? Vous l'imaginez tourner les pages par-dessus mon épaule ? Si sa copine en chair et en os ne lui suffisait pas, qu'est-ce qu'une fille sur papier allait changer ? Il m'a expliqué que s'il pouvait contempler une foufoune, ça le maintiendrait sans doute en érection, mais comme il ne pouvait pas me regarder et me pénétrer en même temps, il lui fallait une foufoune sur papier.

Non mais vous vous rendez compte ! Pourtant, je n'étais même pas en colère ! Le pauvre, il était trop mal. Pour finir, il m'a prise en levrette, et ça a marché. Une fois qu'il a trouvé le rythme, tout allait bien. Tout ça, c'était dans sa tête. Alors quand Jonathon a fait pareil, je me suis dit : « Oh non, ça ne va pas recommencer!». Jon, c'était seulement mon deuxième, vous comprenez. Ce qui me faisait un taux d'échec de bandaison de cent pour cent! Ça n'est pas fait pour vous donner confiance, ces trucs-là! Moi aussi, j'ai mes angoisses. Je ne fais pas vraiment la taille mannequin, vous savez! Ça ne me gêne pas suffisamment pour que j'y remédie, et puis j'aime trop manger. Mais dès que ça foire avec mes petits copains, ça me revient en tête. Je sais que c'est idiot. Il y a plein de garçons qui aiment bien les rondeurs. «J'aime voir un peu de mouvement», me disait mon ex. «Un peu de mouvement»? Au secours! Alors j'essaie de ne pas y penser. En fait, personne n'aime vraiment son corps. Même les filles les plus minces et les plus belles s'imaginent toujours être trop grosses. Les filles, leur problème, c'est leur poids. Les garçons, c'est juste leur bite, mais nous, c'est l'ensemble du corps! Alors dès qu'un truc cloche, je me dis que c'est à cause de ça. Des fois, avec toutes ces histoires, je me demande même comment les couples arrivent à faire des bébés!

Quand on a tenté le coup la fois suivante, j'avais aussi peur que lui. Et si ça ne marchait pas? Il ne me parlerait plus jamais, c'est ça? Il ferait une dépression nerveuse? Jonathon a beau être un moulin à paroles, ça faisait des semaines qu'il ne m'avait presque pas dit un mot. Pourtant, je l'adore. Il me fait rire, et moi, je suis prête à tout pour rire. Tout. Ou presque. Non, ne me regardez pas comme ça, c'était une blague.

Une autre occasion s'est présentée: mes parents partaient à nouveau, mais je n'osais pas en parler à Jonathon. Déjà qu'il avait mis du temps à se décider pour sortir avec moi... Peut-être qu'il n'en avait pas vraiment envie, en fait. Peut-être que j'allais trop vite pour lui... Parce qu'il parle, il parle, il est très intelligent et drôle et tout ça, mais en réalité, il n'a aucune confiance en lui. En même temps, il est très imbu de lui-même. Vous trouvez ça paradoxal ? Peut-être, pourtant j'en suis sûre. Jonathon a beaucoup d'ego et aucune confiance en lui.

Mais tout a changé. Comme ça. Un jour, il était pétrifié d'angoisse, et le lendemain, il m'aurait prise dans mon salon. Il ne voulait plus attendre. J'ai refusé. Avec ma mère dans la cuisine ! Il en aurait été capable ! Je ne sais pas ce qui s'est passé. Il ne m'en a jamais parlé. Rien. Je l'ai questionné, mais il m'a juste dit qu'un jour en se réveillant, tout lui avait paru évident. Je n'y crois pas. Je me demande s'il n'avait pas un problème médical, mais lequel ? Il craignait peut-être d'avoir une maladie. Il devait bien y avoir quelque chose, non ? Je n'ai jamais su.

Le grand jour est arrivé. Mes parents étaient partis toute la journée. Ils adorent les brocantes. Très pratique ! J'ai proposé à Jon de venir vers onze heures. Inutile de se pointer à l'aube, il n'était pas le laitier ! Je voulais avoir le temps de me préparer. J'ai pris une douche, j'ai rangé ma chambre. J'ai sorti des draps propres. Ça m'a fait sourire, parce que ma mère dit toujours :

« Une femme qui change ses draps, ça veut dire quelque chose. » Alors quand je la vois changer ses draps, je lui fais un clin d'œil et elle rougit.

J'ai mis des fleurs en plastique dans un vase sur la table de nuit et j'ai fait le ménage. J'avais bien pensé que Jon se sentirait plus à l'aise si je glissais des chaussettes sales sous le lit, si je tachais les draps avec du thé, ou pire, si je n'aérais pas la chambre pendant une semaine. Les garçons font ça. Ceux que je connais, en tout cas. Mais bon. Je suis allée acheter des bons petits trucs au supermarché, de l'houmous, des feuilles de vigne farcies, et il restait du curry que j'avais cuisiné la veille. Une ou deux fois par semaine, je prépare le repas quand ma mère travaille. J'ai fait un peu de pénombre dans ma chambre. J'avais peur qu'une fois déshabillée, il ne voit plus que mes bourrelets et que ça le dégoûte. Même s'il me dit qu'il aime ça. Il dit que ça me va bien. En même temps, je ne voulais pas que ça soit trop sombre non plus, parce que vous savez, les garçons, en général, ils aiment voir ce qu'ils font. Jonathon aime beaucoup ça. Pourtant, c'est très gênant, vous ne trouvez pas ?

Mais qu'est-ce qui me prend ? Pourquoi je vous raconte tout ça ?

Je me suis demandé s'il allait à nouveau être raide de peur. Ou au contraire, pas raide du tout ! Mais il est arrivé en forme. Il était raide dingue de moi, oui ! Il sautait partout, il riait, il plaisantait et il me taquinait. C'était lui qui me mettait à l'aise ! Alors qu'en général, il ne sait pas où se mettre. Des fois, ça se voit, il dit une bêtise, ou il pense à une bêtise, et il se sent inquiet, comme s'il craignait ma réaction. Ça arrive souvent. Mais là, il était bizarre depuis des jours, et tout à coup, tout allait bien. Je l'ai emmené à la cuisine en lui proposant quelque chose à boire, et il m'a rétorqué : «Si on passait direct au plat principal ?»

Il a ajouté : «J'ai envie de te promener au bout de ma queue», ce qui m'a fait rire. Il m'a embrassée, serrée dans ses bras, il a mis son nez dans mon cou et m'a chatouillée. Quel bonheur ! Alors on est tout de suite montés dans ma chambre... et ça a été génial. Pas le moindre problème. Je me sentais à l'aise dans mon corps, à l'aise dans mon lit. Bon, c'est vrai, il a joui presque tout de suite, mais ce n'était pas grave. Il était désolé, alors je lui ai dit que j'étais flattée! Que ça montrait à quel point je l'avais excité! On a recommencé juste après, et là, ça a vraiment été bon. Vraiment. Il était tellement heureux. Je ne l'avais jamais vu aussi heureux, je crois. D'habitude, il est un peu sur la défensive, vous voyez? Depuis qu'on sort ensemble, il est souvent inquiet ou angoissé, mais ce jour-là, il rayonnait. J'aurais vraiment aimé savoir pourquoi. En tout cas s'il avait eu des problèmes, c'était fini, ça je peux vous le dire! Ensuite, il n'y avait plus moyen de l'arrêter. Il me sautait sans cesse dessus. Ah, les garçons! Qu'est-ce qu'ils ont dans le crâne? Je crois qu'ils sont tous cinglés. Mais je sais que Jonathon est... et moi aussi. Il me plaît tellement que je crois que je... l'aime.

38

Ben

Je craignais de ne pas la reconnaître. La gare n'était pas vraiment bondée, mais il y avait quand même un peu de monde, et les gens se ressemblaient tous. J'avais étudié des photos d'elle, j'en avais même volé une. Il y en a des tonnes chez Ali, alors elle ne s'en apercevra jamais.

«Elle me suit partout avec ses yeux de fouine, même dans ma chambre. Jusque dans les toilettes, putain!» se plaignait-elle. Et c'était vrai. Je n'y avais jamais prêté attention, mais il y avait une photo de sa mère dans chaque pièce. Parfois deux. Sa mère les accrochait elle-même. En fait, elle était partout. Effrayant. On avait l'impression qu'elle ne vous quittait jamais. J'ai demandé à Ali pourquoi elle ne les enlevait pas, mais sa mère les connaît par cœur. Elle ferait une telle histoire si elle s'en apercevait que ça ne vaut pas le coup.

J'en ai volé une dans un tiroir sans savoir si elle était récente. Sa mère pouvait avoir changé de coupe de cheveux, de maquillage ou de visage, mais non, je l'ai repérée. Elle était plus petite que j'aurais cru, elle portait un manteau en tweed rouge vif et des cheveux droits sur le crâne. Elle avait beau tirer une énorme valise à roulettes, elle trottinait comme une souris. Même avec des jambes bien plus grandes que les siennes, j'ai dû courir pour la rattraper.

– Mrs Young?

Elle s'est à peine retournée.

– Je suis un ami de votre fille Alison. Pourrais-je vous parler?

Elle s'est enfin arrêtée.

– Vous me paraissez très jeune pour être l'un de ses amis. Vous fréquentez son lycée?

Démasqué.

– Je peux vous parler? j'ai insisté.

Elle a jeté un coup d'œil à la pendule au-dessus du quai.

– Je suis venue rendre visite à ma fille, elle a dit en fronçant légèrement les sourcils, comme si elle me défiait de trouver une raison valable pour lui faire perdre du temps.

– C'est d'Ali que je suis venu vous parler.

Elle a de nouveau regardé la pendule. On aurait pu penser qu'elle soit intriguée par ma présence, même pas.

– Il y a des choses que vous devez savoir, j'ai insisté.

– Quelles choses? elle a aussitôt rétorqué.

– Je ne peux pas vous en parler ici.

Elle a fait une drôle de tête, mais je la tenais.

– Allons prendre un café, j'ai proposé.

Elle m'a suivi d'un air pincé.

Par où commencer?

« Voilà, j'ai couché avec votre fille, mais je veux la larguer et je n'y arrive pas, pourriez-vous le faire à ma place? »

J'ai attaqué par la dépression et la tentative de suicide. C'était ça, mon accroche. Ali était en danger, je m'inquiétais pour elle, je ne savais pas quoi faire. C'était la vérité. Quoique. Certes, elle était dans un sale état, certes j'étais inquiet pour elle, mais j'étais encore plus inquiet pour moi. Je n'étais pas le chevalier sans peur et sans reproche, moi! Je voulais sauver ma peau! Un salaud? Peut-être. Mais c'était ma dernière chance.

Elle m'a posé quelques questions, et j'ai vite craché le morceau. Ali et moi, la prof et l'élève, notre liaison. Ça ne me plaisait pas d'en arriver là, mais je me faisais du souci pour elle, d'autant qu'Ali était une personne... que dire pour ne pas blesser une mère? Instable. Elle a failli recracher son café. Je me sentais de plus en plus minable à ses yeux. Et c'était le cas.

J'ai fini par me taire. Avec tout ça, elle avait de quoi se faire une bonne idée de la situation. Elle est restée immobile face à son café — elle m'avait invité — et m'a dévisagé. J'attendais sa réaction. J'espérais sans doute qu'elle comprenne.

– Jeune homme, a-t-elle commencé, vous avez de lourdes responsabilités dans cette histoire.

Je suis tombé de haut. Pourtant, j'aurais dû m'en douter.

– Mais qu'est-ce que j'ai fait ? ai-je protesté comme un petit garçon.

– Alison est une jeune femme vulnérable et vous avez abusé d'elle.

– Moi ? (Je n'en croyais pas mes oreilles.) Mais c'est elle la prof ! Moi, je suis un élève !

– Vous avez réalisé le rêve de tout élève de sexe masculin. Avoir une liaison avec sa jeune et jolie professeur. Et j'imagine que vous vous en êtes vanté auprès de tous vos « potes ».

Elle a prononcé « potes » comme si elle parlait entre guillemets.

Je fulminais. C'était trop injuste !

– Mais c'est elle la responsable ! j'ai dit.

– Alison n'a jamais été responsable de sa vie, s'est-elle moquée.

Et vous savez quoi ? Ça m'a énervé. D'accord, c'était dégueulasse de ma part, j'aurais dû la larguer tout seul, et... il y a beaucoup de choses que j'aurais dû faire et que je n'ai pas faites. D'accord, j'étais là pour sauver ma peau et pas la sienne, même si c'était surtout Ali qui avait des ennuis. Mais c'était sa mère ! Or, pour elle, Ali n'était qu'une merde, comme moi ! J'étais une merde qui avait abusé de sa précieuse fille, et Ali était une merde incapable de gérer sa vie. J'ai commencé à voir pourquoi Ali la détestait tant. J'avais envie de lui dire ses quatre vérités mais je n'ai pas trouvé les mots, alors je me suis contenté de sourire.

– Je suis ravie que vous trouviez ça drôle, elle a dit d'un air méprisant.

– Mrs Young. Votre fille...

Tout à coup, j'ai été pris d'une telle fureur que j'ai eu envie de la frapper. Pour qu'elle comprenne. J'avais envie de lui dire : « Si votre fille est une merde, à qui la faute ? » Mais à quoi bon ? Alors je suis resté silencieux. Tout ce que je dirais ne ferait qu'aggraver mon cas. Cette vieille peau allait une fois de plus lobotomiser sa fille. Je lui avais fourni les armes, je n'allais pas empirer la situation.

Je me suis levé.

– Je n'étais pas obligé de vous en parler, j'ai déclaré. J'aurais pu avertir le lycée.

Mrs Young m'a lancé un regard si méprisant que j'ai eu l'impression de n'être qu'un ver de terre.

– Pour détruire sa carrière. Inutile. Elle ne retournera de toute façon pas au lycée.

Elle a dit ça avec une telle assurance que je l'ai crue. Elle s'est levée et m'a jeté un coup d'œil.

– Un jour, vous rendrez une femme extrêmement malheureuse. Je suis ravie d'être arrivée à temps pour sauver ma fille.

Et elle est partie. Je suis resté bouche bée, comme si on venait de me surprendre en train de manger de la merde.

Suis-je vraiment un salaud ? Certainement pas au sens où l'imagine sa mère. Et je me tape de ce que cette bonne femme pense de moi. Pour elle, je suis juste un type qui a baisé sa fille, puis qui l'a larguée au moment où elle allait mal. J'ai vraiment fait un sale coup à Ali en lui envoyant sa lobotomisante de mère. Elle se sent triste, vulnérable et suicidaire, et moi, je lâche le fauve. Son pire cauchemar. J'aurais peut-être dû attendre que l'orage passe. Peut-être que dans ce cas, j'aurais été quelqu'un de bien. Mais on a le droit de penser à soi aussi, non ? À ma place, Jon aurait attendu, pas parce que c'est un type bien, mais parce qu'il aurait eu trop peur. Ali aurait moins souffert, mais lui... Je pouvais espérer que ça lui serve de leçon, qu'elle ne recommence plus. L'un ou l'autre devait en baver, et je refusais que ça soit moi. Je voulais bien accepter ma part de responsabilité, mais je n'allais pas attendre qu'elle se lasse de moi, et puis quoi encore ?

Je ne me sentais pas très fier, mais vous savez quoi ? S'il fallait recommencer, je n'hésiterais pas. Si ça fait de moi un salaud, eh bien tant pis. On ne peut pas toujours être gentil. Elle en avait toujours fait qu'à sa tête avec moi. Eh bien, pas là. Elle n'a pas décidé de la fin. C'est moi qui ai décidé. Peut-être même que j'en suis fier, parce qu'entre se faire baiser et être un salaud, je préfère encore être un salaud.

Et devinez quoi ? Ça a marché. Comme sur des roulettes. Elle n'est plus jamais revenue au lycée, en une semaine, elle avait déménagé et disparu de la circulation. Avec sa mère dans les pattes, c'est sûr qu'elle était foutue. Deux jours plus tard, il y avait un remplaçant au lycée, le spectacle était annulé et le trimestre suivant, on a eu un nouveau prof de théâtre. Et hop !

J'étais enfin libre. Pendant longtemps, j'ai eu peur qu'elle vienne m'assassiner, mais au bout d'un moment, je me suis senti plus rassuré. L'été approchait. Dino m'avait parlé d'un de ses oncles, le capitaine d'un bateau de croisière sur le lac Windermere. Il pourrait peut-être nous trouver des jobs d'été. Ça avait l'air cool. Des bières et des filles, des vacanciers en goguette... Avec un peu d'argent de poche en prime. Le boulot paraissait dur, ça n'avait pas d'importance.

L'autre jour, j'ai bavardé avec Marianne et j'ai eu l'impression que je lui plaisais toujours. Mais c'est trop tôt. Je sors à peine la tête du trou. Je n'ai pas besoin de me trouver une copine tout de suite. Peut-être après les vacances. Le risque, c'est qu'elle ait un nouveau copain, une fille comme ça ne reste pas longtemps seule. On verra bien. J'ai besoin de me changer les idées. De partir un moment. Je me sens libre. Libre comme l'air.

39

Dino

Je suis resté près des casiers avec Jon et Ben pendant que Deborah allait faire son rapport à Jackie.

– Elle veut ressortir avec moi, je leur ai annoncé. (Et là, Jonathon a éclaté de rire.) Qu'est-ce qui te prend?

– Je ne sais pas.

– Qu'est-ce qu'il y a de drôle, alors?

– Elle veut ressortir avec toi? Après tout ça?

– Elle t'a traité de branleur devant tout le monde. Elle n'avait pas tort, d'ailleurs, a précisé Ben.

– Ça, je pense bien, a lâché Jon.

Ils ont échangé un regard, et ça m'a fait glousser. Ils croyaient que je frimais. Pas du tout. Vous savez quoi? Je ne sais pas comment, mais c'est revenu. La magie. Je l'ai tout de suite senti. À la façon dont les gens me regardaient.

– Pourquoi elle voudrait me parler, sinon? Pour vérifier si j'ai bien fait mon travail?

– C'est vrai, a reconnu Ben.

– Si c'est vrai, je ne fais plus jamais confiance aux filles. Ça serait pathétique, s'est lamenté Jon.

J'ai secoué la tête.

– Rien à voir. Elle est amoureuse, c'est tout.

Ben a ri.

– Et toi?

J'ai fait la grimace.

– Je sais pas.

– Tu vas à nouveau tenter de franchir ses portes dorées? a lancé Jon.

– Tenter de me faire traiter comme de la merde, j'ai rétorqué. Elle n'est pas très fiable, non?

– Pas très fiable? a répété Jon, et ils ont tous les deux éclaté de rire, ce qui m'a énervé.

Qu'est-ce qu'il y avait de drôle?

– Oui, pas très fiable, pourquoi? j'ai lancé.

Je savais que j'avais retrouvé la forme, parce que ce pauvre Jon a rougi comme s'il avait la braguette ouverte.

– Je disais ça comme ça, c'est tout.

– Dino, a dit Ben d'une voix calme. Tu l'as trompée. Elle était furieuse.

Des fois, Ben et Jon me gonflent, mais ce sont de bons potes. Ce que j'ai retenu dans cette histoire, c'est que les trucs de rivalité, c'est pour les gamins. Regardez Jonathon. Il a l'air aussi crédible qu'un pingouin, et pourtant, il s'est montré bien meilleur pote que Stu, Snoops et les autres. Et Ben... Il n'a toujours pas de copine, il n'a même plus l'air de s'y intéresser. Des fois, je me demande s'il n'est pas gay. Et alors? Si c'est votre pote, ça n'a pas d'importance. Et eux, ce sont mes potes. Ils me l'ont prouvé. Les autres, ce sont des connards.

Mais j'avais raison pour Jackie. À la façon dont elle me regardait, c'était clair. On ne sourit pas de cette manière à un type qu'on considère comme une merde. Elle a enfin admis que j'avais vraiment eu des problèmes.

Contrairement à ce que j'ai raconté à Jon et Ben, je sais ce que je ressens. Elle est toujours la plus jolie fille du lycée, et elle me plaît toujours. Et surtout on n'a jamais... Vous savez. Ce serait quand même dommage de passer à côté de ça, non?

On s'est rejoints à la sortie des cours et on est allés se promener. Elle était détendue et souriante. C'était génial. On a parlé de ce qu'on devenait, ce qu'on faisait, de nos parents, du vol à l'étalage qui s'était bien terminé, tout ça. Je n'ai pas dit grand-chose, je me suis contenté de répondre à ses questions. On souriait tous les deux. Au milieu du chemin, elle a passé son bras sous le mien.

– Ne t'imagine pas que ça a une signification, parce que ça n'en a pas, elle m'a prévenu. C'est un geste amical, c'est tout, elle a ajouté d'une toute petite voix, pour éviter que je la prenne au sérieux. J'étais vraiment furieuse contre toi, tu sais.

– Je suis désolé.

Elle m'a donné une petite tape sur le bras.

– Tu n'es pas désolé, je le vois bien. Mais ne t'avise pas de recommencer. J'ai vraiment été blessée.

– Je suis vraiment désolé, j'ai répété en souriant.

Elle m'a rendu mon sourire, cette fois un peu contrit, et elle s'est accrochée à mon bras.

On a atteint le bout de Crab Lane. Jackie soupirait comme si elle attendait quelque chose, alors je l'ai prise dans mes bras et elle m'a souri. Elle avait l'air tellement heureuse, ses yeux pétillaient, ça m'a plu. Je l'ai embrassée et elle a posé la tête contre ma poitrine.

– Ça signifie qu'on sort à nouveau ensemble ? elle a demandé.

– Sans doute.

– Tu es un mauvais garçon, Dino, je devrais... allez, embrasse-moi encore.

Alors je l'ai embrassée et... voilà.

– Quand est-ce qu'on se revoit ? elle a demandé.

On a décidé de se retrouver le lendemain soir. Puis elle a rejoint Sue à l'arrêt de bus. Sue fronçait les sourcils. Elle avait l'air furieux. Jackie faisait toujours sa petite fille, gloussant, se dandinant. Il n'empêche, c'était bon de s'embrasser, et qu'est-ce que j'en avais à foutre de Sue, après tout ?

Ça aurait pu se passer comme ça, mais... En rentrant chez moi, je me suis demandé si j'en avais vraiment envie. Ça allait recommencer. Elle m'exciterait, puis elle me jetterait. Et aussi... Il y a d'autres filles. Pour tout vous avouer, j'avais rendez-vous avec une nouvelle copine le week-end suivant. Elle me plaît bien, elle est très jolie. Si je ressortais avec Jackie, il fallait que j'annule l'autre fille. Et je n'avais pas très envie d'annuler. J'avais toujours cru Jackie franche et honnête, alors qu'en fait, elle fait n'importe quoi. L'autre fille, elle est plus simple, exactement ce dont j'ai besoin.

Je n'ai pris aucune décision. Le lendemain, tout le lycée était au courant pour Jackie et moi. Personne n'en croyait ses oreilles, ce qui était plutôt cool. Je l'ai évitée toute la journée, et au bout du compte, j'étais sûr de mon erreur. Alors je l'ai appelée le soir pour lui annoncer que c'était fini entre nous. J'ai essayé d'être gentil. Je l'aimais bien, mais je ne pensais pas que notre histoire puisse marcher. Elle l'a plutôt bien pris. D'abord, elle a été contente d'entendre ma voix, puis choquée et très calme. Je me sentais mal, mais c'était idiot de laisser pourrir la situation. Ça faisait trop longtemps qu'on se ratait l'un l'autre.

40

Sue

Colère. Larmes. Moulinets de bras. Maquillage dégoulinant. Ô rage ô désespoir !

« Comment a-t-il pu ? Dire que je me suis humiliée pour lui ! » elle hurlait.

Ça a duré une semaine, et puis ça a été fini.

41

Bouquet final

Ils avaient prévu d'aller au cinéma, au bowling ou à la piscine. Jon, Deborah, Ben, Dino et Jackie. Sauf que Dino ne sortait plus avec Jackie. Il avait été très discret sur la question, mais il avait laissé entendre qu'il viendrait peut-être avec une autre fille.

– Je vais encore tenir la chandelle... protesta Ben.

Il était quand même venu. Il s'était dit : « S'ils vont au bowling, je les accompagne, si c'est au cinéma, je les laisse. » Il avait bien pensé inviter Marianne, mais c'était trop tôt. Trop d'émotions. Trop d'intimité. Ils se retrouvèrent au café, où ils commandèrent des sodas et des chips. Dix minutes plus tard, Dino surgissait au bras de sa nouvelle copine.

– Salut, dit-il d'un air très gêné.

– Bonjour, lança Jonathon.

– Salut, marmonna Ben.

– Salut Marianne ! s'exclama Deborah.

Dino souriait aux anges. Marianne dit bonjour à la cantonade, faisant un signe de tête et un sourire gêné à Ben.

– Qu'est-ce que vous allez faire ? demanda Jonathon pour rompre le silence.

– Un tour, on ne sait pas, on verra bien, répondit Dino.

Il était aux anges. Elle était si jolie... Si sexy... Vous êtes tous contents pour moi, les gars, j'espère ? Vous voudriez être à ma place, peut-être ?

Deborah discuta avec Marianne de ce qu'il y avait à faire en ville. Dino souriait d'un air anxieux à ses deux amis. Jon et Ben paraissaient un peu désarçonnés, sans qu'il comprenne pourquoi. Puis il salua ses potes et s'éloigna avec sa nouvelle petite amie.

– À plus ! lança-t-il.

– À plus ! répondit Jon.

Qui attendit qu'ils aient franchi le seuil pour s'écrier :

– Quel connard !

Ben sourit en hochant la tête. Il était soudain tout rouge.

– Qu'est-ce qui se passe, vous aviez l'air bizarre? demanda Deborah.

– Ben voulait sortir avec cette fille, expliqua Jonathon.

Ben démentit d'un signe de tête.

– C'était il y a longtemps, se justifia-t-il, mais il devint encore plus rouge.

– C'est dégueulasse, alors! s'écria Deborah avec une grimace. C'est tout Dino, ça!

– Il le savait, accusa Jonathon.

Après tout ce qu'ils avaient fait pour lui! Après tout ce que Ben avait vécu! Il était enfin libre pour la fille qui lui plaisait, et Dino la lui piquait!

– Il ne le savait pas, tenta de l'excuser Ben. Il y a quinze jours, il m'a conseillé d'aller la voir, et je n'ai pas voulu. Tu t'en souviens, Jon? Je lui ai raconté que je n'en avais plus envie.

– Mais... protesta Jonathon.

C'était vrai, cela dit. Et puis, Dino ne savait rien à propos d'Alison Young. Il ignorait pourquoi Ben avait refusé d'aller voir Marianne.

Deborah l'ignorait elle aussi.

– Pourquoi tu n'es pas allé la voir? Je suis sûre que tu lui plaisais. Il faut demander, Ben, tu ne peux pas espérer qu'une fille t'attende jusqu'à la fin des temps.

– Ce n'est pas grave.

– Moi, je trouve que c'est vraiment salaud. Ça ne peut pas être un hasard, insista Jonathon. Il l'a fait exprès!

Ben fit la grimace.

– C'est tout Dino, ça, répéta Deborah.

– Incroyable. Et toi, tu te prends ça en pleine gueule. Mais comment il fait ?

– Ça n'a pas d'importance, répéta Ben.

Il n'avait plus envie d'en parler.

Il bavarda un moment avec eux. Jon et Debs voulurent qu'il reste, mais après cette déception, la dernière chose dont il avait envie, c'était de se promener avec un couple. Il termina son verre et partit. En sortant, il jeta un coup d'œil par la vitre et les découvrit penchés l'un sur l'autre, nez contre nez. C'était adorable. Il n'avait jamais vu Jon si heureux. Il alla dans les magasins regarder quelques CD qu'il n'avait pas les moyens de s'offrir, puis rentra chez lui en bus. Ses parents étaient sortis, son frère chez un copain, il avait la maison pour lui. Il se planta face au mur du salon.

« Et merde ! Merde, merde, merde ! Putain de bordel de merde ! »

Il donna un violent coup de pied dans la porte. Le battant se fendit. Il faudrait qu'il s'en justifie auprès de ses parents, mais il s'en foutait. Il courut dans toute la maison en hurlant, en jetant des coussins, en donnant des coups de pied tout en prenant garde à ne pas casser d'objets de valeur. Pour finir, il se rua sur le canapé. Il avait à la fois envie de pleurer, de hurler et de rire. Il fit une affreuse grimace et sourit comme un diable en direction du plafond.

Une minute plus tard, il mettait ses mains derrière la tête, soupirait et fermait les yeux. Il n'aurait de toute façon pas proposé à Marianne de sortir avec lui, il ne pouvait donc pas raisonnablement espérer qu'elle l'attendrait. Mais pourquoi c'était Dino qui la récupérait ? Et ça juste quelques jours après avoir largué Jackie ? Comme disait Jon, c'était trop incroyable pour relever du hasard, mais Ben se refusait à accuser Dino.

Il alla se regarder dans la glace. Il avait un beau visage, des traits fins et réguliers, d'agréables cheveux bruns bouclés. Des yeux rouges de colère — il avait failli pleurer — qui lançaient des éclairs. Mais il était plutôt mignon. Et puis, le monde était plein de jolies filles. Il en trouverait une autre. Sans oublier que Dino et Marianne, ça ne durerait pas éternellement, et que lui, il serait toujours là. Pourquoi se presser ? Il pouvait très bien attendre. Ou ne pas attendre. Il avait le choix.

Melvin Burgess est né à Londres
en 1954. Après avoir quitté l'école à l'âge
de 18 ans, il commence une carrière de
journaliste et travaille occasionnellement
dans le bâtiment et dans l'imprimerie.
Il se met à écrire vers l'âge de 20 ans et
c'est quinze ans plus tard qu'un de ses
textes est publié pour la première fois.
Il est aujourd'hui reconnu comme l'un
des meilleurs auteurs contemporains
de langue anglaise pour la jeunesse.
Il vit à Manchester, où il se consacre
entièrement à l'écriture.

Du même auteur

chez Gallimard Jeunesse :

Junk

L'esprit du tigre

Géante

Une promesse pour May

Billy Elliot

Le fantôme de l'immeuble

Rouge sang

Lady

PAO : Belle Page

Achevé d'imprimer
sur Roto-Page
par l'Imprimerie Floch à Mayenne
Dépôt légal : mai 2004
Numéro d'impression : 60173
Numéro d'édition : 126709
ISBN : 2-07-055759-6
Imprimé en France